KB197927

저녁과 아침 사이

박용순 소설집

저녁과 아침 사이

문학들

| 차례 |

조경역(潮境域)

그깟 일을 가지고 뭘 그렇게 고민하시오. 이제 다 끝난 일 아닙니까. 다 잊고 자, 술이나 한잔합시다. 아무튼 녀석은 우리 회사에 잘 왔어요. 다른 회사에서 그랬다면 누가 거들떠나 보았겠습니까. 아니 아니, 김 선장님 만난 것을 다행으로 알아야지요. 3일 동안이나 곁에서 돌봐주었고, 돈까지 손에 두둑이 쥐여 줬으니 말입니다. 옆에 있는 경양 2호나 3호 선장님께는 좀 미안한 말씀입니다만 그 배에 탔던 애들은 헛고생만 하질 않았습니까. 좀 안되기는 했지만 그 애들에 비하면야 놈은 해외 취업에서 결실을 본 셈이지요. 안 그렇소?

정 이사는 침을 튀기며 떠들어대다가 손수건으로 이마의 땀을 닦았다. 기름기가 번질번질한 얼굴에 우뭇가사리 같은 실핏줄이 퍼져 있다. 옆에 앉아 있는 선장들의 검게 탄 얼굴과는 전혀 딴판이다. 술잔을 들어 냉큼 털어 넣고 회 접시를 뒤적이던 그가 하얀 참치 뱃살을 찾아냈다. 싱싱한 참치는 뱃살이 최고라니까. 참치 살을 짓씹을 때마다 그의 살찐 볼과 턱이 실룩거린다. 나는 더 이상 앉아 있을 수가 없어 바닷가로 나와 담배를 피워 물었다. 왼쪽 소맷자락을 점퍼 주머니에 구겨 넣고 오른손을 흔들어 보이며 공항 대합실을 빠져나가던 닥뚱의 맑은 미소가 눈에 선하다.

출항 때부터 나는 기분이 몹시 뒤틀려 있었다. 정 이사 때문이었다. 부두에서 배를 떼어내기에 앞서 무선전화로 회사에 출항 전화를 넣었을 때 사장은 풍어를 기원한다는 말과 함께 안전한 항해를 거듭 당부했다. 전화를 끊고 나는 곧장 선수루에 있는 1항사에게 비트에 걸린 홋줄을 거둬들이도록 지시하고 주위의 배를 살폈다. 다닥다닥 붙어 있는 배 사이를 조심스럽게 빠져나와 부두를 막 벗어날 때였다. 누군가 다급하게 부르는 소리가 들렸다. 뱃전에 있는 선원이 가리킨 곳을 보니 뚱뚱한 정 이사가 조금 전 배를 떼어낸 곳에 서서 두 팔을 휘젓고 있었다. 부두로 배를 붙이라는 수신호였다. 기분이 삐걱거리기 시작했다.

"김 선장. 나는 김 선장을 믿지만 말이오……."

부두에 묶여 있는 배를 징검다리 삼아 뒤뚱거리며 건너온 정 이사가 배 위로 기어오르며 내뱉은 말이었다. 출항을 앞둔 모든 선장들에게 그랬던 것처럼 이사는 내게도 그 말을 되풀이했다. 회사에서도 이미 수없이 들었던 말이었다. 1992년 해운항만청이 고시한 '원양어선 선원 고용지침'이 생겨난 뒤로 이사의 잔소리는 끝없이 늘어가고 있었다.

"외국 선원들 통제를 잘 해야 될 거요. 전에 건양수산 소속 코스모스 1호에서 벌어진 난투극 기억하지요? 중국 교포들이 야합하여 일으킨 그 사건으로 초사(1항사)와 조리장이 현장에서 사망하고 선원 세 명은 후송됐는데 중태라질 않소."

그 사건에 대해서라면 나는 이사보다도 잘 알고 있었다. 사건이 있던 날 밤, 나는 남태평양 현지에서 무선전화를 통해 직접 듣기까지 했었다. 벌써 두 해가 지난 일이었다. 중태에 빠진 선원들은 이미 한국에 들어와 있었고, 그중 두 명은 퇴원을 한 상태였다.

"웬만하면 저놈들 안 태워야 하지만 회사 형편상 임금이 싼 녀석들을 쓰지 않고는 배겨낼 수가 없으니……."

이사는 번들거리는 이마에서 기름땀을 훔쳐내며 연신 지껄이더니 서서히 말마디를 늘렸다. 목에 힘을 넣어 주절대다가 어느 순간 어눌한 말투로 변하는 건, 배를 되돌린 만큼 중요한 얘기를 하겠다는 암시였다.

지긋지긋했다. 사장의 처남만 아니라면 출항하는 배를 되돌린 데 대한 대가를 톡톡히 치르게 해주고 싶었다. 회사의 좁은 사무실에 책상을 차지하고 앉아 그가 하는 일이란 국제선 비행기 표를 예매하거나, 출항을 앞둔 선장들을 불러 모아 귀가 시리게 잔소리를 해대는 것이었다. 그럴 때면 선장들은 터져 나오는 하품을 억누르며 분위기 좋은 술집으로 안내하거나 눈치 빠르게 봉투를 건네주고서 슬그머니 자리를 피하곤 했다.

나는 입을 다문 채 정 이사를 바라보았다. 그가 빨리 돌아가도록 하기 위해서는 묵묵부답만이 최선이었다. 이사는 그런 나의 태도가 답답했던지 이런저런 허드렛말을 좀 더 늘어놓은 끝에, 어기(漁期)가 끝나 귀항할 때 황다랑어 1톤만 챙겨달라고 귓전에 대고 나직하게 속삭였다. 황다랑어는 여느 다랑어에 비해 값이 나가는 어종이었다. 그래서 선원들은 황다랑어를 황금에 비유하기도 한다.

"기왕이면 찬물받이에서 잡은 놈으로."

이사가 배에서 내려가자 나는 곧장 기적을 울려대며 선수를 돌렸다. 기분이 몹시 좋지 않았다. 마음을 가라앉히려고 담배를 꺼내 물었다. 경험으로 보아 출항할 때 기분이 좋지 않으면 한 어기 내내 어획고에 대한 불안감을 떨쳐내기가 어려웠다.

귓전으로 흘리려 했지만, 주술에 걸린 듯 이사의 목소리가 자꾸 귓구멍을 간질거렸다.

–황다랑어 1톤. 기왕이면 찬물받이에서 잡은 놈으로.

귀한 황다랑어도 그렇지만, 찬물받이에 잡으려면 수온이 낮은 고위도로 가야 할 일이었다. 예컨대 정 이사는 쉽게 결정하기 어려운 어장까지 내게 지정해 준 셈이었는데, 고위도로 갈수록 강한 바람에 높은 파도를 견뎌야 한다는 것 역시 그가 모를 리 없었다.

검지손가락을 귓속에 집어넣어 함부로 후벼댔다. 하지만 잇속에 밝은 이사의 속내만 제외한다면, 노파처럼 거듭 씨부렁대는 말일지언정 허투루 넘길 수 없음에는 분명한 것이 있었다. 그것은 외국인 근로자들이 우리와 말이 통하지 않고 서로 다른 문화를 가진 데서 비롯된 예측할 수 없는 마찰 때문이었다.

이사의 염려가 아니더라도 그 점이 적잖이 신경 쓰이기는 했다. 그래서 처음 출항하기 전에 미리 1항사(1등 항해사)에게 눈짓을 했었다. 아니나 다를까, 오륙도를 벗어나자마자 1항사는 갑판에 외국인 선원들을 집합시켜 으름장을 놓고 있었다. 짐짓 험상궂은 표정을 지은 그의 손에는 몽둥이가 들려 있었다. 1항사는 위협적인 말을 토해내다가 몽둥이 끝으로 갑판 바닥을 쿵쿵 찍어대기도 했다.

1항사를 중심으로 가리비조개 모형으로 빙 둘러서 있는 외국인들은 모두 여덟 명. 세 명은 중국 교포이며, 그 옆으로 가무잡잡한 인도네시아인 두 명과 베트남인 세 명이 저희들끼리 붙어 서 있었다. 그중 한 명. 베트남인 세 명 중 맨 끝에 서 있는 사람은 좀 달라 보였다. 배가 파도에 흔들릴 때마다 넘어질 듯 비틀거리는 모습이 어설퍼 보였을 뿐 아니라, 생김새가 곁에 있는 베트남인들과 사뭇 다른 모습이었다.

몽둥이 끝이 비틀거리는 그의 가슴패기를 쿡쿡 찔렀다. 1항사가 뭐라고 내지른 소리가 기관음에 섞여 브리지로 들려왔고, 이어 그들은 까닥거리는 몽둥이 끝을 따라 일어섰다 앉기를 반복했다. 어깨를 걸고 앉았다 일어서는 그들의 머리가 파도 봉우리처럼 들쭉날쭉이었다.

"어허, 봐라 봐!"

1항사가 큰소리치며 몽둥이 끝으로 갑판을 쿵, 내리쳤다. 그들의 움직임이 빨라지면서 맨 끝에 있던 녀석이 갑판 위로 나뒹굴었다. 그 바람에 노가리 꿰미처럼 함께 어깨를 걸고 있던 다른 사람들도 한꺼번에 와르르 무너졌다.

넓은 바다로 나오면서 배의 롤링과 피칭이 심해지고 있었다. 1항사는 한심하다는 듯 그들을 바라보더니 몇 가지 다짐을 준 뒤 가까이 불러 모았다. 담배를 풀어 하나씩 건네주고 직접 불을 붙여주는 모습이 조금 전과는 완연히 달라져 있었다. 어설퍼 보인 젊은이는 담배를 피우지 않았다. 손을 저어 사양한 뒤 뱃전에 기대서서 바다 멀리에 시선을 주고 있을 뿐이었다.

경양 2호는 벌써 수제선 끝에서 가물거렸다. 경양 1호도 그 뱃길을 따라 남쪽을 향해 전속력으로 내달았다. 선수 쪽에서 갈래진 물살이 선미에서 사품을 치며 흐르는 배수류와 뒤엉켜 끝없이 밀려나고 있었다.

멀리 아득해 보이던 육지는 어느새 사라지고 없었다. 건조한 봄바람이 소금기에 젖어 들어 눅진해지면서 햇볕 또한 강렬해졌다. 파도의 두께가 한층 두꺼워졌고, 물빛은 진해졌다. 선수에서 이따금 솟아오른 물보라가 갑판 위로 날리면서 작은 무지개를 만들었다. 언젠가부터 주인을 호위하는 누렁이처럼 곱새기 떼가 앞장을 서고 있었다. 새까만 등을 잔뜩 구부려 물굽이를 뛰어넘는 녀석들 위로 갈매기 한 마리 비스듬히 날개를 편 채 선회하고 있었다.

2항사에게 브리지를 맡기고 나는 밖으로 나왔다. 문득 세상이 참으로 많이 변했다는 생각을 해보았다. 외국인을 고용할 수 있는 지침이 마련되다니.

지침이 마련되기 전에는 외국인 선원 고용 자체가 불법이었다. 때문에 동남아 선원이거나 중국 선원을 승선시킬 때는 일단 항구를 벗어나 은밀한 곳에서 승선시킨 뒤 출항하였으며, 귀항할 때는 항구 밖에서 다른 배에 넘긴 뒤 입항하곤 하였다.

방으로 들어온 나는 선원 명부를 꺼내 아까 갑판에서 빌빌대던 녀석의 인적사항을 살펴보았다. 얼굴 모습이 아무래도 미심쩍었다. 외국인을 처음 만난 사람들은 서로 이웃하고 있는 국가의 종족을 쉽사리 구별할 수가 없다고 한다. 하지만 나는 이미 오래전부터 외국인들을 보아왔다. 원양어선 선원 고용지침이야 마련된 지 오래지 않지만 나는 처음 배를 탔던 80년대 초입부터 외국인들과 생활했었다. 그들은 대개 동남아인들이었고, 때문에 내가 녀석에 대해 의심을 갖는 것은 당연했다.

응우에 닥뚱. 나이 37세. 주소 베트남 후에 시(市). 미혼. 승선경력무(無).

나는 선원 명부를 펼쳐둔 채 머리를 갸웃거렸다. 의심했던 대로 뭔가가 걸리는 기분이었다. 직접 물어보고 싶은 호기심이 일었다. 그들 중 한 사람쯤은 한국말을 할 수 있을 것이었다. 베트남인들은 다른 동남아인들에 비해 한국말을 빨리 터득하는 편이었다. 누군가는 한국군이 베트남 전쟁에 참여했던 흔적일 거라고 살며시 말하기도 했다. 그럴지도 모를 일이었다. 하지만 나는 '인증서' 때문이라 생각했다. 선장의 서명이 들어 있는 인증서는 나중에 배를 탈 때 경력을 인정해주는 증명서나 마찬가지였는데, 인증서를 받기 위해서는 작업능력도 능력이지만 언어소통이 중요하게 작용한다. 배는 경험 있는 녀석들이 다시 타게 마련이었다.

응우에 닥뚱. 녀석의 용모는 분명 다른 데가 있었다. 검지만 여느 베트남인들과 다른 직모, 날카롭지 않는 콧날, 조금은 누르스름한 피부색, 큰 키. 게다가 역시 아귀 맞지 않는 녀석의 이력. –나이 마흔이 다 되었는데 승선 경력이 없다, 아직 결혼도 하지 않았다, 베트남 중심부의 관광도시라는 후에 시에 살면서 배를 타러 왔다. 나는 언젠가 후에 시에서 멀지 않는 곳에 산다던 한 베트남인이 했던 말을 떠올렸다.

베트남에 들를 기회가 있으면 후에 시에 한번 가보세요. 그곳은 관광도시라서 예쁜 여자들이 많지요. 여자요? 끝내줘요. 더운 지방이라 초경이 빠르고 일찍 결혼을 하는 편인데, 그래서인지 나이 스물만 되면 능숙하답니다. 관광지라 남자들도 바쁘지요. 배요? 안 타요. 모르지요, 혹시 수상 거주민이라면.

그런데 주소가 후에 시로 되어 있는 닥뚱은 전혀 그곳 사람답지 않았다.

좌현 저 멀리 수제선 근처는 먹구름으로 뒤덮여 있고, 너울이 깊은 물고랑을 일구고 있는 바다. 갈매기도 떠나 버린 텅 빈 하늘과 맞닿아 있는 진청빛 해면 위를 경양 1호는 내닫고 있었다. 남쪽으로 내려갈수록 햇볕이 가시처럼 살 속 깊이 파고들었다. 뱃전을 넘어온 물보라가 순식간에 하얀 소금 결정체만 남긴 채 말라가는 한낮. 어창과 어구 손질을 마친 선원들이 해파리처럼 축 늘어져 그늘을 찾아들었다. 30도를 넘는 한낮의 기온과 끈적한 대기 탓이기도 하겠지만 대부분 잠을 설친 탓이었다. 동경 165도를 통과하면서 한 시간 앞당긴다고 간밤에 선내 방송을 했지만 선원들은 습관대로 대부분 늦게 잠자리를 찾아들었다. 당연히 한 시간 이른 아침밥을 먹어야 했고 항해사의 눈치를 살피며 작업복을 갈아입었을 것이다. 스물세 시간인 하루를 평소처럼 스물네 시간으로 보내려 했던 선원들은 시간의 그물에 걸려 흐느적거렸다.

그늘진 벽에 등을 기대고 퍼질러 앉아 있는 외국인 선원들이 보였다. 그들은 담배를 피우거나 졸린 눈을 게으르게 꿈벅거리며 앞가슴을 긁어대고 있었다. 한낮의 나른함이 느슨하게 풀어져 가는 시각, 갑자기 선미가 시끌벅적했다.

선미에는 젊은 선원들이 모여 있었다. 그들은 연돌이 드리운 그늘 아래서 장기를 두거나 표지가 검붉은 주간지를 뒤적이고 있었다. 방금 씻고 나온 듯 갑판원 김 군의 목에는 하얀 수건이 걸려 있고 스킨을 바르는 듯 토닥거린 손바닥으로 얼굴을 쓱쓱 문질러댔다. 수건을 풀어 머리를 털던 그가 갑자기 유도 선수처럼 어깨를 구부려 으쓱거렸다. 상대를 보니, 닥뚱이었다. 닥뚱이 어설픈 웃음을 머금은 채 손을 내저으며 뒤로 물러섰다. 장난기 많은 김 군이 그런 녀석을 놓칠 리 없었다. 몸에 착 달라붙은 진홍색 셔츠를 입은 김 군이 알통을 만들어 보였다. 태권도로 다져진 단단한 근육이 동아줄처럼 울툭불툭 튀어나왔다. 알통을 만지던 닥뚱이 놀랍다는 듯 입을 벌렸다. 김 군은 알통 만든 팔을 멍에처럼 구부리더니 프로 레슬러처럼 순식간에 녀석의 목을 휘감았다. 목을 잡힌 닥뚱이 빠져나가려고 뒷걸음질했다. 김 군은 헤드록을 하듯 팔에 힘을 주어 바짝 죄었다. 닥뚱이 김 군의 등을 두드리며 풀어달라는 듯 애원했다. 입가에 짓궂은 미소를 물고 있던 김 군은 그제서야 닥뚱의 이마에 알밤 하나를 먹인 뒤 사타구니께로 툭 내지르며 풀어주었다.

선미에서 왁자한 웃음이 터져 올랐다. 밥을 먹으려고 식당에 모여 있던 선원들이 웃음소리에 고개를 쭈뼛거리며 주방 뒷문을 통해 선미로 나왔다. 이번에는 김 군이 건들거리며 닥뚱에게 각목의 양쪽 끝을 잡고 있도록 했다. 목에 두른 수건을 풀어 옆 사람에게 휙 던지고는 대신 주간지를 낚아채 둘둘 말았다. 이합, 둥그렇게 말린 주간지가 허공을 가르는가 싶더니 순식간에 닥뚱의 손에서 동강 난 각목이 떨어져 나갔다. 이어 김 군은 동강 난 두 개를 닥뚱의 손에 쥐여 주고는 다시 벼르기 시작했다. 하나, 두울, 셋. 각목을 향해 내려치려던 김 군은 그러나 부러뜨릴 듯한 자세를 풀고 닥뚱의 머리를 툭 치는 것으로 마감 지었다. 모여 있던 선원들이 야유를 보내며 허탈하게 웃었다. 장난기가 심해 간혹 얻어듣기도 했지만 김 군의 성격은 선내의 분위기를 유도할 만큼 원만한 데가 있었다. 오 년째 나를 따라다니고 있어선지 내 비위에 거슬리는 행동은 자제할 줄도 알았다.

김 군, 언제나 장난기 어린 눈으로 장난을 즐기는 그를 처음 만난 것은 회사 근처에 있는 술집에서였다. 그때 나는 아침부터 엉망으로 취해 있었다. 선원 구성이 있다는 통보를 받고 들른 사무실에서 정 이사가 내뱉은 말에 기분이 뒤집혀 한바탕 난장질하고 갔던 술집이었다. 한 어기(漁期)만 더 마치면 참치 연승에서 건착선으로 옮겨 주겠다던 이사의 약속은 벌써 세 어기를 넘기고 있었음에도 실현되지 않고 있었다. 이번에는 틀림없소. 이사가 각서를 쓰겠다고 했으나 나는 고개를 저었다. 그 후 오 년 동안 나는 더 이상 건착선을 입에 올리지 않았다. 이사가 못 미더운 탓도 탓이려니와 이제 와서 건착선이든 참치 연승이든 상관할 바 아니라고 스스로 달래며 지내왔던 것이다. 김 군은 그때부터 줄곧 나를 따라다녔다.

"김 군, 일도 끝나지 않았는데 벌써 머리를 감았나?"

짐짓 나무라는 투로 내가 물었다.

"머리만 감아서 되겠습겨. 적도제 지낼라꼬 태평양 물 퍼 올려 목욕재계 했지예."

녀석은 나를 돌아보고 능청스럽게 씩 웃으며 대답했다. 아마 김 군은 출항할 때 정 이사가 배를 되돌린 데 대해 불편했을 내 심기를 눈치채고 있을 것이었다. 그래서 어장에 도착하기 전에 적도제를 지냄으로써 불편했던 것들을 훌훌 털어버리고 풍어를 기원하려는 내 의도를 지레짐작하고 있을 터였다.

간간이 뱃머리를 움켜잡던 바람도 숨을 죽인 바다 멀리 반향 없는 기관음만 흩어져가고 있었다. 조리장은 적도제에 쓸 음식들을 장만하느라 분주하게 움직였다. 명태와 부세에 실고추를 올려 찜찌고, 데친 콩나물과 고사리나물 등속을 차례대로 접시에 담아냈다. 턱 끝으로 흘러내린 땀방울이 음식에 떨어질세라 목에 두른 수건으로 연신 땀을 훔쳐냈지만 얼굴에는 금방 땀이 배어나곤 했다. 흥건히 젖은 남방셔츠는 등짝에 찰싹 들러붙었고 흘러내린 땀은 허리띠 아래로 번져 나갔다. 한동안 퍼내서 무치고, 접시에 담고 하던 그가 등에 붙은 옷을 뜯적거리며 선미로 나갔다. 선미에도 옷자락을 헤칠 만한 바람은 없었다. 배가 달리는 속도, 꼭 그만큼의 미미한 바람이 깐죽거릴 뿐이었다. 바람이 없다는 적도 무풍대였다.

적도제. 내가 제의를 치르기 시작한 건 그리 오래된 일이 아니었다. 항해사 시절을 거쳐 서른이 채 되기 전에 선장이 되었을 때도 나는 제의를 무시했었다. 내게 어떤 신앙이 있었던 건 아니지만 왠지 나약한 자신을 보는 것 같아서였다. 적도제를 지내지 않았지만 나는 남태평양의 조업선(操業船) 중에서 최고의 어획고로 '톱'을 놓치지 않았고, 해난사고 한 번 없었다. 내가 소속되어 있는 회사는 물론이며 다른 회사의 모든 배들과의 경쟁에서도 나는 줄곧 수위를 차지하고 있었다. 내가 헬리콥터에서 어군을 탐지하고 배에서 그물을 둘러 어획하는 건착선을 내놓으라며 이사에게 어깃장을 놓았던 것도 그러한 믿을 만한 구석이 있기 때문이었다.

그러나 늘 낭패였다. 낭패의 횟수가 거듭될수록 미움의 화살은 정 이사가 아닌 내 자신에게 되돌아오고 있었다. 나는 2호나 3호 선장처럼 정 이사를 살갑게 대하지 못했다. 성질머리 때문이었다. 수산회사가 비단 경양만이 아닌데도 다른 회사로 옮기겠다는 생각도 아예 해보지 않았다.

그러던 어느 날이었을 것이다. 항구를 벗어나 대양으로 나가는데 불현듯 두려움이 파도처럼 거세게 밀려드는 것이었다. 그날도 정 이사는 출항하는 배 위에서 자신의 잇속을 챙기기 위해 열변을 토한 뒤 돌아갔었다. 나는 홧김에 술을 병으로 마셨고, 하마터면 배를 암초 위에 올려놓을 뻔하였다. 술이 확 깨는 것 같았다. 하지만 나는 물밑에서 들려오는 이상한 소음 때문에 그 어기 내내 두려움을 떨쳐버리지 못했다. 선원들에게는 들리지 않고 내게만 들리는 알 수 없는 소음. 적도제를 지내게 된 것도 아마 그때부터였을 것이다.

"선장님, 술은요?"

식당에 상을 차리고 나오던 조리장이 얼굴의 땀을 훑어내며 물었다. 얼굴이 반질반질한 게 진땀깨나 쏟아낸 모양이었다.

"소주하고 캔맥주. 넉넉히 꺼내와."

조리장은 잠시 의아한 눈을 껌벅거리더니 열쇠 뭉치를 흔들며 식품저장창고로 뛰어갔다. 전혀 예상하지 못했던 선장의 지시라는 듯 고개를 갸우뚱거리면서. 술이라면 언제나 불안하리만치 좋아하는 사람들.

하긴, 선원들에게 있어 바다에서 술 이외에 무슨 즐거움이 또 있겠는가? 날마다 반복되는 투승과 양승의 시간. 경계가 흐릿한 하늘과 바다의 단조로운 공간. 눈을 떠도 눈을 감아도 머릿속에 가득 찬 것은 언제나 권태로운 시간과 공간일 뿐이었다. 그럴 때면 선원들은 견디기 힘든 일상을 한잔 술로 달래고 싶어하는 강렬한 욕망을 노골적으로 내비쳤다. 능숙한 선원들은 인내로 자신의 한계 영역을 넓혀가지만 서투른 선원들에겐 고역일 수밖에 없었다. 매사에 수동적인 외국인 선원들은 특히 심했다. 날이 갈수록 손과 입은 거칠어지고, 그러다 보면 신경은 낚시미늘처럼 날큼해져 닥치는 대로 걸고 들기 마련이었다. 적도제는 그때를 대비해 미리 술버릇을 파악할 수 있는 아주 좋은 기회이기도 했다.

제물은 식당과 브리지 두 곳에 차렸는데 약식으로 차린 브리지의 제물은 어부슴하듯 바다에 던졌고 식당의 것은 선원들 몫이었다. 당직자를 제외한 선원들이 모인 식당은 말똥말똥한 눈빛만 꿈틀거릴 뿐 사뭇 엄숙한 분위기였다. 외국 선원들은 맨 뒷줄에 몰려 있었다. 저희들끼리 귀엣말을 소곤대다가 1항사의 눈빛이 스쳐 가면 놀란 꼬막처럼 입을 꾹 다물었다.

"1항사, 작업조 편성표대로 세워."

1항사는 손짓을 하여 외국인 선원들이 적절히 섞인 세 개의 조를 만들었다.

나는 잔을 들어 일동을 향해 목청을 돋웠다.

"만선과 가족의 안녕을, 위하여!"

식당 안을 울리는 함성 소리가 기관음을 압도했다. 술잔이 부딪히고 선원들은 소주며 맥주를 마셨다. 외국인들은 물 위의 기름처럼 어느새 저희들끼리 뭉쳐 있었다. 하나, 둘, 셋, 넷, 다섯, 여섯, 일곱… 한 사람이 보이지 않았다. 나는 빠져 있는 사람이 닥뚱이라는 걸 곧 알 수 있었다. 식당 안을 둘러보았다. 동그란 현창 앞에 서서 바다를 내다보는 닥뚱이 보였다. 저래가지고 배 생활을 할 수 있을까. 나는 실큼해져서 돼지 머리 고기에 김치를 둘러 소주를 마시고 있는 김 군을 불렀다.

"저 녀석 앞으로 너가 좀 맡아, 그리고 확실히 해. 알았어?"

30도를 웃도는 적도의 바다에도 어느덧 어둠이 내리고 있었다. 진공 상태처럼 고요한 해면 위에 항해등을 켠 배가 아득하게 멀어져 간 초저녁. 하늘을 걸레질한 듯 얼룩진 구름은 수제선 위에 개켜져 있고 푸른 하늘의 별들은 금방 닦아낸 것처럼 반짝거리기 시작했다. 멀리 어슴푸레한 섬이 뒷전으로 밀려나고 있었다. 나우루 제도. 한때는 주요 어장으로 긴 항해의 여장을 풀었던 곳. 나우루와 길버트. 그러나 이제 남태평양의 섬들은 예전처럼 아늑한 곳이 되지 못했다. 언젠가부터 섬은 팽팽한 긴장감을 조성했고, 나는 애써 그들의 수역(水域)을 벗어나 길을 재촉해야 했다. 섬은 나에게 늘 불안의 대상이었다. 어쩌면 그물에 걸린 고기처럼 섬을 벗어나려고 발버둥 쳤는지도 모를 일이었다. 단조로운 선상 생활은 그래서 더욱 고독했고 그럴 때마다 나는 창망한 바다를 바라보며 다른 선박의 소식을 기다리곤 했다. 남태평양의 섬나라들이 자국의 잇속 챙기기에 나서면서 더욱 그랬다.

검은 바다 위를 묵묵히 달려가는 불빛들은 말이 없었고, 가물거린 모습을 바라보는 나는 언제나 마음이 쓰라렸다. 멀리로, 가급적 저들이 사는 육지에서 더 먼 곳으로 떠나가야 안전한 밤배들의 쓸쓸한 항해. 간절한 마음처럼 머리 위에서 유성 하나가 뚝 떨어지더니 밤하늘을 가르며 수제선 너머로 사라져 갔다. 외로웠던 걸까. 남태평양에서 나는 내가 아니었다. 모든 것이 직책으로 통했고, 회사와 국가로 통할 뿐이었다. 그래서 가끔은 내 자신이 회사나 국가의 일개 부품에 불과하다는 생각이 들기도 했다. 이런저런 구실로 섬에 억류되어 있는 사람들. 그들이 아무리 발버둥 쳐 봐야 자신의 의지대로 자유로울 수가 없듯 나 또한 과오가 발생했을 때는 그들과 조금도 다를 것이 없었다.

그물. 샤치 이빨처럼 날카롭고 쥐치 껍질처럼 질긴 그물은 때때로 돌풍보다 위력적으로 나를 옥죄었다. 그물에 휩싸이면 이 세상 모든 게 그물로 보였다. 아득한 뱃길을 항해하면서 시나브로 마주치는 대기 속의 경도와 위도, 가늠할 수 없는 수역, 하늘 위로 난잡하게 얽혀 있는 전파들까지…….

바다도 예전 같지가 않았다. 한없이 넓게만 보이던 바다는 날로 좁아지고 있었다. 바다 위에 산재해 있는 연안국들은 배타적 경제수역을 선포하여 조업선을 200해리 밖으로 내몰더니, 이제는 무슨 무슨 연합체를 만들어서 어획 쿼터량을 제한하고 심지어 어종에 따라 입어료(入漁料)를 받는 일이 횡행했다. 그러나 입어료만으로도 해결될 일이 아니었다. 입어선도 그들이 규제하고 있는 척(隻) 수에 한정되어 있었다. 때문에 비입어선이 조업 중에 그들의 수역을 침범이라도 할 때면 여지없이 나포되기 일쑤였고, 단단히 곤욕을 치러야 했다.

그러고 보면 남태평양에 산재한 섬나라들도 문명에 많은 변화가 있었음을 알 수 있다. 드넓게 펼쳐진 바다를 배경으로 야자수가 석양에 물들어가는 태고의 모습은 이제 그 어디에서도 찾아볼 수가 없었다. 처음 참치 조업에 나섰을 때, 우리 역시 가난에 허덕이던 시절이었으니 저들의 문명 변화는 당연한 것이리라.

가난. 형은 가난에서 벗어나려고 월남으로 떠났다고 했다. 줄줄이 달린 8남매 동생들에게 배불리 밥 먹일 수 있는 유일한 곳이 그곳이었다는 것이다. 다 부모 잘못 만난 죄라고 말하면서 어머니는 눈물을 훔쳐내곤 했다. 내가 초등학교에 다니던 시절, 나는 형이 보내준 흑백사진을 보며 납작한 월남 연필로 형에게 위문편지를 쓰곤 했다. 그리고 얼마 지나지 않아 형의 편지는 끊겼다. 지금도 알 수 없는, 베트남 어느 정글에 묻혀 있을 형이 그리우면 어머니와 나는 뒷동산 가묘를 찾아가 앉아 있다가 오곤 한다.

나에게 있어 남태평양도 그런 곳이었다. 남태평양은 쉽사리 떠날 수 있는 곳이 아니었다. 누가 뭐래도 우리에게 있어 원양어업 제1의 전진기지인 사모아가 있고, 아직도 많은 어선들이 남태평양으로 모여들고 있기 때문이었다. 어디 그뿐이랴. 우리가 떠나면, 떠나 버린다면 남태평양의 거친 바다 위에서 사라져간 참치 어장을 개척한 선배 원혼들을 누가 달래준단 말이가? 사모아 위령탑 아래 앉아 소주라도 한잔 들이켜야 나는 형에게도, 사모아의 고혼들에게도 조금은 미안함을 덜 수 있을 것 같았다.

그러나 이제는 연안국의 예리한 감시망을 벗어나기 위해 고위도로 내려가야 했다. 거친 파도와 금방이라도 윌리윌리가 몰아칠 듯한 남위 40도 아래까지 개척된 어장은 잇따른 규제에서 벗어날 수 있는 곳이기 때문이었다. 사모아에 기지를 둔 기지선들이 뉴질랜드 동부 어장에서 짭짤한 재미를 본다고 나는 듣고 있었지만 독항선은 군침만 흘려야 했다. 부산에서 출발한 독항선들에겐 사모아 북쪽 어장이 적격이기 때문이었다.

적도를 중심으로 동서로 길게 이어진 참치 어장. 항해사로 처녀 승선했을 때부터 멀미와 함께 은근히 나를 유혹했던 그곳에는 조경역(潮境域)이 있었다. 가끔 선배들이 들려주던 이야기를 들으며 물속 깊은 곳을 눈앞에 그려보곤 했던 시절. 수백, 수천 킬로미터의 띠를 형성하고 있다는 조류의 경계, 조경. 서로 다른 해황(海況)을 지닌 난류와 한

류의 경계인 조경엔 수많은 어종이 몰려들어 어장이 형성된다고 했다. 난류에 사는 참치류가 한류를 꺼려하듯 냉수성 어족인 대구나 명태 역시 그 경계 너머를 좋아하지 않는다는 것이었다. 그러므로 그곳엔 서로 다른 생태습성을 지닌 갖가지 살아 있는 것들이 자연스럽게 어장을 형성하고 있다는 것이었다. 그래서 뱃사람들은 조경역을 '보이지 않는 그물'이라 부른다고 했다.

처음 선장이 되었을 때 나는 실제로 조경역을 확인하려 애썼던 적이 있었다. 수온을 측정하고 염분의 농도를 확인했던 시절. 나이 먹은 선원들은 뒷전에서 낄낄거리며 수군대기도 했지만 나는 그때부터 어떤 확신을 가졌다. 작업이 전개될 때마다 조사해 둔 사항들이 기입된 어장도(漁場圖)를 들여다보았고, 예정된 것처럼 묵직한 아릿줄을 끌어올리곤 했다. 그러나 바다는 생각처럼 쉬운 대상만은 아니었다. 항해의 횟수가 늘어갈수록 바다는 더욱 두렵게 다가왔고, 조업 역시 뜻대로 되지 않을 때가 더 많았다.

성게 가시처럼 따가운 햇볕이 쏟아져 내리는 한낮. 나는 아린 팔뚝을 문지르며 브리지 데크에 서서 텅 빈 바다를 보고 있었다. 가끔 지나가던 갈매기 한 마리 다가와 둘러보고는 끼룩대며 사라져 간 하늘. 기관이 멈춘 한낮의 바다는 적요로 가득했다. 어처구니없게도 졸음이 밀려들었다. 나는 거칠게 눈을 비비고 사방으로 시선을 휘둘렀다.

선수에서는 선원들이 모여 아침에 거두어들인 어구를 손질하고 있었다. 조업이 없는 걸 알고 있어선지 손놀림이 한결 느슨했다. 이따금 늘어지게 하품을 하는가 하면 담배를 꼬나물고 잡담을 나누기도 했다.

김 군은 닥뚱에게 표지기 아래 뜸 다는 법을 가르치고 있었다. 미끼 나르는 일과 정리하는 일을 맡았던 닥뚱으로서는 조금 더 신속하게 처리해야 할 일이었다. 닥뚱의 더딘 솜씨가 마음에 들지 않는 듯 김 군이 쏜살처럼 빠져나가는 모릿줄의 속도를 시늉해 보였다.

"김 군아, 스티로폼 조각 하나 던져 봐라."

고개를 돌려 나를 올려다본 김 군이 말뜻을 알아채고 스티로폼 조각을 바다에 던졌다. 조류의 방향과 세기를 알고자 한 나의 의도이기도 했지만 무엇보다 답답한 심사를 떨쳐 버릴 수가 없어서였다.

흘러가는 하얀 조각을 무심히 바라보다가 브리지로 들어온 나는 어장도와 함께 일기장을 펼쳤다. 지난 출어 때 작성한 어장도에는 맛조개를 닮은 타원이 여러 개 그려져 있었다. 원 안에는 투승을 시작했던 어장의 경도와 위도, 풍향과 풍력 계급, 그리고 유향과 유속이 적혀 있었다. 그날의 일기장은 보다 더 상세했다. 주낙을 내리고 다시 거둬들일 때까지의 시간과 날씨의 변화, 투승 도중 변해가는 조류의 세기, 낚시의 깊이, 그리고 사용했던 미끼와 주로 어획되었던 참치의 종류가 기록되어 있었다. 알 수 없는 일이군, 나는 중얼거리며 의자에 앉아 턱을 괴었다.

여느 때 같으면 어창을 빼곡히 채웠어야 할 기간이었다. 한 번의 투승으로 십 톤, 아니 오 톤만 올렸다 하더라도 이렇게 지치지는 않았을 것이다. 그러나 기껏 올라온다는 게 개모로 상어 나부랭이거나, 샤치에게 몸통을 뜯긴 너덜너덜한 참치 머리가 고작이었다.

"경양 1호, 경양 1호. 감도 있습니까?"

무선 전화에서 우리 배를 찾고 있었다. 경양 3호 허 선장이었다. 나는 송수화기를 뽑아들며 밖을 살폈다. 바다 위에는 아무것도 보이지 않았다. 통가 아래쪽으로 내려가 보겠다더니 그 역시 투발루 어디쯤에 있는 모양이었다.

"예에, 감도 조오씁니다."

연해 창밖을 두릿거리며 나는 대답했다.

"아 예, 선장님. 감이 좋은 걸 보니 가까이 계신 모양입니다. 많이 잡으셨습니까?"

수면 위로 막 떠오른 참치처럼 팔팔한 목소리로 허 선장이 물어왔다. 어창을 제법 채운 모양이었다. 어장을 찾아 수없는 낚시를 드리우곤 했지만 이번만큼 고약한 경우도 없었는데 허의 목소리를 들으니 심사가 더욱 뒤틀렸다. 허 선장이 전화를 하지 않았다면 내가 먼저 다른 배를 불렀을지도 모를 일이었다. 전화를 먼저 건 대개의 선장들은 의외의 어획고를 올렸거나 그 반대일 경우였다. 하지만 어획고가 저조하다 할지라도 전화 앞에서 만큼은 등등한 게 또한 선장들이었다. 아직껏 신통한 재미를 보지 못했다 하여 전화를 들고 있는 내가 떨떠름한 기분일 수 있으랴.

"마지막 어창 들어가고 있습니다. 허 선장님은요?"

"여억시, 선장님은…. 저는 2번 어창 들어가고 있습니다."

다소 누그러진 어조로 허 선장이 대답했다. 그는 내 말을 의심하지 않는 모양이었다. 어쩌면 믿을 수밖에 없을 것이다. 어기가 끝나고 보면 최고의 어획고를 올린 사람은 언제나 나였으니까. 이제 겨우 백여 톤을 잡았다고 사실대로 얘기한다면 오히려 그에게는 그게 거짓으로 들릴지도 모를 일이었다. 허 선장은 사모아에서 만나 술 한잔하자, 하고는 전화 속으로 사라졌다.

전화가 뚝 끊김과 동시에 브리지 안은 다시 침묵에 빠져들었다. 나는 일기장을 되작거려 조업 기록을 찾았다. 아주 오래전의 기록을 뒤적이던 나의 시선이 문득 어떤 글귀에 가 멎었다. 처음 배를 맡아 출어했을 때 적어둔 것이었는데 볼펜 글씨가 톱니처럼 쓰여 있는 걸로 보아 당시의 배가 얼마나 노후선인지 되새기게 했다. 시종 툴툴대던 기관 때문에 컵 속의 물이 간단없이 잔물결을 일구던 그때.

> 뉴질랜드 동부는 다소 거칠지만 값비싼 어종을 건져낼 수 있다. 성어와 어린 참치가 함께 잡힌다는 선장들의 경험담에 미루어 보면 혹시 그곳이 산란장은 아닐런지. 그에 반해 적도 부근에선 중간쯤의 참치가 잡히고 있다. 1월에서 5월까지 어장이 형성되는 길버트 제도 부근. 사모아를 중심으로 타히티, 통가, 투발루는 5월에서 9월까지 대체로 어장이 형성되는 것 같다…….

일기장을 읽어가던 나는 야릇한 감정에 휘말리고 있었다. 어장을 옮기고 싶은 충동을 느끼면서 벽에 붙은 달력을 올려다보았다. 이슬을 머금은 자주색 각시붓꽃이 활짝 피어 있는 오월 하순이었다.

"기관 준비 됐으면 출발합시다."

연돌에서 곧장 굉음이 텅, 텅, 터져 올랐다. 적요를 뚫고 날아오르는 기관음에 한가롭게 바둑이며 장기를 두고 있던 선원들이 고개를 들어 브리지를 올려다보았다. 뜨거운 열기가 점차 스러져가는 저녁나절, 남으로 달리는 선수 우현 멀리로 배 한 척이 모습을 드러냈고 나는 그 배가 경양 3호라는 걸 알았다.

거듭된 조업의 부진으로 냉기만 흐르던 어창은 어장을 이동하고서야 조금씩 채워지고 있었다. 바람이 거세고 파도가 높았으나, 알바코나 빅아이뿐 아니라 이따금 잠수정 같은 마알린도 걸려들었다. 현문 아래까지 끌려온 마알린의 거대한 몸집이 수면 위에서 뒤챌 때는 배가 기우뚱거리는 것 같은 짜릿한 쾌감까지 전해져 왔다. 뒤늦게 찾아온 의외의 어획량에 나는 상당히 고무되어 있었다.

"렛 고!"

브리지 데크에서 핸드 마이크로 소리를 지르자, 선미 작업등 아래 스텐 바이하고 있던 선원들의 몸이 일사불란하게 움직였다. 마치 벨트로 연결된 기계가 일시에 작동하는 모습이었다. 아릿줄 끝에 매달린 낚시에 미끼를 꿰어 바다로 던지는 김 군의 날렵한 손놀림이 건너편에서 모릿줄을 던지는 갑판장의 동작과 척척 맞아 떨어졌다. 이따금 낚아채듯 미끼통을 끌어다가 미끼를 꿰던 김 군이 뒤를 힐끗거리며 재우치곤 했다. 미끼를 준비하는 사람이 중국 교포로 바뀌어 있었다. 김 군과 손발이 척척 맞은 닥뚱은 갑판장 뒤쪽에서 표지기에 뜸을 다는 일을 맡고 있었다.

어창은 주낙을 올릴 때마다 표나게 채워져 갔다. 선원들의 손발이 척척 맞아 일사불란하게 움직이는 게 무엇보다 기분 좋았다. 입안에서 맴도는 말이지만, 이 정도면 거의 환상적이라 할 수 있었다. 김 군의 목소리가 그 움직임들을 이끌고 있었다.

마지막 어창이 절반 정도 채워진 날 새벽, 투승이 끝나고 나서 나는 의자에 앉은 채 잠깐 졸았다. 가녀린 꿈속에 정 이사가 보였다. 그는 높은 파도를 가리키며 황다랑어가 그 속에 있다고 했다. 그리고 만일 황다랑어를 잡아오지 못하면 내 팔 하나를 잘라버릴 거라고 하면서 커다란 입으로 내 팔을 꽉 무는 시늉을 했다. 고약한 꿈이었다.

황다랑어로, 기왕이면 찬물받이에서 잡은 놈이 필요하다고 했지. 고위도로 향해 가면 바람과 파도는 좀 더 거세질 터였다. 위험할 게 분명했지만 위도 1도 아래의 찬물받이에서 잡은 놈은 육질이 단단하고 맛이 좋아 따뜻한 곳에서 잡은 것과 값이 비교가 안 되었다. 따라서 모험이 필요한 작업이기도 했다.

나는 잠깐 망설였다. 그리고 고위도로 내려갈 결심을 굳히고 뱃머리를 돌렸다. 고위도로 갈수록 검푸른 바다는 사납게 울어댔다. 꼬박 이틀 밤낮을 달린 뒤 기관을 멈추게 했다. 아무래도 더 이상 파도와 바람을 거스른다는 게 위험할 것 같아서였다.

투승을 하는 선원들 중 어떤 이들은 자신의 몸을 줄로 둘러 선체에 묶어둔 채 작업을 하기도 했다.

누구보다 닥뚱이 걱정이었다. 아무런 안전장치도 없이 뜸을 달고 있는 닥뚱의 모습이 왠지 불안했다. 다른 선원과 교체하라고 말하고 싶었으나 출렁거리는 배 위에서 이동하는 게 오히려 역효과일 것 같아, 목구멍까지 솟구친 말머리를 꾸욱 눌렀다. 팽팽하게 긴장된 모릿줄이 선미를 통해 검은 바닷속으로 빨려들고 있었고, 몇 시간째 무리 없이 일이 진행되고 있었기 때문에 나는 일단 김 군을 믿기로 했다.

나는 쌍안경으로 지나온 뱃길을 더듬어 보았다. 새벽 별이 내려앉은 듯 불 밝힌 표지등이 해면 위에서 오르내리다가 가뭇없이 사라져 갔다. 갑판에는 빈 주낙 광주리가 쌓여 갔고, 이따금 짜증 섞인 말소리가 들려오기도 했다. 브리지로 들어온 나는 시계를 보았다. 새벽 다섯 시가 넘어 있었고, 풍력 계급은 2였다. 바람을 등지고 있다지만 9노트를 예상하고 항해한 터라 풍력 계급 2의 가벼운 바람은 배가 달리면서 일으킨 기류에 불과할 것이었다. 다만 조류가 조금씩 세기를 더해가는 모양이었다. 지나온 뱃길에 놓인 주낙의 불빛들이 선수미선(船首尾線)과 일직선으로 놓이지 않고 둥그렇게 휘어져 보였다. 배가 떠밀리고 있다는 증거였다.

200여 킬로미터를 올곧게 투승하다 보면 뜻밖의 일에 말려들 때가 없지 않았다. 드물게, 지나가는 선박의 스크루에 걸려 뜸줄이 끊어진 때도 있고, 뜸에 달아 놓은 전파 장비를 도둑맞는 경우가 있었다. 하지만 무엇보다 염려스러운 것은 조류의 변화였다. 강한 조류는 물속의 주낙을 엉뚱한 곳으로 이동시켜 놓았고, 그렇게 되면 서로 엉켜 버리기도 해서 투승이 끝난 뒤 배 위로 줄을 거두어들일 때 애를 먹어야 했다.

스러져간 어둠 위로 밀려드는 여명을 바라보며 나는 빠르게 머리를 굴려 보았다. 줄잡아 한 시간 뒤면 작업은 끝날 것이다. 그렇다면 남아 있는 광주리 수는 백여 개쯤. 40킬로미터로 치고, 해가 뜰 무렵 어획률이 높은 점에 기인한다면 투승이 끝난 뒤 한두 시간 대기해야 할 테고…. 나는 방향을 바꿔 투승하기로 결론을 내렸다. 조류 위에 올려놔야 시간이 지날수록 이미 뻗쳐 놓은 줄과 일치하게 될 터였다.

키를 서서히 돌리면서 조류를 거스르기 시작했다. 크게 침로를 바꾼 것도 아닌데 뱃머리가 파도에 걸려 움찔거렸다. 물보라가 뱃전을 강타하고 갑판으로 뛰어들었다. 그때였다. 희붐한 여명을 가르며 단말마의 비명이 들려왔다. 동시에 왁자지껄 고함 소리가 뒤섞여 들려왔고, 순간 나는 사고가 발생했음을 직감했다.

"엔진 스톱!"

인터폰을 들어 기관실에 명령하고 나는 곧장 브리지 뒤로 돌아갔다. 낫을 들고 있는 김 군의 표정이 일그러져 있었다. 곁에는 갑판장이 참치 지느러미를 떼어 낼 때 쓰는 예리한 도끼를 거머쥐고 있었다.

"뭐하는 짓들이야!"

나는 계단을 뛰어 내려가며 고함을 질러댔다. 모여 있던 시선들이 일제히 내게로 몰려들었다. 도끼를 든 갑판장이 성큼성큼 다가와 내 앞에 멈춰 섰다. 얼굴 표정이 굳어 있었다.

"뭐야?"

갑판장을 노려보며 다그쳤다.

"낚시에 걸렸습니다."

나는 갑판장을 밀어내고 앞으로 나아갔다. 에워싼 선원들 사이로 쓰러져 있는 사람이 보였다. 닥뚱이었다. 찢어진 옷이며 가슴과 팔이 붉은 피에 흥건히 젖어 있었다. 녀석을 일으키려고 김 군은 안간힘을 써 댔지만 갑판 바닥에 고인 피에 번번이 미끄러져 자빠졌다.

"멍청한 쌔끼들 하는 짓거리라곤."

김 군은 말없이 닥뚱을 들쳐 업고 선실로 들어갔다.

"내 그럴 줄 알았어. 저런 놈한테 깃대를 맡기다니."

김 군을 뒤따라 선실로 들어가면서도 내 입에서는 간단없이 욕지거리가 터져 나왔다.

왼쪽 가슴은 피에 젖었을 뿐 다행히 상처는 없었다. 가위로 옷을 잘

라내고 몸에 묻은 피를 닦아내자 낚시에 걸린 팔뚝에 살점이 너덜거렸다.

"구조 요청을 할까요?"

등 뒤에서 통신장이 떨리는 목소리로 물어왔다.

"설치지 말고 가만히 있어."

구조 요청을 할 만큼 심각해 보이지도 않았거니와 불안해하는 선원들의 시선을 의식해서 나는 톡 쏘아붙였다. 병원으로 가긴 가야 할 일이었다. 하지만 간다 하더라도 육지는 너무 멀리에 있었고, 그렇게 되면 물속의 어구가 걱정이었다. 양승이 끝나려면 줄잡아도 열 시간쯤은 소요될 터였다. 막막했다. 피는 멈추지 않고 흘러나왔다. 피를 닦아내면서 대충 확인한 상처는 생각보다 커 보이지 않았다. 우선 응급조치를 한 뒤 양승이 끝나면 육지 병원으로 데려가리라 생각했다.

"약 가져 와."

약솜으로 상처 부위를 닦아낸 뒤 불룩하도록 붕대를 둘렀다. 하얀 붕대 위로 금세 피가 번져 나왔다. 팔뚝을 빙 둘러 압박붕대로 지혈을 하고 어깻부들기를 끈으로 바싹 동여매자, 피가 멎는 듯싶었다.

"갑판장은 멀쩡한데 뒤에 있는 놈이 왜 걸렸지?"

팔을 곧추세워 벽의 못에 끈으로 고정시키면서 김 군에게 물었다. 김 군은 치뜬 눈으로 힐끗 보더니 고개를 돌려버렸다. 김 군과 나를 초조한 눈으로 번갈아 보던 갑판장이 끼어들며 대답했다.

"배가 갑자기 흔들리니까 중심을 못 잡은 거지요. 내 옆까지 밀려와 넘어졌는데 때마침 김 군이 던진 낚시에 그만……."

"그러니까 왜 서툰 녀석한테 그런 일을 맡겨."

김 군을 노려보며 나는 소리를 질렀다.

"…그래도 김 군 아니었다면 바로 렛 고 됐을 겁니다. 낚시가 걸고 들어가는 데 김 군이 낫으로 쳐 잘랐기에 망정이지. 선장님도 아시다시피 그게 낫으로 잘릴 물건입니까. 와야 아닙니까, 와야!"

김 군은 짐짓 외면하고 끝내 아무 말도 하지 않았다. 그래, 김 군이 아니었다면 정어리처럼 낚시에 꿰어 틀림없이 물속에 처박혔겠지. 말이 낚싯줄이지 속에 철심(鐵心)이 들어 있는 줄이 아니던가.

나는 북적거린 선원들을 식당으로 보내고 남아 있는 김 군과 갑판장, 사관들을 둘러보았다.

"그냥 꿰매도 괜찮지 않겠나?"

웅성거리는 중에도 어긋버긋한 의견은 서서히 꿰매자는 쪽으로 압축되었다. 곧이어 수술 준비가 갖춰졌고 나는 알코올로 손을 씻었다. 마취제가 필요했다. 마취제가 없이 생살을 꿰맨다는 건 환자나 꿰맨 사람이나 고역일 게 분명했다. 배 안에는 마취제가 없었다. 나는 다급한 대로 '칙칙이'를 생각해 냈다. 칙칙이는 분무식 마취제인데 항구에 입항하여 여자와의 짧은 섹스를 두고두고 억울해한 선원들이 미리 귀두에 뿌려 시간을 끌어보고자 간직하고 다니는 물건이었다.

"칙칙이 있는 대로 모아 봐."

예상대로 딱풀만 한 칙칙이가 여러 개 모아졌다. 그것 역시 살갗을 마취하는데 지나지 않아 깊은 상처를 다루기에는 어림없을 터였지만 그나마 없어서 우환일 형편이었다.

닥뚱은 잠에 들었다가도 통증이 몰려온 듯 고통스럽게 신음을 내뱉으며 깨어나곤 했다. 얼굴이 창백했다. 못에 걸어둔 끈을 풀어 내리자,

녀석이 얼굴을 찡그린 채 눈을 떴다. 조심스럽게 압박붕대를 풀고 붕대를 벗겨 냈다. 응고된 피에 붙은 붕대가 너덜거린 살점을 들썩였다. 상처를 압박하여 동여맨 탓에선지 피는 심하게 흘러나지 않았다. 청어 알처럼 노란 기름 덩어리가 불거져 나온 팔을 보던 녀석의 눈가에 주룩, 한 줄기 눈물이 흘러내렸다.

"너 귀국할래?"

수술에 들어가기 전 굳은 목소리로 내가 물었다. 녀석을 긴장시켜 둘 필요가 있어서였다. 녀석은 누운 채 고개를 흔들어보였다.

"그럼 병원으로 갈까?"

내가 다시 물었을 때 내 얼굴을 빤히 바라보던 녀석은 말없이 눈을 감았다.

나는 알코올 적신 솜으로 살갗을 닦아내고 응고된 이물질을 떼어냈다. 상처 주위 거무스름한 피부에 검푸른 멍이 넓게 퍼져 있었다. 칙칙이를 뿌리고 난 뒤 상처 난 곳에 거즈로 심을 넣고 한 바늘씩 조심스럽게 꿰매 나갔다. 칙칙이는 예상대로 효과를 발휘하지 못했다. 선원들이 빙 둘러 다리와 팔을 잡았지만 닥뚱은 발악하며 온몸을 비틀어댔다. 상처의 양쪽 끝을 먼저 꿰매 놓고 가운데 한 바늘을 잡아 가닥을 잡으려 했지만 살점이 뜯겨나간 듯 벌어진 곳이 쉽게 붙지를 않았다.

봉합을 마치고 밖으로 나와 보니 해는 이미 중천에 떠 있었다. 뜨거운 햇볕 때문이었을까, 이마가 차가워지며 현기증이 일었다. 난간대를 잡고 눈을 감은 채 고개를 숙였다. 이명처럼 정 이사 목소리가 울려오고 있었다. 입안이 깔깔하고, 매슥매슥한 속이 쓰라리기 시작했다.

"에라이, 더럽게 되부렀구만."

1항사 지휘 아래 양승 작업이 진행 중인 선수에서 어느 선원의 푸념이 들려왔다. 눈을 뜨고 선수 쪽으로 고개를 돌렸다. 거둬들이는 줄에 걸려 올라오는 참치 머리통이 보였다. 현문에서 갈퀴를 들고 대기하고 있던 선원이 올라오는 머리통에 갈퀴로 찍는 시늉을 해보였다. 양승 시간이 늦어져선지 샤치에게 몸통을 먹힌 놈들이 많았다. 게다가 양승이 끝나가면서는 온전하게 올라온 놈마저 이미 원래의 제 빛깔을 잃고 있었다. 밤을 새워가며 대양에 200여 킬로미터의 주낙을 깔 때의 수고는 거둬들이면서 삭게 마련인 것인데 연속되는 파치는 빈 낚시보다 더한 배반감을 안겨 주었다.

그 후, 어기를 마치고 부산에 도착할 때까지 나는 닥뚱이 사고당했다는 사실을 희미하게 잊고 있었다. 팔에 붕대를 감고 갑판에 나왔을 때는 우려를 했지만 그럭저럭 견뎌낸 걸 보고는 괜찮겠거니 여겼기 때문이었을까. 아니면 항해사가 시간에 맞춰 꽂던 주사를 그만둔 뒤로도 김 군이 시시때때로 약을 발라주었기 때문이었을까. 아무튼 김 군의 간호는 극진했다. 끼니를 꼬박꼬박 챙겨주고 직접 끓인 참치죽을 먹여주는가 하면 물 적신 수건으로 몸을 닦아 주었다. 그런데 꿰맨 상처가 아물지 않고 물렁물렁한 채로 한없이 피고름이 나온다는 얘기를 부산에 도착할 무렵 김 군이 직접 알려온 것이었다.

감기 때문에 지끈거리는 머리를 손바닥으로 감싸고서 아들과 전화를 하고 있던 나는 조금 귀찮은 기분이었다. 알았어, 일갈하고 나는 다시 전화로 아들의 이름을 불렀다.

"아빠 곧 갈 테니까, 엄마하고."

"선장님!"

다그치듯한 김 군의 목소리가 등 뒤에서 들려왔다.

잘 있어-. 서둘러 아들과 교신을 끝낸 나는 전화기를 내려놓으며 김 군을 돌아보았다.

"뭐야?"

"내가 한 말 버얼써 잊었어예?"

"붕대 새 걸로 갈고, 아직 추우니까 옷만 따뜻하게 입혀."

"피부병이 저리 험하게 도졌는데 붕대를 감으란 말임껴?"

김 군은 홉뜬 눈으로 노려보았다. 울분이 가득 찬 목소리였다.

꿰맨 부위가 짓무른 데다 붕대에 덮인 살갗에 좁쌀 같은 수포가 번성해 있다며 언젠가 내게 말했을 때, 나는 상처가 덧난 거라 생각하고 마이신을 먹이고 캡슐 속의 가루를 바르도록 처방을 내린 적이 있었다.

"그럼 그대로 병원엘 데려가란 말야?"

"병원에 데불고 갈낍니꺼?"

그제서야 김 군은 말없이 고개를 떨구었다. 그런 김 군이 왠지 측은해 보여 나는 낮은 목소리로 덧붙였다.

"그러길래 뭣 한다고 뜸 다는 일을 가르쳐서는……."

"일을 갈쳐 놔야 배라도 탈 거 아님겨."

"적당히 하는 거야, 임마. 그 게을러 빠진 새끼들 떠나면 그만인 줄 몰라서 그래."

충고하듯 점잖게 타이르는 내 말에 김 군이 고개를 저었다.

"그기 아닙니더."

그가 주머니 속을 뒤지더니 사진 한 장을 꺼내며 말했다.

"닥뚱 그아 말입니더, 반은 한국인이라예."

나는 김 군이 건네준 사진을 들여다보았다. 누렇게 빛바랜 흑백사진이었다. 야자수를 배경으로 찍은 사진에는 상의를 벗은 군복 차림의 남자가 농라 쓴 여자의 어깨를 안고 있었다. 남자는 검은 색안경을 끼고 있었는데, 모자에 달린 계급장이 햇빛에 반사되어 하얗게 보였다. 흐린 기억 속에서도 언젠가 보았던 흑백사진의 영상이 그려졌다.

하지만 김군이 잘못 알고 있을 수도 있었다.

"라이 따이한이란 말야?"

사진에서 눈을 떼며 내가 물었다.

"그래예."

"웃기지 말라 그래. 라이 따이한은 해외 취업 대상에서 제외라는 거 몰라?"

"알지예. 그래서 내가 일을 갈친 거 아님껴. 말이랑 글자도 갈치고…."

가끔은 침잠된 목소리로, 가끔은 격앙된 목소리로 김 군은 말을 이어 나갔다. 김 군은 진즉부터 알고 있었던 것이다. 성장해 갈수록 감출 수 없는 외모 때문에 사람들의 시선을 피해 다녀야 했다는 닥뚱의 이야기를. 그리고, 쟁쟁한 가문의 딸로 태어나 한때 국가 공무원이었던 닥뚱의 어머니가 지금은 후에 시 수상가옥에서 연명해 가고 있다는 것을.

"후에 시락꼬 다 관광도신지 아심겨? 닥뚱의 집은예, 물 위에 떠 있는 후에 시라예. 빈민들이 우글거린 수상가옥 말입니더."

라이 따이한, 후에 시, 수상가옥……. 나는 머리가 어지러웠다. 갑자기 변한 날씨 때문에 감기에 걸려 밤새도록 고열에 시달린 탓인지도 몰랐다.

잠시 창밖을 보고 있던 김 군이 내친김이라는 듯 계속 말을 이어 나갔다.

"한국에 올라꼬 오래전부터 애를 썼는데 안 됐다대예. 해외 취업자 모집할 때마다 찾아갔지만 얼굴 때문에 그랬답니다. 글다가 과일 파는 시장에서 어떤 사람을 만났는데 달러를 좀 쥐어도라고 하더랍니다. 삼 년을 모았답니다. 한국에 올라꼬예."

부두에는 미리 연락을 받은 정 이사가 나와 있었다. 가자미눈으로 노려보는 정 이사의 얼굴에 못 마땅한 기색이 역력했다.

"계속 배를 탈 수 있는 방법을 갈쳐 달락캐서 갈쳐준 것이었는디, 낚시 바늘이 그라고 깊이 박혔으리라고는 생각도 못 했심더. 곧바로 병원으로 가기만 했어도 괜찮았을 낀데……. 징합니더. 지도 선장님 인간적이라서 믿고 배를 탔는디… 인자 배 그만 탈랍니다."

개인병원에서 종합병원으로 닥뚱을 옮긴 뒤 김 군은 떠나갔다. 낚시 바늘이 뼈를 긁어 버린 깊은 상처로, 썩어 문드러진 팔은 끝내 잘라내야 할 만큼 심각해져 있었다. 파상풍으로 덧난 상처에는 피부염이 포진해 있고, 뼛속까지 농이 차 있다고 의사가 설명했다. 어떻게 자르지 않고 치료할 수 없겠냐고 내가 물었지만 의사는 고개를 저었다. 벽에 붙어 있는 의자에 앉아 짐짓 딴전을 피우는 정 이사의 눈길이 자꾸 내 얼굴을 후벼댔다.

입원한 지 정확히 일주일이 되던 날 닥뚱은 퇴원을 했다. 병원에서 멀지 않는 야산에 팔 하나를 묻고 돌아오는 길에 자꾸 뒤를 돌아보던 녀석의 눈동자가 무척 맑았다. 가방을 끌고 공항 대합실을 빠져나가며 닥뚱은 처음으로 내게 한국말을 했다. 아버지 나라에 오게 될 줄은 꿈에도 생각 못했어요. 영원히 잊지 못할 겁니다.

슬픈 우상

카메룬, 1월의 더위는 길고도 지루했다. 동이 채 트기도 전부터 시작된 불쾌감은 정오를 넘어서면서 절정에 달했고, 그 후 한나절은 감각도 없이 흐리멍덩하게 견뎌야만 했다. 그렇게 하루를 보내고 나면 선원들은 힘겨운 고통의 대가를 보상이라도 받으려는 듯 서둘러 도시로 기어들었다. 만조의 물이 떨어지듯 소란스럽던 배 안이 멀리 개펄 밖으로 밀려 나간 썰물처럼 갑자기 한산해졌다. 입항한 지 사흘째, 당직 번차가 되어 브리지로 들어온 나는 또 하룻밤을 어떻게 보내야 할까 진저리를 치면서 쌍안경을 들었다. 바다를 한 바퀴 빙 둘러본 다음 정문 옆 출입국 관리사무소에 멈췄다. 흑인 한 사람이 사무소 밖에서 어정거리다가 곧 사라졌다. 산자락을 서서히 훑으며 이번엔 후문 경비초소 쪽에 고정시켰다. 산허리를 질러 넘는 좁은 길 입구에 위치한 그곳은 옅은 어둠에 묻혀 있지만 가까운 탓에 선명하게 보인다. 시멘트 블록을 네 단 쌓아 올렸고 네 귀퉁이에는 기다란 원형 철봉이 천막의 지붕을 떠받들고 있다. 초소 안에 군복 차림에 총을 메고 경계근무 중인 흑인 두 사람이 보였다.

쌍안경을 쥔 손바닥이 배어 나온 땀에 끈적거렸다. 렌즈에 너무 바싹 들이댄 때문인지 눈 주위가 작은 벌레 기어다니듯 그닐거려 반소매 깃으로 힘주어 닦아냈다. 누군가 입구를 뜯어버려 시커먼 속이 훤히 들여다보이는, 천장에 붙어 있는 에어컨 통풍구 아래로 다가섰다. 기관실로부터 바로 위층인 기관부원 침실을 거쳐 한 층 위의 갑판부원 침실과 식당에, 다시 한 층 위인 사관 침실에, 그 위 선장과 기관장의 침실을 거쳐 맨 꼭대기 층인 브리지까지 올라온 바람은 가쁜 호흡처럼 되레 짜증만 돋운다. 시끄러울 뿐 시원하지 않은 바람을 내뿜어도 에어컨을 가동할 때면 나는 언제나 창문을 꾹꾹 닫는 버릇이 있다. 아직까지 한 번도 시원한 바람을 쐬어 본 적은 없지만 '에어컨'이라는 이름에 거는 기대 때문일 것이다. 차라리 밖으로 나가 눅진한 바닷바람을 속 시원히 쐬는 편이 나을 성싶다.

1기사(1등 기관사)는 오늘도 외출을 나가지 않았다. 저 아래 식당 뒤쪽 선미 갑판에서 낚시를 하려는지 허연 뜨물을 바다에 퍼붓고는 이내 뱃전에 배를 걸치고 허리를 굽혀 바다를 들여다보고 있다. 잠시 후 허리를 편 그가 이미 드리워진 줄을 오른손에 쥐고서 왼쪽으로 당겨보고 다시 오른쪽 머리 위로 길게 끌어 올렸다. 벌써 사흘째, 그는 밤낮으로 똑같은 행동을 반복할 뿐 하찮은 잔챙이 한 마리 건져 올리지 못했다. 어느 항구에서든지 상륙하지 않은 무료한 선원들은 뱃전에 낚싯줄을 드리우곤 했는데 그때마다 몇 차례 건져 올린 싱싱한 횟감으로 배에 남은 사람들은 무료함을 달래곤 했었다. 그러나 이곳에서 1기사가 건져 올린 생선회를 나는 아직 먹어본 적이 없다. 한번은 점심시간에 빈정대는 투로 "회 한 점 하자"며 1기사에게 말을 건네려다가 그의 얼굴이 몹시 일그러져 있음을 알고는 그만두었다. 그뿐만이 아니었다. 그는 마치 바다 전체를 임대라도 한 듯 다른 선원들을 일체 선미 쪽으로 나오지 못하게 한 것이었다. 이곳에 와서 그는 전혀 딴사람이 되어 있었다.

1기사가 낚시에 집착한 것은 사흘 전 항구에 입항한 날 밤부터였을 것이다. 아프리카 대륙의 서안에 위치한 카메룬의 두알라 외항에 도착한 때는 오후 네 시경이었다. 모리타니 누아디브에서 냉동된 전갱이를 싣고 오던 참이었다. 선박을 부두에 접안(接岸)하기 위해 거쳐야 할 입항수속을 위해 잠시 머무를 때였다. 나는 선수에서 브리지의 선장으로부터 '앵커 렛 고' 지시를 트랜시버로 통보받고 닻을 내린 뒤 느슨해진 마음으로 육지를 바라보고 있었다. 아직도 원시림이 널려 있는 미개의 대륙 아프리카. 이곳에서는 유럽 등지를 들락거리며 내 자신 스스로 움츠러든 것과는 정반대의 우쭐한 기분이 불쑥불쑥 고개를 치밀었다. 유럽 국가에서는 검역관이나 세관원이나 출입국 관리들에게 필요 없는 예까지 갖추었지만 카메룬, 아니 아프리카에서는 짐짓 거만한 몸짓으로 묵묵히 지켜볼 따름이었다. 배고픈 자에게 먹을 것을 가져왔다는 자만심에서 비롯된 것인지 아니면 미개한 아프리카에 대한 섣부른 인식 때문이었는지는 몰라도 아무튼 만만하게 생각한 것만큼은 사실이었다. 그런 때문에 비록 관리라 할지라도 아무렇게나 대해도 되고 그들의 규율에 구속될 필요가 없다는 엉뚱한 배짱은 입항수속을 마친 뒤 전갱이 한 상자씩을 건네준 선장에게 '댕큐'를 연발하며 손을 잡아 흔드는 모습에서 한층 더해갔다.

모든 절차를 마치고 배가 부두에 닿자마자 나는 외출을 서둘렀다.

어쩌면 항해사 생활 7년의 마지막이 될지도 모르는 입항이어서 당직쯤 도맡아 설 만도 했지만 육지가 갑자기 눈앞에 나타나고 보면 그러한 다짐은 부두를 때리는 파도처럼 비산하여 육지 깊숙이 불빛 휘황한 시멘스 클럽이나 홍등가로 스며들어간 것이었다. 나는 부두에 내려서서야 정박 당직을 세워두지 않았음을 알았다. 정박 당직은 항해부문과 기관부문에서 사관과 부원으로 2인 1조가 되어 2개 조가 서도록 되어 있는데 첫날의 당직은 모두가 말라리아 모기처럼 싫어했다. 3항사(3등 항해사)나 3기사(3등 기관사)는 으레 제 차지려니 생각하고 아예 외출복조차 갈아입지 않지만 부원들은 육지만 보이면 직책이고 나이고 상관없이 불만을 토해냈다. 나는 외출복을 갈아입고 현문 사다리를 내려서는 3갑원(3등 갑판원)을 배 안으로 끌고 들어갔다. 3갑원은 배 안에서 나이도 제일 어리고 승선 경력 역시 겨우 일 년 반밖에 되지 않았지만 항해 중에 고분고분했던 것과는 달리 좀체 수그러들지 않았다. 나는 짐짓 험상궂은 얼굴을 지어 보이며 입항하기 전에 갑판 구석에 모아둔 빈 페인트 통과 크레인을 손질하며 나온 기름 찌꺼기 등을 청소하도록 으름장을 놓은 뒤 당직을 떠맡겼다. 내가 당직보다 청소에 비중을 두어 녀석을 배에 남겨 둔 게 아님을 풋내기 3갑원이라도 지레 눈치채서는 청소 따위는 하지 않을 것이었지만, 그렇게라도 당직을 세우고 나니 홀가분하게 모든 걸 잊고 나설 수가 있었다.

성미 급한 선원들은 화장실이라도 가듯 잰걸음을 하여 벌써 정문 끝에서 어른거렸다. 나는 15분쯤 걸어야 하는 정문으로 갈까 잠시 망설이다가 지름길이 있는 후문 쪽으로 발길을 돌렸다. 후문을 지나 산허리를 가로질러 빠져나가면 정문으로 나간 선원들보다 오히려 빨리 시내에 들어설 수 있기 때문이었다. 하지만 후문은 대낮에도 밀항자들의 습격을 받을 수 있기 때문에 선뜻 내키지 않는 곳이기도 했다. 서둘러 후문 쪽으로 가던 나는 보초 근무자인 듯한 흑인 한 사람을 만났다. 부두 쪽으로 서서히 걸어오는 흑인은 군복차림에 어깨에는 소총을 멘 채였다. 170㎝쯤 될까. 크지 않은 키에 유난히 맑은 눈을 가진 앳된 얼굴이었다. 흔하게 보아온 우락부락한 흑인들과는 사뭇 대조적인 그러한 모습을 나는 아프리카 항구를 드나들며 드물게 보아오긴 했지만 그중에서도 오리 떼 속의 새끼 백조처럼 빼어난 구석이 엿보인 놈은 처음이었다. 어쩌면 이제 갓 출입국관리직 시험에 합격하여 처음 근무지로 발령을 받아 왔을 거라는 생각마저 들 정도였다. 그러나 그도 흑인이고 흑인의 문화방식에서 성장해 왔을 거라는 생각에 미쳤을 때는 결국 그 맑은 눈과 앳된 얼굴도 부둣가를 기웃거리면서 전갱이나 한 토막 얻어 가는 데 일조할 수밖에 없는 검은 탈로 보일 뿐이었다.

산허리를 넘어 시내로 들어온 나는 선원들을 찾았다. 아니 선원들 속에 섞여 있을 1기사를 찾았다고 해야 정확할 것이다. 외국어에 능통한 1기사는 어느 항구에서든지 입항할 때면 나와 동행이 되어 주었다. 아니다. 내가 그와 동행이 되고 싶어 했을 터였다. 그래서 첫째 날도 늘 그랬던 것처럼 우연을 가장하기 위해 나는 맨 먼저 부두에 내려 배 안을 둘러보며 딴전을 피우다가 당직을 세우는 것까지 망각하지 않았던가. 어쨌든 나는 1기사가 곁에 있어야 행동이 자유로워질 수 있었는데, 그것은 머지않아 선장이 될 위치에 있으면서도 도통 외국어에 자신이 없는 탓에서였다. 자신이 없는 정도가 아니라 그 증세는 지나칠 정도였다. 이를테면 내게 다가서는 검고 흰 피부 색깔만 보여도 금세 주눅이

들곤 하는 것이었는데 그것은 마치 예방주사를 맞기 위해 줄에 서 있는 아이가 지레 갖게 되는 공포감 같은 것이었다고나 할까. 그렇게 내가 외국인에게서 항상 겉도는 반면 1기사는 채신머리없이 외국인만 보이면 바싹 달라붙어 깝죽대곤 했다. 멀리서 그런 모습을 지켜보면서 나는 비웃으면서도 한편으로는 은근히 부러워했던 게 사실이다. 언제부터 그런 비굴한 생각을 갖게 되었는지는 나로서도 알 수가 없다. 어차피 그와 함께 있는 동안은 역겹지만 그의 외국어 실력에 의지할 수밖에 없기 때문이었다. 물론 나 역시 전혀 방도가 없었던 것은 아니었다. 가령 선장이 없는 배 안에서 어쩔 수 없이 외국인을 맞게 되면 한없이 막막해지는 것이어서 자구책으로 나는 늘 종이와 볼펜을 챙겨 다녔다. 그날도 나는 아무도 없는 술집에서 유난히 쓴맛이 나는 미지근한 맥주로 더위를 식혔고 혼자일 때 써먹는 방식으로 어림짐작한 계산보다 큰돈을 내어서는 거스름돈을 받을 생각이었다. 흑인 여자는 손가락을 꼽아 보이며 두툼한 입술로 항의하듯 말했다. 뭔가 꼬이는 듯한 생각에 나는 종이에 글을 써서 부족한 1달러를 채워주고서야 위기를 모면했다.

나는 물끄러미 1기사의 뒷모습을 바라보았다. 거대하고 시커먼 연돌(煙突)에 반쪽이 가려진 채 선미에 서 있는 그의 손놀림은 아까보다 빨랐다. 간혹 조심스럽게 줄을 끌고 연돌 뒤로 모습을 감췄다가 다시 나타나곤 했다. 아랫배를 아예 뱃전에 붙이고 칠게처럼 좌우로 옆걸음을 쳐댔다. 정신없이 수면을 들여다보며 같은 짓을 반복하던 그가 돌연 식당 쪽으로 고개를 돌려 누군가를 불렀다. 잠시 후 나타난 1기원(1등기관원)이 1기사의 몸에 에프킬라를 치익 뿌리고 되들어갔다. 1기사는 잠시도 자리를 비우지 않고 모기약을 뿌릴 때조차 물속을 들여다보고 있는 것이었다. 이제 막 어두워지기 시작하는 선미를 은밀히 지켜보던 나는 그의 끈질긴 집념에 서서히 조바심이 일기 시작했다. 아직 나는 1기사나 어느 누구에게서도 선미에 가서는 안 된다는 경고성 발언을 들은 적이 없다. 단지 남들이 조심해하는 모습이 무의식적으로 받아들여졌을 뿐이었고, 게다가 점심시간에 보았던 1기사의 일그러진 모습이 되살아난 탓에 주저할 따름이었다. 직책만 믿고 그가 하는 일에 참견했다가는 자칫 어떤 봉변을 당할지도 모를 일이었다. 1기사는 나보다 나이는 한 살 아래였지만 일찌감치 결혼을 하여 나의 큰놈보다 다섯 살이 많은 열 살 된 아들이 있었다. 삼십 대 후반의 가장이기도 한 그는 공고를 졸업하고 배를 탔다고 했다. 나 역시 바다와는 거리가 먼 고등학교를 졸업하고 배를 타게 되었지만, 만약에 내가 선장이 된다면 그를 꼭 기관장으로 데려가고 싶은 다짐을 마음 깊이 사려하고 있었다. 그의 처지와 자식들을 생각하다가 나는 문득 사흘 전 당직자였던 3갑원이 했던 말을 떠올렸다.

"1기사가 껌둥이한테 얻어맞았답니다."

한잔하자며 한사코 팔을 잡고 늘어지는 선원들을 내떨고 배로 돌아온 나에게 불빛 아래서 모기약을 들고 서 있던 3갑원이 기다렸다는 듯 내뱉는 말이었다. 순간 나는 얼근하게 마신 맥주가 끄르륵 목을 타고 기어 올라와 콧속을 들쑤실 때처럼 잠시 멍해졌다. 그리고 그날 외출하면서 만났던 흑인의 얼굴을 떠올렸다.

어느 나라를 막론하고 선원들이 그 나라 사람들에게 구타를 당하는 경우는 거의 드문 일이었다. 아프리카에서라면 더욱 그랬다. 간혹 밀항자들이 산속이든지 으슥한 곳에 숨어 있다가 불쑥 나타나 옷이며 신발,

심지어는 속옷까지 빼앗아 가는 일은 있을지라도 배 근처까지 와서 폭행을 했다는 것은 선상 생활 7년 동안 듣도 보도 못한 일이었다. 더구나 1기사는 누구나가 인정하듯 영어에 능통했고 서반아어와 일어에 불어까지도 제 자신 '브록큰 랭귀지'라며 으쓱거리지 않았던가 말이다. 나는 배 옆으로 내려놓은 현문 사다리를 올라서며 3갑원에게 물었다.

"왜?"

"항해사님이 나가신 뒤에 곧바로 옷을 갈아입고 청소를 했지요. 그러구 있자니 저 뒷배 쪽에서 껌둥이가 총을 메고 오더군요. 껌둥이는 우리 배 주위를 얼쩡거리며 다니더니 칩을 찾았습니다. 오일 칩을요."

3갑원이 말한 칩이란 1항사인 나를 지칭하는 말이었다. 영어로는 칩(Chief)인 이 말 대신 선원들은 일상적으로 항해사라 불렀고 외국인들이 찾거나 할 때는 그들과 함께 칩, 칩 하며 농담스레 부르곤 했다. 그런데 엔지니어라고 불러야 하는 1기사에게 오일 칩이라니…. 무슨 말인지 이해할 수가 없었다. 내가 재우쳐 물었다.

"오일 칩이라니?"

3갑원은 나의 물음이 오히려 이상하다는 듯 짐짓 눈알을 부라렸고 너털너털 웃어댔다.

"항해사님이 칩이니까 1기사님은 오일 칩 아닙니까. 안 그렇습니까?"

나는 녀석이 외국어에 맥을 못 추는 내 속마음을 들여다본 것 같은 생각에 곧장 물었다.

"그건 그렇고 왜 맞아?"

"내가 1기사를 불러 왔지요. 그러고는 둘이서 영어로 한참을 이야기하더니 1기사가 웃으며 귀엽다는 듯 껌둥이 뺨을 두어 번 토닥거렸지요. 아, 그랬는데 느닷없이 껌둥이가 1기사의 양쪽 뺨을 냅다 후려치는 게 아니겠어요. 뭐라고 악을 쓰면서…."

3갑원의 말을 전해 듣자 어렴풋이 짚이는 게 있었다. 3갑원은 자기가 1기사를 불러왔다고 했지만 부두에 어정거리는 흑인을 먼저 발견한 그가 수작을 걸어볼 심산으로 나오던 참이었을 것이었다. 그래서 보나마나 유창한 영어 실력을 내세워 껌둥이의 입을 봉해버리고 싶었을 테고. 녀석의 기죽어 가는 꼴을 의뭉하게 웃으며 곁눈으로 흘금거렸을 것이었다. 그 다음은 잘 짜인 각본처럼 보지 않아도 뻔했다. 어느 정도 수중에 들어왔다 싶으면 이제는 아주 진지함을 가장하여 싱싱한 껌둥이 계집을 요구한다든지 상아나 혹은 악어 새끼로 만든 박제를 말보로 담배 한 갑과 맞바꾸려 들었을 것이었다. 흑인은 나름대로 냉동된 고기를 요구했을 것이고…. 이쯤이면 나는 은연중 어깨와 목에 힘이 들어감을 느낄 수 있는데 그것은 선내의 화물에 관한 모든 권한이 나에게 있다는 사실 때문이다. 1기사는 의지대로 흥정이 원활하게 이루어지지 않자 "야, 자식아 뭘 그러냐?" 하고 한국말로 실실 웃으며 해댔을 테고, 만만한 김에 등이나 볼을 어린애 달래듯 토닥거렸을 게 분명했다. 그는 어려운 일이 닥치면 항상 그랬다. 상대가 알아들을 수 없는 언어를 사용한다든가 다급한 상황에서는 벙어리 시늉으로 귀가 들리지 않는다며 양손의 검지손가락을 귀에 꽂아서는 어색한 분위기를 웃음바다로 만들어 놓곤 하는 것이었다. 하여튼 그날 1기사가 카메룬의 흑인에게 의도적으로 영어를 사용했는지에 대해서는 나로서도 알 수가 없다. 하지만 그는 오랜 세월을 불란서 통치 아래 있었던 그 지방 사람들이 불어를 사용할 것이라는 사실을 뻔히 알고 있었으면서도 부러 영어를 사용했다면 필경 그럴만한 까닭이 있었기 때문일 것이었다. 그는 궁지에 몰리면 모든 지식과 경험을 총동원하여 때로는 진실되게, 때로는 교활하게 행동하곤 하였다. 그것은 힘든 선상 생활을 어렵지 않게 버틸 수 있게 한 그만의 무기였을지도 몰랐다. 재미있는 기억이 있다. 내가 출국한 지 얼마 되지 않아서 있었던 일이었다. 항해 중이었는데 선원들이 모여 있는 식당에서 나는 일반미로 지은 밥 생각이 간절하다고 아직 육지에 대한 미련이 남아 있음을 실없이 지껄인 적이 있었다. 그는 큰소리로 장담을 했고 놀랍게도 일반미로 지은 쌀밥을 가져왔다. 뜨끈한 열기가 남아 있는 냄비 뚜껑을 열자, 과연 기름기가 자르르 흐르는 게 영락없이 일반미 밥이었다. 나는 그날 고소한 냄새가 감칠맛 나게 나는 밥을 볼이 미어지도록 맛있게 먹었는데 나중에 알고 보니 밥이 되어 가는 도중에 식용유를 넣었다는 말을 누군가에게서 전해 듣고도 대단하다는 생각만큼은 떨쳐버리지 못했다.

그토록 다방면에 있어 해박하고 낙천적인 그가 도대체 웬일로 외출도 마다하고 밤낮 낚시질을 하는지 나는 아직도 알 수가 없다. 나는 아래층으로 내려와 선장 침실과 벽 하나를 사이에 두고 있는 난간에 섰다. 연돌이 선미 한편으로 밀려난 탓에 1기사의 행동을 확연히 볼 수가 있었다. 잔뜩 굽힌 허리 오른쪽으로 조심스럽게 줄이 넘어오고 있었다. 뭔가가 걸려 올라오기라도 하는 모양이었다. 그리고는 서서히, 아차 하면 물속으로 곤두박질칠 것만 같던 허리가 펴지면서 잠시 끌어당기던 동작이 멈추었다. 줄은 뱃전에 걸려 있고, 왼쪽 손바닥으로 그것을 누르고서 먼 산을 향해 호흡을 가다듬고 있다. 긴장된 줄에 무게가 실려 있었다. 그는 길게 이어진 어둑신한 산을 쭉 둘러본 다음 후문 초소가 있는 곳에 시선을 멈추었다. 그리고는 다시 처음과 똑같은 자세로 돌아갔다. 처음처럼 줄을 머리 위까지 끌어올리지는 않았지만 갯장어 훑어 내리듯 힘이 들어감은 여전했다. 다소 힘들어하는 모습으로 줄을 당기던 그가 단 두 차례의 번갈아 옮기던 손을 멈추고 손바닥을 바짓가랑이에 문질렀다. 갑자기 부두 쪽이 소란스러웠다. 상륙했던 일부 선원들이 들어오고 있는 모양이었다. 그때였다. 뭔가가 물속에 풍덩, 하고 빠지는 육중한 파열음이 잔잔한 바다 위로 번져 나갔다. 나는 무슨 소린가 싶어 좌우를 두리번거리다가 1기사 뒤에 사려져 있던 줄이 뱃전을 넘어가고 있는 것을 보았다. 그제야 나는 1기사가 하고 있는 행동이 낚시질이 아니었음을 비로소 깨달을 수 있었다. 허망한 표정으로 담배에 불을 붙이고 있는 그가 발끝으로 밟고 있는 줄. 그것은 손가락 굵기의 회청색 나일론 줄이었다. 가는 낚시줄이 아닌 손가락 굵기의…! 일순 나는 오감이 기능을 정지해 버린 듯 멀거니 서서 풀려나가고 있는 줄을 바라보고 있었다. 왜 뒤늦게야 나는 그게 낚시줄이 아니었음을 깨달았을까? 나는 브리지에서 나온 때부터 분명 그 줄을 보았다. 그랬으면서도 이상하게 여기지 않고 무심히 지나쳤던 것은, 언젠가부터 내 의식을 지배해버린 변형된 관념 때문이었으리라.

원양어선 회사를 기웃거리다가 내가 처음 타게 된 배는 흔히들 '마구로'라 부르는 참치 주낙배였다. 출항하기 전에 나는 그 배에서 낯선 사람들과 어구(漁具)의 보수 작업을 했다. 그때 나는 다른 사람들이 손질하고 있는 참치 주낙이란 것을 처음 보았고, 어이없는 표정을 했었다. 낚시라고 불리는 그것이 조금 작기는 했지만 영락없이 보리가마니를 둘러멜 때 쓰는 쇠갈고리 같았던 때문이었다. 그뿐만이 아니었다. 낚시줄(주낙줄)이라는 게 나일론 줄 속에다 가는 쇠를 넣기까지 한 것이어서 나는 한동안 그것들을 낚아 올리는 데 쓰는 도구라기보다 차라리 찍어서 건져 올리는 데 쓰일지도 모른다는 생각을 했다. 하지만 그것들은 분명 낚시였고 낚시줄이었다. 의식의 변형. 나는 서서히 뱃사람이 되어가듯 이미 자리 잡고 있던 줄에 대한 고정관념을 허물어 가고 있었다. 어렸을 때 우연히 습득한 그 관념을 말이다. 아버지와 함께 바닷가를 지나면서 나는 보았던 것이다. 하얀 사금파리의 한 면에 게를 매달아서는 그것들을 연결시킨 줄은 가는 노끈이었다. 어부들은 그것을 주낙 혹은 낙지주낙이라 했다. 어쨌든 한 해 두 해 배를 타면서 나는 참치주낙을 주낙의 표본으로 삼게 되었고, 나중에 대양에서 손가락만한 줄에 갈고리를 묶어 상어를 낚아 올렸을 때도 그래서 별다른 충격 없이 덤덤할 수 있었다. 하지만 지금 1기사가 사용하고 있는 줄은 대양도 아닌 부둣가에서의 낚시질이라고 보기에는 너무도 턱없는 것이었다. 나는 하마터면 1기사를 부르며 뛰어 내려갈 뻔했다. 풀려나간 줄을 빤히 보고 있는데 그 뒤에 널부러져 있는 것이 발목을 잡은 것이었다. 하이타이 상자. 그러고 보니 그가 퍼부어 댄 것은 뜨물이 아닌 물에 푼 하이타이였다. 순간 당혹스런 뭔가가 뇌리를 스치고 지나갔다.

기름! 나의 시선은 외판을 타고 바다 표면으로 내려갔다. 외판에 있는 기름 찌꺼기로 인해 간혹 수면 위에 엷은 유막이 형성되는 경우가 있었다. 하지만 외판은 입항하기 이틀 전 모양을 낸답시고 페인트로 칠해놓은 하얀색 그대로였다. 밤바다의 어둑신한 수면 위에서 기름을 알아보기란 쉽지가 않다. 대낮이라면 공작의 꽁짓빛처럼 푸른색과 붉은

색으로 어우러진 탓에 쉽게 분간할 수가 있기도 하였지만 어둠 속에서의 그것은 단지 주위의 바다색에 비해 검은빛의 농도로 분별할 수밖에 없었다. 좀 심한 경우라면 찰랑대는 물결이 밋밋해진다든지 할 것이었지마는 그렇게 심하지는 않은 듯싶었다.

"아직도 다 제거하지 못한 모양이군. 부둣가에서 빌지를 퍼내다니. 답답한 놈 같으니라구."

언제 돌아왔는지 불쑥 나타난 선장이 한심하다는 듯 쯔쯧, 혀를 찼다.

빌지를 퍼내다니. 어느 항구에서나 그렇듯이 부두에서의 기름 유출은 있을 수 없는 일이었다. 기관실 바닥에 고인 오폐수인 빌지의 경우도 예외는 아니었다. 그러나 낡은 기관일수록 빌지의 양은 시시각각으로 불어나게 마련이어서 장기간 정박을 하는 경우에는 비가 온 날이거나 야밤을 틈타 슬쩍 퍼내는 수가 있었다.

설사 퍼낸다고 해 봐야 바닷물의 유동성 때문에 아침이면 흔적도 없이 사라지리라는 것을 알고 있기 때문이었다. 사실 비가 오지 않는 날에 부두에 접안해서 그렇게 은밀히 퍼내는 것을 여러 번 봤지만 지금껏 말썽이 된 적은 단 한 번도 없었다. 더구나 1기사라면 누구보다도 그런 방면에 노련하지 않았던가.

아마 이태리 바리 항에서였을 것이다. 기름 유출은 고사하고 빈 음료수 캔 하나라도 바다에 버리는 것이 발각되면 곤욕을 치러야 하는 엄한 규제가 유럽 등 선진 국가에서는 유독 심했다. 그런데 그날은 배가 부두에 닿자마자, 외판에 묻어 있던 기름 찌꺼기가 수면 위로 엷은 기름막을 풀어헤치고 있던 것이었다. 언뜻 보아서는 허투루 지나치기 십

상인 아주 미미한 것이었다. 하지만 이태리였고, 모두들 당황했다. 그때 1기사는 하이타이를 물에 타서 바다에 뿌렸는데 놀랍게도 기름이 묵은 때처럼 하이타이에 풀려 사라진 것이었다. 그날 1기사는 그의 해박한 경험의 진가를 전 선원들 앞에서 확실히 보여준 셈이었다. 그 후로 그는 배 안에서 은연중 해결사 노릇을 해왔고 그의 평도 유능하다는 쪽으로만 쏠렸다.

내친김에 덤으로 나온 말인지는 모르겠으나 1기사가 자기 침실에서 철학 서적을 탐독하더라는 말까지 심심찮게 들릴 정도였다. 하지만 오늘, 아니 이곳 두알라에 입항해서는 그동안 쌓아놓은 공적이 처절하리만치 무너지고 있는 것이었다.

그렇다면 입항한 그날 총을 멘 흑인이 수면 위로 번져 나간 유막을 보았던 것이었을까? 비록 보았다손 치더라도 그쯤이야 아프리카에서라면 전갱이 몇 마리로 충분히 뭉개버릴 수 있는 일이었다. 만일 내가 그곳에 있었더라면 전갱이를 내주기나 했을까. 영어 몇 마디로 한 사람의 기를 무참히 꺾어버린 1기사를 위해서 말이다.

그날 콩고 앞바다에서 바람이 불고 비가 뿌린 탓에 정신없이 뛰어다녔던 기억이 난다. 러시아 저인망 어선으로부터 냉동된 전갱이를 선적하는 동안 내내 비가 내리고 있었다. 나는 선내 화물을 관리하는 책임을 지고 있던 터라 작업이 진행 중인 세 개의 어창을 수시로 드나들면서 악다구니를 써대야 했다.

1기사는 2번 어창에서 작업을 하고 있었다. 나는 적재 상태를 확인하기 위해 그 어창으로 내려갔다. 그때 갑자기 저 위 갑판에서 크렁크렁 고함치는 소리가 들려왔다. 흠칫 고개를 들어보니 러시아 선장이 영어 같기도 하고 서반아어 같기도 한, 알 수 없는 말을 격앙된 음성으로 내뱉고 있었다. 간혹 작업 중에 어창 구석에서 냉동물에 오줌을 누는 사람이 있긴 했지만 어창 입구에서는 보이지 않을 뿐더러 그날은 그런 사람도 없었다. 잠시 난감하게 서 있던 나는 귓전을 스치는 한마디를 겨우 들을 수 있었다. 제트! 제트기? 나는 일의 진행을 좀 더 신속히 하라는 말로 받아들였다. 비가 오고 있으니 그럴 만도 했다. 선원들을 다그쳤다.

"비가 굵어지고 있다. 빨리 서둘러! 동작 봐라, 동작 봐!"

선원들이 꽝꽝하게 얼어붙은 냉동물을 집어던지며 분주하게 움직였다.

그런데 러시아 선장은 더욱 험악한 표정을 지으며 금방이라도 뛰어내려올 기세였다.

그때 1기사가 내 앞으로 다가왔다. 그는 단단하게 얼려진 15㎏짜리 냉동물을 번쩍 들어 올려 선장에게 보였다.

"노, 노 제티손!"

선장은 금방이라도 뛰어 내려올 듯한 기세를 거두며 알았다는 표시로 손을 들어 보이고는 사라졌다. 선장의 말은 크레인에 매달려 어창 안으로 내려온 냉동물을 조심스럽게 들어 옮겨야 하는데 요령꾼 몇 사람이 띄엄띄엄 줄을 서서 던져 옮기는 것을 보고 깨진다며 악다구니를 썼던 것이었다. 그랬던 것을 내가 못 알아듣고 엉뚱하게 일손을 재촉하자 러시아 선장은 더욱 눈을 부라렸고, 1기사가 나서서 겨우 수습을 한 셈이었다.

나는 선원들 앞에서 노골적으로 망신만 당하고 급히 어창을 빠져나오고 말았다. 그 뒤로 나는 1기사가 있는 곳에서는 가급적 영어를 쓰지 않았고, 어렴풋해도 못 들은 체했다. 서툰 영어는 더욱 쪼그라들 수밖에 없었다. 부지불식간에 1기사의 뒤를 따라다니는 모든 미사여구는 유창한 외국어 실력 때문이라고 생각하게 되었다. 그날을 고비로 하여 지금껏 일부분에 불과했던 영어 실력이 그를 대표하는 전체의 이미지로 뒤바뀌었다는 것과 같은 뜻일 거였다. 설령 다른 사람들은 그렇지 않다 할지라도 나는 지금도 1기사를 그렇게 보고 있음에 틀림없다.

먼바다는 어느새 어둠에 덮여 있었다. 부두를 따라 도열해 있는 배의 선등에는 탈곡한 보리가시처럼 모기 떼가 바글거렸다. 싸르르싸르락. 먼 길을 달려온 잔물결이 제풀에 스러지는 밤바다. 부둣가의 배. 그리고 사흘 밤낮으로 거기 서 있는 한 남자. 그의 행위에 안달해하던 나는 선장이 내뱉은 말 한마디로 모든 것을 알 수 있었다. 문득 내가 거기에 서 있는 사실조차 우습게 느껴졌다. 후텁지근한 밤바람에 젖은 축축한 살갗을 문질러 보았다. 입맛이 썼다. 식당에 내려가서 술이나 한잔 해야 할 것 같았다. 나는 방에서 J&B 한 병을 꺼내 들고 내부 통로를 따라 아래층으로 내려갔다. 아까 왁자지껄 떠드는 소리가 들리더니 어디로 갔는지 아래층은 조용했다. 식당으로 내려가던 나는 동굴처럼 어웅하게 뚫려 있는 1기사의 방이 문득 궁금해졌다. 슬그머니 방문을 열어 보았다. 뭔가 은밀한 사건 같은 게 숨어 있을 것 같아서였다. 사람들은 누구든지 나름대로 표현하는 방식이 있고 반면에 숨기는 방식이 따로 있는 것이다. 사흘 동안 침묵으로 일관한 그는 혹시 일기 같은 것을 써두었을지도 모른다. 책상 위에는 온통 영어 서적들로 널부러져 있었다. 비시엠 생활 영어, 비지니스맨을 위한 고급 영어 등…. 방 안을 한 바퀴 휘이 둘러보고 나오려던 나는 그의 침대 구석에서 흰색 표지의 책을 보았다. 수양록. 그의 일기장일 것이었다. 역시. 나는 서둘러 그것을 펼쳐보았다. 차르륵 소리를 내며 넘어가던 책장이 어느 한 곳, 마치 숨겨 놓은 지폐를 찾을 때처럼 뭉턱 넘어가서는 멈추었다. 제7권. 일기장이 아니었다. 나는 기대 밖의 글을 건성건성 읽어 내렸다. 교육에 관한 내용인 것 같았는데 알 수는 없었다. 맨 앞으로 넘겨보았다. 플라톤의 '국가론'이었다. 언젠가 얼핏 들은 적이 있었던 철학 서적이었다. 설렁설렁 책장을 넘기는 눈앞에 '동굴의 우상'이란 작은 제목이 걸려들었다. 동굴의 우상이라? 읽어도 쉽게 이해할 수가 없어 그 부분만 연해 되작거렸다. 동굴 안쪽을 바라보고 있는 시선들. 동굴 입구에서 흘러 들어온 빛이 안쪽 벽에 그려 놓은 자신의 그림자를 보고 있는 그 시선, 시선들……. 뭔가 잡힐 듯하면서도 잡히지 않는 그 무엇. 할 수 없어 나는 책을 덮어두고 방을 빠져나왔다.

주방으로 들어가려던 나는 출입문 저편, 선미 쪽으로 막 터진 문을 보고서 그 자리에 우뚝 멈춰 섰다. 선미 쪽으로 열려 있는 문틀 속에 분명 있어야 할 1기사가 보이지 않는 것이었다. 내처 선미로 나가 보았다. 어느새 말끔하게 정리된 선미에는 불빛 아래 모여든 모기 떼만 아우성을 칠 뿐 아무도 없었다. 나는 1기사가 서 있던 자리에 서서 바닷속을 들여다보았다. 1기사를 붙잡고 있었던 바다에는 잔물결이 수면 위를 뒹굴고 있을 뿐이었다. 그때였다.

"나 좀 봅시다."

흠칫 고개를 돌렸다. 위층 내 방 창문 옆에 1기사가 서 있었다. 흐린 전등불이었지만 초췌한 몰골이 적나라하게 드러났다.

나는 불쾌한 마음에 대답 없이 실내 통로를 거쳐 위층으로 올라갔다. 식당 문 옆에 2층으로 올라가는 계단이 있기는 했지만 어쩐지 윗사람에게 불려가는 느낌이 들어 실내 통로를 이용한 것이었다.

"이야기 좀 합시다."

그의 얼굴은 상기된 모습이었다. 앞도 뒤도 없이 일방적인 그의 태도에 나는 미간을 좁히며 거칠게 대꾸했다.

"왜 그러는데?"

"단둘이서 할 얘기가 있어서요."

나는 뒤에 서서 그의 방으로 따라 들어갔다. 조금 전에 몰래 들어왔던 것을 들킨 것이 아닌가 하고 나는 공연히 얼굴이 화끈거렸다. 그는 냉장고에서 음료수 캔을 꺼내 건네준 다음 한동안 말없이 손바닥을 비벼대고 있었다. 손바닥에 허물이 벗겨지는지 그것을 뜯어내면서…. 나는 음료수 한 캔을 다 마시도록 도대체 무슨 일 때문에 보자고 했을까 하는 생각에 줄곧 빠져 있었다. 그런데 그가 평소와는 다르게 착 가라앉은 음성으로 불쑥 내뱉은 말은 전혀 예상하지 못한 엉뚱한 것이었다.

"넙치를 아시오?"

"넙치라니, 물고기 넙치 말이오?"

나는 슬그머니 웃었다. 깊은 산골에 사는 사람이라면 모를까 세상천지에 넙치 모를 사람이 어디 있겠는가. 하물며 물 위에 떠다닌 사람에게 넙치를 묻다니. 여느 때 같으면 그냥 웃고 넘겨버렸을 테지만 그의 태도가 하도 진지한 탓에 나는 얼른 웃음을 거두었다.

"그렇소. 왼쪽으로 눈이 치우쳐 있는 넙치 말이오."

그의 얼굴에는 표정이 없었다. 나는 그런 그가 못마땅해 은근히 부아가 치밀어 올랐다.

"왼쪽으로 치우치든 오른쪽으로 치우치든 그게 무슨 상관이란 말이오."

"그 넙치가 말이오, 어려서부터 눈이 치우쳐 있었다고 생각하시오?"

"그거야 모르지. 내가 수산학을 전공했다면 혹 모를까. 당신도 잘 알잖소. 내가 인문계 고등학교 졸업했다는 것을!"

나는 손바닥으로 말아 쥔 빈 캔을 따다닥 소리가 나게 움켜쥐었다. 그가 그런 나를 빤히 치떠 보았다. 그의 미간이 살짝 일그러지는 것 같았다. 순간적으로 스친 기분 나쁜 느낌은 그가 나를 은근히 무시하고 있는 듯하다는 거였다. 하지만 그는 곧 얼굴의 주름살을 펴며 천천히 허리를 세웠다.

"내가 항해사의 학벌을 따지자고 그런 것이 아니오. 그런 얘기는 나도 딱 질색이라서. 나는 단지 넙치 눈에 대해서 이야기하고 싶을 뿐인 거요. 한쪽으로 치우친 넙치 눈을……."

"……."

"항해사는 잘 모를 거요. 내가 외국어를 배우기 위해 얼마만큼 발버둥 쳤는가를."

순간이었다. 넙치 이야기로 인해 불끈 솟아오르던 온몸의 피가 일시에 발밑 바닥으로 쏟아져 내린 것은. 이야기가 아무런 암시도 없이 이렇게 갑자기 뒤집힐 수도 있단 말인가. 아무튼 1기사는 이미 오래전부터 나의 심중을 꿰뚫고 있었는지도 모른다. 그랬으면서도 짐짓 모른 체 외면하면서 나를 마주했던 모양이었다.

1기사가 담배를 뽑아 나에게 한 개비 건네주고 자신도 입으로 뽑아 불을 붙였다.

"우리는 흔히 한쪽으로 치우친 넙치 눈만을 보아왔지만 넙치란 놈도 어렸을 때는 버젓이 양쪽으로 반듯한 눈을 가지고 태어난 거라오. 자라면서 서서히 한쪽으로 치우쳐 볼썽사나운 꼴이 되어 버리지만요."

내게서 시선을 거둔 채 한동안 담배를 빨던 그가 결연한 목소리로 말했다.

"항해사께서 그랬을 거라고 짐작은 했었소만 막상 건져내고 보니 설마 하는 마음입니다."

"무얼?"

1기사의 말끝을 붙잡아 다그치듯 내가 물었다. 그는 대답 대신 담배 연기를 천장으로 훅 불어냈다.

"기름 찌꺼기 말이오. 쓰다 남은 페인트 통에, 흥건히 젖어 있는 기름걸레 뭉치에다 구리스, 와이어 토막까지……. 선장은 넘겨짚어서 나에게 빌지를 펐다고 했지만 입항한 날 기관실에서는 빌지를 푸지 않았소. 이미 입항하기 전에 다 퍼내고 오기도 했지만 아무려면 하얀 대낮에 부둣가에서 빌지를 퍼내는 놈이 어디 있겠소."

나는 깜짝 놀랐다. 입항한 날 당직을 빌미로 3갑원에게 청소를 시킨 적이 있었다. 아무리 승선 경력이 짧다고 해도 기름 찌꺼기를 바닷속에 버릴 줄은 예상조차 못했던 일이었다. 내가 버리라고 한 것은 아니라고, 의도적으로 그런 것은 아니라고 말하고 싶었으나 마음뿐이었다.

"나도 처음엔 외판에 기름 찌꺼기가 달라붙어서 그런 줄 알았는데 하이타이 물을 뿌려도 계속 퍼져 나오더란 말이오. 그래서 가만히 보고 있자니 외판에서 퍼져 나온 것이 아니라 물속에서 솟아나는 샘물처럼 원을 그리며 둥실 떠오르더군요. 그걸 내가 먼저 봤더라면 그나마 다행이었을 건데 지나가던 껌둥이가 먼저 봤어요. 바깥이 떠들썩하니까 선장까지 나왔고. 아프리카도 예전 같지 않고 많이 달라졌어요. 유막이 아니라 막말로 기름 탱크가 터져도 고기나 한 짝 주면 그만이었던 사람들이 이제는 고기가 아니라 고기가 실린 배를 통째로 준다 해도 고개를 젓겠습디다. 나도 그런 놈은 첨 봤소."

"……"

나는 말없이 고개만 끄덕이고 있었다. 그날 젊은 흑인을 떠올리면서. 다른 한편으로는 1기사의 심기를 건드리고 싶지 않다는 마음도 있었다.

"나는 껌둥이와 선장에게 동시에 당한 셈이었소. 선장은 나름대로 엄벌을 내린답시고 나 혼자 그 일을 처리하도록 하였소. 그래서 선미에 아무도 얼씬거리지 않았고 도와줄 수도 없었던 거요. 어쩌면 선장은 꽤 오래전에 있었던 그 일을 아직까지 기억하고 있었는지도 모르겠소."

1기사는 꽤 오래전에 있었던 그 일을 되새기는 양 잠시 입을 다물고 있었다. 뭔가 좋지 않았던 일이었는지 눈꺼풀을 내리깐 얼굴이 착잡하게 가라앉고 있었다.

"내가 해기사 면허를 가지고 처음 배를 타게 됐을 때였소. 나는 하루만에 겪은 그날의 희비가 지금도 눈앞에 선하오."

일본 나리타 공항에서 있었던 좀 우울한 이야기를 그는 천천히 되뇌기 시작했다.

처음으로 면허를 취득하여 사관이라는 부푼 마음으로 그가 일행들과 함께 부산을 출발, 일본 나리타 공항에서 국제선 비행기를 기다리고 있을 때였다고 한다. 지금의 선장과는 그곳에서 처음 만나게 되었고, 선장은 그에게 10달러를 내밀며 주스 심부름을 시켰다는 거였다. 당시만 해도 승선 경력이라 해 봐야 북양의 명태 트롤과 오징어 유자망 어선에서 평선원으로 근무했던 3년이 전부였기에 비행기나 영어는 무척 낯선 것이었다. 그는 10달러를 쥐고 판매대 앞에 서긴 했지만 뭐라고 떠들어대는 판매원의 말은 알아들을 수가 없었고 그저 오금이 저려올 뿐이었다. 하는 수 없이 선장에게 다시 가서 주스가 외국어로 뭣이냐고 물었고, 그때 선장이 어이없는 표정으로 내뱉었다. 멍청하긴, 차라리 벙어리를 데리고 올 걸, 그랬으면 눈치로라도 해결하지. 주스가 외국어로 뭐냐고? 그래, 음료수다.

그날 잔뜩 부풀어 있던 마음은 선장의 그 이죽거림 때문에 엉망이 되어 버렸다. 그 후 계약 만기 1년 동안 자주 대면할 기회는 없었지만, 그는 선장에게 아주 무능한 사관으로 낙인찍혀 눈 밖에서 내내 맴돌았다는 것이었다.

"나는 선장에게 수면 위의 기름은 빌지 때문이 아니라고 따지고 싶었소. 그것은 다시 말해 내가 예전의 3기사가 아니라는 것을 보여주고 싶은 것과 같은 뜻일 거요. 그런데 그때 마음 한편으로 갑자기 이상한 생각이 드는 거 아니겠소. 언제부턴가 나를 보는 항해사의 눈이 곱지 않았다는 점, 그것 말이오. 설득해서 안 되면 마구잡이로 몰아붙이고, 그래도 안 되면 때를 기다려 보복을 해야 직성이 풀리는 당신의 성격 때문에, 나는 선장에게 따지는 일을 일단 미뤄두고 물속의 그것을 직접 눈으로 확인하리라 마음먹었던 것이오. 어떤 형태의 보복이 두려워서

가 아니었소. 당신이 나에게 갖고 있는 대부분의 사고가 편견에서 비롯됨을 보여주고 싶었기 때문이었소."

나는 아무 말도 할 수가 없었다. 계속 담배를 이어물면서 그의 시선을 회피할 뿐이었다. 자칫 말 한마디 잘못했다가는 선장에게 이번 일의 진상이 보고될 것이며 그렇게 되면 어렵사리 이뤄놓은 선장의 꿈이 차후로 밀릴지도 모른다는 불안감에서였다.

"편견, 그것은 나 역시 마찬가지며 어쩔 수가 없는 노릇이오."

그는 침대 위에 있는 예의 그 책을 집어 들었다. 제7권. 아까 내가 대충 보았던 그쪽을 펼쳐서는 탁자 위에 올려놓았다.

"사람은 누구나가 편견을 자신의 일부로 지니고 살아가는 거라고 나는 생각하오. 아니 어쩌면 편견으로 똘똘 뭉쳐져 있을 수도 있을 거요. 마치 가시복의 몸뚱이에 솟아난 가시가 저마다 다른 방향을 향하여 서로 다른 대상을 바라보고 있는 것처럼. 그것이 좋은 쪽이든 나쁜 쪽이든 간에. 나는 지금 편견이 갖게 되는 진실의 정도를 말하려는 것이 아니오. 단지 지나친 편견을 사람들이 우상처럼 섬기고 있을 때 나타날 수 있는 무한대의 왜곡, 그것을 말하고 싶을 따름이오. 물론 편견이란 대상의 소멸과 함께 사라진 경우도 있을 것이며, 사고 능력을 가진 인간이기에 섬기고 있는 우상을 스스로 파괴할 수도 있겠지만 그것이 결코 쉽지만은 않을 거란 생각이오. 성장하는 과정에서 비뚤어진 넙치의 눈이 태어날 때처럼 반듯하게 되기 어렵듯이."

1기사는 책을 덮고 나서 다시 입을 열었다.

"나는 겉표지에 수양록이라 써 두었소. 그것은 편견에 대한 훈련을 위해서요. 누구나 이 책을 처음 보게 되면 수양록쯤으로 생각하겠지요.

하지만 이건 국가론일 뿐입니다."

담배를 하도 피워댄 탓에 목이 칼칼하고 입에서는 구릿한 냄새가 풍겨났다. 나는 그의 말뜻을 단박에 알아들을 수는 없었지만 뭔가 전해 오는 것만큼은 확실하게 느낄 수 있었다. 그러면서도 줄곧 머릿속에 똬리를 틀고 들어앉아 있는 것은 아직도 알 수 없는 1기사의 마음이었다. 이번 일에 대해 선장에게 보고는 해야 할 터였지만 물속의 비밀은 어떻게 될지 의문이었다. 그렇다고 그에게 의향을 묻는다는 것은 뻔뻔한 짓이어서 그의 마음을 풀어주는 것만이 최선책이라는 생각이 들었다.

"미안하게 됐소. 1기사."

나는 결고틀기를 포기한 채 발밑에 내려놓은 J&B를 탁자 위에 올려놓았다. 술병의 뚜껑을 비틀고 있었지만 내 신경은 온통 그에게 쏠려 있었다.

"선장님 좀 만나고 오겠소."

잠시 기다려 달라는 말인지 좀 애매한 말을 한 그의 얼굴 표정은 그러나 여전히 굳어 있었다. 진실과 교활을 수시로 넘나들면서 상대방을 제압하던 그가 지금 하고 있는 말은 정녕 무얼까.

나는 1기사를 만나지 못한 채 자정이 다 돼서야 방을 나왔다. 선장과 오랜 시간 함께 있는 걸로 봐서는 무슨 심각한 얘기를 하고 있을 게 분명했다.

선실 주위를 한 바퀴 빙 돌아서 갑판으로 나온 나는 그 자리에 털썩 주저앉았다. 그리고 술병을 거꾸로 세워 입에 물었다. 꿀렁꿀렁꿀렁. 내리꽂는 강렬함에 금세 목구멍이 알싸해졌다. 술병을 뽑아 갑판 구석으로 던지려던 나는 그곳에 웅크리고 있는 검은 물체를 보았다. 사흘 전 작업을 끝내고 처박아 두었던 바로 그 자리였다. 빈 페인트통과 그 속에 기름찌꺼기가 묻은 걸레와 와이어 토막. 1기사가 건져 가져다 놓았을 게 틀림없었다.

멀리서 귀선하는 선원들의 떠들썩한 목소리가 들려왔다. 나는 비틀거리며 일어나 빈 포대에 그것들을 담기 시작했다. 찌는 듯한 날씨에 잠을 이루지 못하고 푸른 은하에 몸을 담그고 있던 별들이 일제히 일어나 술렁거리는 밤이었다.

나는 아침부터 선장의 눈치를 살피던 참이었다. 한낮이 다 되어 가는데도 1기사는 보이지 않았다. 선장은 하역한 물량에 대해서 물었을 뿐 다른 말은 아직 없었다. 주방으로 가서 조리장에게 1기사의 소식을 물었다. 아침 일찍 술 냄새를 풍기며 와서는 뜨끈한 국을 거푸 둘러 마시고 갔다는 얘기였다. 작업은 순조롭게 끝이 났다. 어창을 닫고 하역 장비를 정리하고 있을 때였다. 덤벙대지 말라고 그토록 다그쳤는데 3갑원이 또 선실 쪽에서 달려오며 고함을 질렀다.

"항해사님, 선장님께서 찾으십니다."

나는 나머지 잔일을 뒷사람에게 맡기고 선실 쪽으로 터덜터덜 걸어갔다. 부두에 서서 바다를 기웃거리는 한 흑인이 있었다. 흑인은 나를 보더니 씩 웃으며 엄지손가락을 펴 보였다. 나는 고개를 끄덕였을 뿐 전갱이 생각은 하지 않았다. 마침내 올 것이 왔을 뿐이었다. 나도 어쩔 수가 없는 것이다. 선장실로 올라가자, 맥주 캔 두 개를 탁자 위에 내놓은 선장이 손을 내밀었다.

"항해사, 그동안 고생 많았소. 참 그리고 어젯밤에 1기사가 와서 항해사 칭찬을 많이 하던데……."

라스팔마스로 가면 나는 배를 옮겨 타게 된다. 비록 300톤의 작은 배지만 내가 그토록 갈망하던 선장이 된 것이었다.

배가 서서히 부두를 빠져나오고 있다. 1기사가 항해사 칭찬을 많이 하던데…… 선장의 말을 들으면서 나는 얼마나 얼굴이 화끈거렸는지 모른다. 거기서 나의 슬픈 우상을 보았기 때문이다.

저녁과 아침 사이

"흐흐, 자네가 올 줄 알았지."

해안가에 매어진 배로 형구가 다가가자, 벙거지를 삐딱하게 눌러쓴 선주가 모습을 드러냈다. 그의 얼굴에는 이죽거리듯 야릇한 웃음이 묻어 있었다. 민방위 모자에 감색 우의를 걸치고 뱃전에 움츠리고 있던 사내 두 명도 슬그머니 고개를 내밀었다. 고물간 구석에는 그물 더미가 쌓여 있었고, 그 밑에 감춰둔 검은색 잠수복 한 자락이 비죽이 삐져나와 있었다. 형구가 배 위로 올라서자 사내들이 기다렸다는 듯 뱃머리에서 줄을 풀어냈다. 그중 나이가 들어 뵈는 사내가 상앗대를 재우쳐 배를 물 가운데로 밀어냈다.

"어때, 날은 기막히게 잡았지?"

선주의 우쭐대는 목소리가 비위에 거슬렸다. 형구는 담배를 피워 물고 어둑한 바다를 바라보았다. 거센 바람이 뱃전을 난타한 뒤 휘파람 소리를 내며 유유히 빠져나갔다. 죽창 같은 장대비는 수면을 찔러 물보라로 배를 덮쳤다. 바람과 장대비 사이로 축축하게 젖은 어둠이 더끔더끔 쌓이고 있었다. 바다는, 내리누른 어둠에 저항이라도 하듯 물속에 숨어 있는 파도를 첩자처럼 은밀하게 해안으로 밀어 올렸다. 물때가 조금인 음력 스무사흘 밤. 미세기가 없는 바다 위에는 거친 비바람만 몰아칠 뿐 오가는 배 한 척 보이지 않았다.

자, 출발. 담배 필터를 삐딱하게 꼬나문 선주가 주위를 톺아본 뒤 시동을 걸며 오더를 내렸다. 순식간에 바다는 진동하는 기관음으로 가득 찼다. 갑작스런 소음에 놀란 듯 뱃머리가 움찔거리며 진저리를 쳤다. 떼를 지어 몰려온 파도가 비상하는 갈매기 떼처럼 뱃전에서 부서져 높게 솟구쳤다가 고물 뒤편으로 사라졌다. 아까부터 이물간 뱃전을 움켜쥔 채 전방을 응시하고 있던 젊은 사내가 물보라를 피해 비틀비틀 고물간 차양 아래로 들어섰다. 차양 아래 조타실 벽에는 5촉짜리 알전구가 힘겹게 어둠을 밀어내고 있었다.

키를 잡은 나이 든 사내가 키를 오른쪽으로 빙빙 돌렸다. 거의 동시에 배가 뒤집힐 듯 기우뚱하더니 작은 원을 그리며 오른쪽으로 휘익 돌았다. 사내가 돌렸던 키를 되돌려 중앙에 세웠다. 뒤집힐 듯 기울어진 배가 가까스로 중심을 잡아 방향을 찾았고 이내 어둑한 바다를 휘저으며 달리기 시작했다. 파도를 갈아엎고 내달리던 배가 순식간에 섬 뒤로 스며들었다. 최신형 기관으로 30노트의 속력은 거뜬히 낼 수 있다던 선주의 말이 허풍만은 아닌 모양이었다.

"나 이번에 눈 딱 감고 투자 좀 했지. 시속 30노트라면 그게 어디 배야, 총알이지. 이제 이 바닥에서 내 배를 따라잡을 수 있는 건 아무것도 없다구."

그날 형구가 항구다실을 찾아간 건 선주의 그런 말을 듣자던 것이 아니었다. 그를 만나리라는 기대도 하지 않았다. 다만 그곳에 가면 전에 함께 배를 탔던 사람들을 만날지도 모른다는 마음에서였다. 그러나 정작 다실로 들어섰을 때 그가 기대했던 사람들은 보이지 않고 떠버리 선주만이 낯선 사람들과 어울려 노닥거리고 있었다. 형구는 잠시 머뭇거렸다. 그냥 돌아갈까 아니면 선주에게 사정을 해 볼까. 어머니의 목소리가 생각 사이로 끼어들었다.

"그 사람들 만나려고 나서는 건 아니지?"

병원 침대에 누운 채 말없이 바라보던 아내의 애잔한 눈빛도 마음을 흔들었다. 난산이었다. 제왕절개를 해도 쉽지 않을 거라고 의사는 말했다. 그렇다면 줄잡아 일주일 이상 입원해야 한다는 얘기일 터였다.

병원 문을 나서는 형구는 막막해졌다. 오월의 찬란한 햇살에 현기증이 인 그는 잠시 비틀거렸다. 등나무 아래 인조목 의자에는 환자복을 입은 할머니가 아들 내외로 보이는 젊은 사람들과 함께 손자의 재롱을 받고 있었다. 하얀 머리를 곱게 빗질한 할머니의 외모가 환자답지 않게 깔끔해 보였다. 병실에서 태어날 손자를 손꼽아 기다리고 있는 어머니와는 전혀 다른 모습이었다.

병원 정문을 빠져나온 형구는 버스 승강장 앞에 멈춰 섰다. 그리고 물끄러미 노선표를 바라보았다. 어디로 갈 것인가. 그는 좀체 마땅한 곳이 떠오르질 않았다. 고개를 숙인 채 발길을 옮기며 무심코 운동화 코를 내려다보았다. 마흔 해를 지나온 발자국이 아무런 흔적도 남기지 못했다는 사실을 새삼 깨달았다. 흥청망청, 뱃사람들이 말하는 그야말로 '조지기' 생활로 점철된 세월이었다. 술과 여자 그리고 노름으로 흘려보낸 세월은 바다 위에 배 지난 자리와 같아서 뒤돌아보면 쓸쓸할 뿐이었다. 버스 몇 대를 흘려보낸 후에야 형구는 겨우 버스에 올랐다.

항구다실은 여전했다. 진노랑 아크릴 간판에 검은색 고딕체로 쓰인 '다실'이며, 조그만 글자로 가로 쓰인 '항구'며, 항구 위에 날개를 활짝 펴고 선회하는 검은 갈매기며…….

버스에서 내린 형구는 쉽게 발을 떼지 못하고 망설였다. 그리고 제 집처럼 거리낌 없이 드나들던 항구다실을 물끄러미 바라다보았다. 수년 전 항구다실은 그의 다락방이나 마찬가지였다. 하지만 지금은 일부러 피하는 곳이기도 했다. 그런데 그곳을 다시 찾다니……. 형구는 쓴웃음을 흘리며 천천히 발걸음을 옮겼다. 사리 끝물 때라 그곳에는 할 일 없는 뱃사람들이 몰려 있을 게 뻔했다. 그들에게 다급한 대로 병원비를 빌려 볼 생각이었다.

"뭐, 오백을 빌려 달라구? 자네 이 바닥에서 손 뗐다면서."

여러 사람들 앞에서 능갈치고 있던 떠버리 선주가 짐짓 큰소리로 목젖을 세우며 형구를 바라보았다. 선주는 큰 눈을 데룩거리며 짐짓 능청을 떨었다. 주위 사람들을 슬쩍 훔쳐보며 말하는 모양새에 의뭉기가 잔뜩 묻어 있었다.

"한 달 안으로 틀림없이 갚을 테니 좀 빌려주쇼."

내뱉듯 말을 하면서도 형구는 초라해진 자신의 모습에 은근히 부아가 치밀었다. 하지만 참을 수밖에 없었다.

"자네 사정이 정 그렇다면, 암 빌려 줘야지. 하지만 조건이 있어. 이번 조금에 우리하고 함께 나가는 거야. 우선 선금으로 백을 주겠네, 나머지는 바다에 나가서 주지. 기계도 기똥찬 걸로 올렸으니 자잘한 걱정

일랑 아예 싹 거두고…….”

바다에 나가서 나머지 돈을 주겠다? 선주의 치밀한 계산속에 숨어 있는 간악한 의도를 눈치챈 형구는 순간 속이 뒤틀렸다. 오랫동안 잠재워 둔 발끈한 성미가 머리를 꼿꼿이 치켜들고 일어났다.

“더러운 새끼. 네놈 보기 싫어서도 그런 짓은 못하겠다.”

형구는 탁자 위에 올려진 백만 원권 수표를 선주의 얼굴에 미련없이 내던졌다. 출구를 향한 계단을 올라가는 형구의 발목을 선주의 빈정거림이 잡아끌었다. 신월리(新月里) 해안에서 기다리겠네.

저 건너 신월리 해안의 불빛이 자우룩이 멀어져가고 있었다. 비바람으로 가려진 시야를 높은 파도가 덧거리질 쳐댔다. 섬과 섬 사이는 온통 양식장이었다. 암실로 들어온 듯 짙은 어둠이 도사리고 있는 양식장에는 촘촘히 들어박힌 허연 스티로폼 뜸이 보일 뿐이었다. 배는 속력을 줄여 양식장의 가장자리, 섬과 인접한 사이를 빠져나가고 있었다.

“어디로 가려고?”

이물 너머의 검은 바다를 두릿거리는 선주에게 형구가 물었다. 비바람 때문일까, 선주는 듣지 못한 듯 양식장만 바라볼 뿐이었다. 장구 모양의 스티로폼 뜸이 배가 밀어낸 파도에 부딪쳐 요동을 쳤다. 따개비처럼 뱃전을 붙들고 앉아 바다를 기웃거리는 선주의 모습이 몹시 초조해 보였다. 그도 그럴 것이 자칫 키를 잘못 돌렸다가는 양식장의 뜸줄이 스크루를 감아 버려 일을 그르칠 수도 있기 때문이었다.

“이 양반이 고속 엔진을 올리더니 귀를 잡수셨나.”

초조한 모습의 선주를 곁눈으로 흘기면서 형구가 투덜댔다. 급한 김에 어쩔 수 없이 타기는 했지만 자신과의 약속을 지키지 못한 약한 의지가 미웠다. 눈이 커서인지 유난히 겁이 많은 선주는 담력이 없는 대신 신중했다. 하지만 그런 신중함이 불러일으키는 불안감은 곁에 있는 사람까지 공연히 움츠러들게 했다. 게다가 소심한 성격에서 비롯된 건지는 몰라도 그는 변덕이 심했고, 계산에 있어서도 상당히 질긴 편이라는 걸 형구는 익히 알고 있었다.

"야, 새꺄. 키 똑바로 못 잡아!"

어둠 속에서 벼락을 치듯 선주의 날카로운 음성이 튀어나왔다.

"뭐가 보여야 똑바로 잡지. 씨펄."

나이를 먹을 만큼 먹은 키잡이 사내는 고분고분 말을 듣지 않았다. 키잡이는 선주의 말을 냉큼 맞받아치더니 젊은이에게 퉁명스럽게 말했다.

"야, 랜턴 켜."

젊은이가 랜턴을 켜고 이물간 너머의 바다를 휘둘렀다. 어웅한 동굴 속으로 빛줄기가 스며들듯 둥근 원통형의 빛이 어둠을 꿰뚫었다.

"저 새끼가 누구 깜빵 보낼라고 환장했나."

선주는 고물간으로 뛰어가 랜턴을 빼앗아 불을 껐다. 그리고는 젊은이에게 키를 맡겼다.

"어이, 형구. 길 좀 봐줘. 낮에는 상선도 몇 척씩 지나다니겠더니……. 길을 잘못 든 건가, 웃기(뜸)가 밀려와서 그런가."

컴컴한 바다를 노려보고 있던 선주가 형구에게 길잡이를 부탁했다. 키잡이를 향해 배가 섬으로 올라간다, 양식장으로 들어간다, 윽박지르면서도 선주의 손에 들린 랜턴은 불이 켜지지 않았다.

형구는 양식장의 허연 뜸을 조심스럽게 살펴보았다. 그리고 뱃길을 가늠했다. 양식장 가장자리의 뜸줄은 바다 밑 닻줄에 묶여 있었다. 따라서 썰물 때는 이동 반경이 커지고 밀물 때는 작아지기 마련이었다. 그러나 어두운 밤, 기상이 요란할 때는 사정이 달랐다. 뱃머리가 심하게 흔들리는 탓에 제자리에 있는 뜸이 가깝게 보이기도 하고 멀게 보이기도 했다. 그것은 오랜 뱃생활을 경험한 사람만이 측정할 수 있는 거리이기도 했다.

형구는 해달이라 불릴 만큼 바다에 밝았다. 이십 년이 넘는 뱃생활이었다. 그가 처음 밤배를 탔을 때만 해도 남해안에 널려 있는 양식장은 관리가 무척 허술했다. 양식장에서 일을 거들던 그는 어느 날 낯선 사내들을 만났다. 그들은 주인 몰래 형망으로 피조개를 긁어가는 사람들이었다. 형구는 낯선 사내들을 따라다니게 되었고, 나이 스물이 채 되기 전에 물속의 머구리(산소통을 휴대하지 않은 잠수부)에게 공기를 주입하는 펜더 생활을 했다. 그리고 스스로 머구리가 되었다. 형망으로는 주로 피조개와 키조개를 긁었는데 파치가 많아 킬로그램으로 판매하는 반면 머구리가 캐낸 키조개는 상태가 좋아 낱개로 판매할 수 있어 수입이 좋았다.

그는 다른 사람들에 비해 물속에서 오랜 시간을 견디었고, 자루 가득 키조개를 채워 물 밖으로 내보냈다. 바다에서의 그런 소문은 육지에서도 금방 알려졌다. 가끔 양식장 주인이 키조개 채취를 의뢰할 정도였다. 낮에 키조개를 캐는 일이란 밤에 하는 것보다 훨씬 쉬웠다. 햇빛이 바닥까지 파고들어 환하게 밝혀주기 때문이었다. 그러나 그 일도 오래 하지 못했다. 양식장의 지리를 훤히 꿰고 있는 그가 주인 몰래 키조개를 쓸어간다는 소문이 파다하게 일면서부터였다.

"어디로 가려고?"

뱃길을 잡아가며 형구는 선주에게 다시 물었다.

"어디로 가면 좋겠는가?"

형구는 어이가 없어 되묻는 선주를 빤히 쳐다보았다. 선주도 형구를 마주 보며 피식 웃었다.

"야무지게 한몫 챙기려면 달섬을 빠져나가는 수밖에 없질 않겠소."

형구는 달섬 바깥의 씨알 여문 양식장을 떠올리며 대답했다. 달섬 바깥에 있는 양식장은 살포지(撒布地)였다. 어린 조개를 바다에 뿌려서 기르는 살포지는 연안의 양식장처럼 하얀 스티로폼 뜸을 매달아 둘 필요가 없기에 달 밝은 밤에도 찾아내기가 쉽지 않았다. 초보자들은 뜸 하나 보이지 않는 휑한 바다에서 양식장을 찾아내는 숙련된 잠수부를 만나면 감탄을 금치 못했다. 물결 출렁이는 바다에서 피조개나 키조개의 군락을 정확히 찾아낸 형구를 보면서 주위 사람들도 벌어진 입을 다물지 못했다. 그런 이유로 선주들은 작업을 나갈 때면 으레 형구를 찾곤 했다.

"뭔 소릴. 이 비바람통에 어떻게 달섬 밖으로 나간단 말인가"

선주는 큰 눈을 더 크게 부라렸다.

"그렇다면 알아서 하쇼."

형구는 선주를 등진 채 캄캄한 바다를 바라보았다.

"가면, 확실히 보장은 하겠나?"

선주는 금방 마음이 변해서 은근하게 물었다. 그러면서도 선불리 결정을 못 내리고 뒷말에 뜸을 들였다.

"좋아. 한번 부딪쳐 보는 거다."

한동안 말이 없던 선주가 양식장을 완전히 빠져나갈 무렵 비장한 각오라도 한 듯 강한 어조로 내뱉었다. 뜸이 널려 있는 수역을 벗어난 배는 어둠 속에 묻힌 달섬을 향해 달렸다. 달섬은 여느 섬들과 달리 뭍에서 상당히 떨어진 곳에 자리하고 있었다. 그런 지리적 위치 때문에 달섬은 외양에서 몰려오는 파도를 가로막는 천연의 방파제 역할을 하기도 했다. 바깥쪽은 반원의 형태이며 안쪽은 오목하게 들어간 꼴이 마치 초승달을 닮았다 해서 사람들 사이에 그렇게 불렸다. 달섬, 그곳은 형구가 태어나서 자란 곳이기도 했다.

달섬을 향해 다가갈수록 비바람은 거세게 앞을 가로막았다. 올망졸망한 섬들을 빠져나오면서부터 더욱 험악해진 파도는 뱃머리를 움켜쥔 채 고문을 시키듯 물속으로 끌어당겼다 밀어내기를 반복했다. 뱃머리가 곤두박질칠 때마다 파도는 높이 솟구쳤고, 폭포처럼 카르릉거리며 갑판을 뒤덮었다. 스크루에서 사품을 치며 빠져나가던 허연 거품은 보이지 않았다. 뱃머리가 처박힐 때마다 스크루가 물 위에서 번번이 헛바퀴를 돌려댄 탓이었다. 배는 더 이상 앞으로 나아가지 못하고 떠밀렸다. 마치 투우장에서 처참하게 들이받히고 물러서는 기죽은 소처럼 자꾸만 고개를 외로 꼬았다.

"이거 도저히 안 되겠소. 그만 돌아갑시다."

어느 구석에선가 비명처럼 겁에 질린 목소리가 튀어나왔다.

"어떤 새끼야, 재수 없게 씨부렁댄 놈이."

작정을 한 듯 선주의 기세도 만만찮았다. 선장은 뱃머리가 물속으로 쑤욱 빨려들면 끙— 신음을 삼켰다가 물 위로 떠오르면 휴— 내뱉기를 반복하는 사이사이 형구의 얼굴을 살폈다.

형구는 투덜대던 사내를 바라보았다. 양식장을 빠져나올 때 불을 켰다가 야단맞은 젊은이였다. 선주가 큰소리로 타박한 것이 여간 서운한 게 아닌 모양이었다. 누구나 처음엔 당할 수 있는 일이어서 형구는 소리 없이 웃음만 흘렸다. 자신의 어린 시절 모습을 본 것 같기도 하고, 그래선지 슬며시 동정심마저 들었다. 모든 일에 익숙하지 않은 탓에 수시로 얻어듣기 일쑤였고 걸핏하면 뱃장에 널린 몽둥이로 위협 당하곤 하던 시절이었다. 형구는 사내 앞에 담배 한 개비를 내밀었다.

선주는 불안한 듯 연신 뱃머리 주변을 기웃거리고 있었다. 오월에 이렇게 비바람 몰아치는 경우는 처음 당하네, 구시렁대며 얼굴의 빗물을 손바닥으로 훑어내던 그가 갑자기 입을 다물고 허리를 굽혀 어느 한 곳에 시선을 박았다.

"어, 어. 저, 저것이 뭐야."

어둠 속에서 눈앞에 바짝 다가와 있는 시커먼 물체를 발견한 선주가 말을 더듬었다. 그리고 그것이 섬이라는 걸 확인한 선주는 질겁하며 허둥거렸다. 그는 허겁지겁 조타실로 뛰어가더니 키를 낚아챘다. 연득없이 배를 돌리려는 듯 팔을 내뻗는 순간 형구가 선주의 팔목을 움켜잡았다.

"왜 그래?"

"그렇게 급히 잡아 틀었다간 뒤집어지기 딱 알맞소. 천천히 돌려 섬 뒤로 갑시다. 거기도 수확이 괜찮을 테니."

형구가 느긋하게 키를 밀어내며 말했다.

"거긴 유조선 사고 때 기름이 덮치질 않았나. 주인도 손을 털었다던데…….”

말을 하면서도 선주는 형구가 가리킨 섬 뒤로 배를 몰아갔다. 뱃머리를 돌리자 파도와 바람이 다소 누그러들었다. 비바람을 거스르지 않은 탓도 있었지만 초저녁보다 세력이 약해져 있는 게 사실이었다. 파도와 비바람을 등지고 달리면서 선주는 차양 아래로 들어섰다. 그리고는 담배를 피워 물고 연기를 한숨처럼 푸욱 내뿜더니 바다를 향해 중얼거렸다.

“이거 조저분 거 아닌가 모르겄네.”

“왜?”

“거긴 우리가 가려던 곳이 아니잖나.”

팔짱을 낀 채 바장이던 선주는 자근자근 씹던 담배를 바다에 퉤, 뱉어내고 바삐 갑판으로 내려갔다. 이물간에서 뭔가를 찾는 듯 허리를 굽혀 기웃거리던 그가 느닷없이 손전등을 켜 들었다. 곧게 뻗쳐나간 불빛 속에 비가 내리고 있는 게 보였다. 마치 구멍 난 문창호로 스며든 빛줄기에 일렁이는 먼지처럼 빗줄기가 부서져 날렸다. 손전등을 휘저어 어둠 속을 살피던 그가 부선식(浮船式) 작업장인 바지와 사이를 두고 배를 세웠다. 바지는 양식장을 감시하는 사람들이 머무르는 곳이기도 한 탓에 그것을 알고 있는 선주가 미리 살폈을 터였다.

“불 꺼, 씨펄. 누구 가다밥 먹일 일 있어!”

초저녁에 불을 켰다가 선장에게 얻어들은 젊은이였다. 사내는 당한 것을 되갚아주겠다는 듯 선장을 향해 악다구니를 썼다.

“걱정 마 새꺄. 오늘 같은 날 섬 뒤에까지 누가 오겠어. 글고 이쪽은 이미 손을 털어버린 곳이야.”

선주는 호기롭게 큰소리를 쳤다.

형구는 갑판으로 내려섰다. 어구 밑에 감춰둔 잠수복을 꺼내려던 그는 이상한 소리에 귀를 기울였다. 수없이 밤배를 탔지만 여직 한 번도 들어보지 못했던 괴이한 소리였다. 흠칫 고개를 들어 배 안을 두리번거렸다. 아득한 곳에서 여울져 온 듯한 저 소리. 다당 당당 다당당. 소리는 장구를 두드린 것 같은 앙증맞은 울림이었다. 마치 저 건너 달섬에서 들려오는 듯한 착각에 형구는 얼굴을 찌푸리며 도리질을 쳤다.

고향 마을, 달섬 후미진 곳에는 바다를 향해 문을 연 술집이 있었다. 술집 여자는 늘 피부색보다 진한 화장을 하고 흐물흐물 노래를 불러댔다. 겨우 십여 호가 모여 사는 섬이었지만 술집에는 사람이 끊이질 않았다. 뱃사람들 때문이었다. 더욱이 거센 바람이 불기라도 하는 날이면 배들은 줄지어 섬으로 몰려왔다. 섬의 뒤쪽에 오목하게 파고든 바다가 천연의 피항지(避航地)였기 때문이었다.

아버지는 섬에서 장구를 두드릴 수 있는 유일한 사람이었다. 섬사람들은 아버지가 그 여자를 데려왔다고 우겼다. 남정네들보다 아낙들의 원성이 더 심했다. 날이 궂을 때면 노랫소리는 섬 전체를 안개처럼 감쌌고, 아낙들은 어김없이 형구의 집으로 몰려들었다. 어머니는 아버지가 만들어 준 시퍼런 피멍을 눈가에 매단 채 아낙들과 맞붙어 또 싸워야 했다. 아버지에게 번번이 당하면서도 아낙들 앞에서는 아버지를 두둔하고 나섰다. 하지만 멀쑥하게 차려입고 뭍을 나다니는 아버지의 한량기로 미루어 보면 섬사람들의 말이 옳을지도 모를 일이었다. 그러던 어느 날, 아버지는 섬사람들의 손을 들어주듯 여자와 함께 홀연히 섬을 떠났다. 형구가 열 살 때의 일이었고, 이듬해 어머니와 함께 형구도 뭍으로 이사를 했다.

이사하던 해 정월 대보름날이었다. 뱃사람들에게 정월 대보름은 한 해의 무사함과 풍어를 기원하는 날이었다. 제의와 농악으로 부두는 하루 종일 술렁거렸다. 부둣가에서 그물 기우는 일을 하던 어머니도 그날은 선주 집에 부엌일을 거들러 나갔다. 광주리에 장만한 음식을 이고 부둣가로 나간 어머니는 농악 패거리 속에서 아버지를 보았다. 붉고 노란 종이꽃술을 단 고깔을 쓰고 덩실덩실 장구를 치는 모습이 영락없는 아버지였다. 다짜고짜 농악 패거리 속으로 뛰어 들어간 어머니는 장구를 잡아끌며 울부짖었다. 돌연한 사태에 놀란 선주와 선원 가족들은 한꺼번에 달려들어 어머니의 머리채를 끌어 짓밟았다. 장구를 친 사람은 아버지가 아니었고, 어머니는 몰매를 맞은 뒤 앓아누워 버렸다. 그 후 어머니는 한쪽 다리를 절뚝거리는 불구로 살았다.

다당 당당 다당당–. 멀리서 들려오는 듯한 그윽한 소리는 끊임없이 이어지고 있었다. 형구는 부스럭거리는 쥐의 행방을 좇기라도 하듯 귀를 기울였고, 그제서야 그 소리가 갑판 구석에 있는 장구통을 닮은 스티로폼 뜸에서 울려난다는 것을 알았다. 세찬 빗줄기가 부딪칠 때마다 울려나는 기묘한 화음이었다.

"뭘 찾나?"

형구의 행동이 이상하다는 듯 선주가 고개를 쑤욱 디밀고 물었다. 선주의 갑작스런 물음에 형구는 조금 전 자신이 떠올린 불편한 과거를 들키기라도 한 듯 멋쩍은 표정을 지었다. 그러나 형구는 이내 표정을 싹 바꾸어 선주에게 손을 내밀었다. 선주는 영문을 모르겠다는 듯 멍청한 표정을 짓더니 이내 실실 웃었다.

"그 사람 성질 한번 급하기는. 다 끝내고 줘도 되잖은가."

선주는 어서 일이나 하라는 듯 손을 내젓고는 다른 사내들을 다그쳤다.

"아 거, 빨리 단도리 안 하고 뭘 하는 거야."

형구는 다시 한 번 손을 내밀었다.

"내놔."

"아따, 그 사람. 그럼 우선 한 장 받어. 나머지 한 장은 일 끝내고 줄 테니까. 혹시 알아. 한 배 가득 차면 외로 한 장 더 줄지."

그대로 물러나지 않을 형구의 낌새를 눈치챈 선주가 손가방에서 수표 한 장을 꺼냈다.

"약속대로 한 장 더 내놔."

선주는 마지못해 꺼내면서 구시렁거렸다.

"벌써 시간이 이렇게 됐는데 이거 본전이나 건질지 모르겄구만."

형구는 받아든 수표 두 장을 벗어놓은 속옷 깊이 집어넣었다. 그리고 잠수복을 챙겨 입은 뒤, 무지근한 납덩이를 허리에 두르고 빈 자루를 챙겼다.

물속은 언제나 아늑했다. 수면은 파도가 치고 바람이 불지언정 바다 밑은 항상 다른 세계처럼 고요했다. 물이 드나들지 않는 조금이라서 그럴 것이라는 생각을 하며 그는 충충한 물속을 둘러보았다. 물속은 예전처럼 풍요하지가 않았다. 섬 가까이 옅은 곳에는 모자반에 다시마며 가사리가 무성했고, 피조개에 참굴, 고둥, 소라에다 꽃게나 털게까지 득시글거렸었다. 하지만 바다는 시커먼 펄과 돌에 붙은 굴 껍데기의 잔해만 남아 있을 뿐 폐허처럼 을씨년스럽기까지 했다.

형구는 헤드렌턴 불빛을 따라 조금씩 나아갔다. 언젠가 유조선에서 흘러나온 기름이 남해안을 뒤덮었을 때 주인은 양식장을 떠났다고 했다. 하지만 찬찬히 들여다본 양식장은 주인의 생각만큼 하찮은 것이 아니었다. 놀랍게도 주인이 관리를 마다한 양식장에는 펄 속에 뿌리를 박은 키조개가 성글게 꽂혀 있었다. 죽은 줄로만 알았던 바다는 어떤 생성의 기미마저 내비치고 있는 것이었다. 하지만 형구는 주춤거렸다. 자루를 채우기에 턱없이 부족한 키조개의 수량 때문이었다. 그는 엉거주춤 앉은 자세로 바다 밑을 뒤지기 시작했다. 날카로운 갈고리에 박힌 키조개의 각질은 매우 부실했다. 단단하지 않은 각(殼)은 푸석푸석 부서지기 일쑤여서 손으로 일일이 뽑아내야 할 정도였다. 손맛이 영 끌리지를 않는 탓에 자루는 좀체 채워지지가 않았다. 여느 때 같으면 다섯 자루쯤은 가득 채워 물 밖으로 보냈을 시간이었다. 하지만 그는 이제 겨우 두 자루를 내보냈을 뿐이었다.

갑자기 배와 연결된 줄이 심하게 흔들렸다. 줄이 흔들리는 것은 일종의 비상사태를 알리는 신호였다. 예컨대 양식장을 지키는 사람에게 발각됐다든지 아니면 경비정이 출현했다는 증거였다. 하지만 자신의 경험으로 미루어 볼 때 태풍 주의보에 버금가는 궂은날에 경비정이 뜰리 만무했다. 양식장을 지키는 사람들 역시 뭍으로 피신을 했을 테고, 배를 세우면서 선주가 바지를 확인하기도 했던 것이었다.

배 위에서 다그치듯 이번에는 숨통을 조여 왔다. 펜더가 더 이상 공기주입을 하지 않고 있는 모양이었다. 분명 급박한 상황일 터였다. 한편으로는 주인이 버린 양식장인데 어쩌랴 싶기도 했다. 흔들리던 줄이 팽팽해지기 시작했다. 그는 우주인처럼 엉성하게 몸을 일으켰다. 미미한 허파의 부력에 의지하듯 몸이 서서히 떠오르고 있었다.

"어이, 다른 곳으로 이동하세. 이거 자선사업도 아니고 취미생활도 아니고 미칠 노릇이구만. 딱 몇 개라도 좋으니 진주가 든 키조개 그거 몇 개만 건져 버리드라고."

배 위로 올라오자, 선주는 쑤기미 가시 씹은 얼굴을 하고 구시렁거렸다. 형구는 말없이 갑판에 퍼덕 주저앉았다. 기어이 진주를 넣은 키조개 양식장으로 들어가고 싶은가 보았다. 그곳은 양식업자가 키조개와 피조개 치패에 인조 진주를 넣어 키우고 있는 곳이었다.

하늘을 바라보았다. 시커먼 구름이 어디론가 황망히 빠져나가고 있었다. 그러고 보니 거짓말처럼 비바람이 말짱 개어 있는 것이었다. 파도 역시 고단한 몸을 누이듯 잔잔해져 있었다. 가시거리가 확장되면서 허연 스티로폼 뜸이 한결 뚜렷이 보였다. 고즈넉한 밤바다를 향해 달리는 배 뒤로 하얀 물거품이 아우성치며 따라붙었다.

저 멀리로 가물거리는 뭍의 불빛이 반짝였다. 어선이 드나드는 어항단지 앞의 등대가 일정한 주기로 빛줄기를 쏘았다가 거두어들였다. 시커먼 달섬이 희붐한 바다 위로 성큼성큼 다가오고 있었다. 마치 시운전이라도 하는 양 선주는 속도를 붙여 배를 내몰았다. 고요한 밤바다에 기관음이 창창하게 울려 퍼지고 있었다.

"어디다 댈까? 어디쯤이 좋을까?"

선주가 재차 물었다. 형구는 머뭇거리다가 일어서서 짐짓 사방을 둘러보는 체했다. 여태 그가 바다에서 버틸 수 있었던 비밀은 바다 위에서 위치를 정확하게 탐지해내는 일이었다. 중시선(重視線), 왼쪽 저 멀리 유난히 뾰족한 산봉우리가 모습을 드러내기 시작했다. 오른쪽 어항단지 앞의 등대는 뒷산의 송신탑에서 반짝거리는 빨간 불빛과 수직을 이루고 있었다. 그리고 맞은편은 달섬이 저 멀리 높은 산봉우리 사이에 움푹 팬 공제선을 메워가는 참이었다. 세 방위의 물체들이 제각기 자리를 잡은 것을 확인했을 때 그는 선주에게 배를 세우도록 했다.

"여기가 확실한가?"

선주는 못 미더운 듯 눈을 번득이며 물었다.

"확실해."

형구는 뭍에 시선을 둔 채 짧게 말했다.

"아까는 솔직히 너무했어. 저게 뭐야."

선주는 갑판 구석에 밀쳐둔 자루를 끌어냈다. 그리고는 자루의 끝을 잡아 속엣것을 털어냈다.

"좀 봐."

확인이라도 시켜야겠다는 듯 선주가 갑판에 불을 켰다. 갑자기 환해진 불빛에 사위가 한층 짙은 어둠으로 차단되었다. 형구는 날카로운 불빛에 움찔 놀라며 이맛살을 찌푸렸다. 동시에 배를 탄 지 몇 년 지나지 않았을 때의 실수가 불빛처럼 뇌리를 스쳤다.

"야, 새꺄. 불 꺼!"

누군가의 외침이 있었고 거의 동시에 각목이 형구의 등을 후려쳤다. 형구는 고꾸라졌다. 무수한 발길이 온몸을 짓밟았다. 그리고 정신을 잃었다. 정신이 들었을 때 배는 이미 한바다로 나와 있었다. 영문을 알 수 없어 사위를 둘러보던 형구는 고물간 너머로 날렵하게 생긴 배가 불을 켠 채 쫓아오고 있는 것을 보았다. 나이 스물이 갓 넘어 처음 겪는 일이었다. 경비정에 추적당하고 있었던 거였다.

도둑놈과 절도범이 같은 말이라는 걸 경찰서에 다녀간 어머니는 그때 처음 알았을까. 헹구야, 니는 도둑질 안 했지야. 동네 사람들이 너가 도둑질을 했다 해서 나는 깜짝 놀랐니라. 근데 여기 와서 들어보니 죄목이 다행히 절도범이라는구나. 절도범이 뭔 죄를 저지른 사람인지는 모르겠다만 도둑놈 아닌 것만도 천만다행이다. 그럼, 니는 내 뱃속에서 나온 놈인디 도둑질을 할라구. 절룩거린 몸으로 경찰서를 찾아온 어머니는 유치장 쇠창살을 쥐어뜯으며 말했다.

출소하던 날, 다시는 그런 짓을 하지 않겠다며 다짐했던 기억을 형구는 되새겼다. 하지만 날이 갈수록 시들어 간 다짐은 오히려 그를 짜증나게 했다. 자꾸만 손짓을 해대는 항구다실의 뱃사람들은 그를 쉽게 놓아주지 않았다. 마땅히 갈 곳이 없기도 했다. 항구다실의 침침한 불빛 속에 도사리고 있는 눈빛들은 그를 인정해 주는 유일한 무리들이었다.

불은 꺼져 있었다. 형구는 다시 한 번 위치를 확인하고 물속으로 들어갔다. 바닥에는 키조개가 뾰족한 각정(殼頂)을 펄 속에 박은 채 널려 있었다. 다른 조개들과 달리 키조개는 한번 뿌리를 내리면 이동을 하지 않은 유일한 패류였다. 그 습성을 이용하여 양식업자가 진주조개를 만든답시고 어린 패각에 구멍을 내어 가공한 치패를 넣은 뒤 심어놓았기 때문에 집단 서식지처럼 보였다. 이곳에 처음 키조개를 심던 5년 전, 형구도 이 작업을 함께했었다.

이젠 정말 마지막이다. 이 작업만 끝나면 가족과 함께 바다가 보이지 않는 곳으로 떠나리라.

그는 각단을 잡아 뽑기 시작했다. 단단한 각을 뚫는 갈고리에서 느껴지는 감촉은 언제나 좋은 기분이었다. 검은 머리칼 같은 긴 족사(足絲)를 물속에 풀어헤치는 키조개는 아주 굵고 여물었다. 펄 물이 풀썩풀썩 일었다가는 흩어져 갔다. 형구의 손은 기계처럼 같은 동작을 되풀이했다. 40, 50킬로그램은 족히 될 자루를 물 밖으로 내보내며 그는 조금씩 앞으로 나아갔다. 배 위에서 빈 자루 뭉치가 쉴 새 없이 내려왔다. 여느 때 같으면 배 위에서 쉴 시간인데도 그걸 허락하지 않겠다는 선주의 뜻이 담겨 있는 자루였다. 다행히 오랜 시간을 잠수할 수 있는 형구이기에 이악한 선주의 입맛을 맞출 수 있기도 했다.

갈고리로 뽑아 자루에 넣기를 거듭하던 그의 손이 갑자기 멈췄다. 몸에 달라붙은 잠수복이 온몸을 죄어오는 압박감에 더 이상 견딜 수 없어 그는 몸을 움츠렸다. 숨이 컥컥 막혀왔다. 충충한 바닷물이 누렇게 변해가고 있었다. 알 수 없는 소음이 귓속에서 울어댔다. 간밤에 병원에서 뜬눈으로 밤을 새운 탓일 수도 있었다. 그는 기진한 몸을 일으켜 세웠다.

"오늘은 곧장 항구다실로 가자구. 가서 황 마담한테도 한 주먹 쥐여주고."

배 위로 올라온 형구에게 선주는 손을 내밀며 거들먹거렸다. 비가 개인 새벽 바다에 싸늘한 빛이 어슴푸레하게 감돌았다. 바다 저 멀리로 항해등을 켠 배가 지나가는 게 보였다. 섬에서 빠져나온 자잘한 배들은 일제히 항구를 향해 치닫고 있었다. 새벽 어판장에 나가는 배들이었다. 그제서야 그는 어항단지 앞의 수협 공판장에 불이 환하게 켜져 있음을 알았다. 수제선 밖에서 박명이 시작되고 있었다. 멀리 보인 불빛들이

물무늬 속에서 아롱거렸다. 그는 현기증이 일어 쓰러지듯 누웠다. 갑판에 드러누워 호흡을 고르며 하늘을 우러러보았다. 먹구름이 걷힌 하늘 저편에 하현달이 서쪽을 향해 스러져가고 있었다. 달그림자인가, 희미하게 어머니와 아내의 얼굴이 겹쳐 떠올랐다.

"어이, 형구. 그렇게 누워만 있을 거야?"

어서 물속으로 들어가라며 선주가 재촉했다.

"날이 밝았는데, 오늘은 그만 돌아갑시다."

"무슨 소리. 동이 번하게 터오는데 서둘러야 본전이라도 찾지. 한탕만 더 하고 돌아가자구."

형구는 누운 채 치뜬 눈으로 선주를 노려보았다. 당장 멱살을 움켜쥐고 물속에 처박아버리고 싶었지만 그럴 필요까지 없다며 자신을 달랬다.

그래, 마지막 한탕이다. 물속은 펄 물이 인 듯 흐릿했다. 다시 귀가 울기 시작했다. 허리에 두른 납덩이가 물귀신처럼 허리채를 껴안고 끌어내렸다. 정신이 혼미했다. 손이 둔하게 움직였다. 형구는 어뜩한 정신을 추스르며 다 채우지 못한 자루를 물 밖으로 밀어냈다. 얼마나 지났을까. 돌연 줄이 흔들리기 시작했다. 헐렁한 자루를 본 선주가 다그치는 것이라고 생각했다. 줄이 점점 심하게 흔들렸다. 채찍질이라도 당한 듯 몹시 기분이 상했다. 그는 아랑곳하지 않고 물 밑을 어슬렁거렸다. 갑자기 숨구멍이 막혔다. 질식할 것만 같아 물 위를 노려보았다. 마치 실랑이를 하듯 열렸다 막히기를 거듭하던 호스가 아예 막혀 더 이상 숨을 쉴 수가 없었다. 순간적으로 예삿일이 아니라는 걸 느꼈다. 양식장 주인이거나 경비정이 출현했다는 증거일 터였다. 형구는 호흡을 멈춘 채 허리에 두른 납덩이를 풀어내고 서둘러 물 위로 떠오를 채비를 했다.

겨우 바다 위로 떠올랐을 때 잘린 호스만 있을 뿐 배는 사라지고 없었다. 다만 폭이 좁아 날렵하게 생긴 경비정이 저만치에서 쏜살같이 달려가고 있을 뿐이었다. 경비정보다 멀리 달아나고 있는 조그만 배를 본 것은 조금 뒤였다. 최신형으로 30노트의 속력을 낼 수 있다더니 선주는 정신없이 줄행랑을 치고 있는 거였다. 어둠에서 깨어나기 시작한 바다 위에 두 척의 배가 쫓고 쫓기는 모습을 보면서 형구는 서서히 팔을 내젓기 시작했다. 스러져간 하현달이 뿌린 희미한 빛 속에 양식장 허연 뜸이 가까워지고 있었다. 달에도 빛이 있었다니…. 바다 위에 뿌려진 허연 달빛을 따라 헤엄쳐가면서 그는 몽롱한 의식 속으로 침잠해가는 자신을 보았다.

그때 갑자기 아기 울음소리가 들렸다. 아기의 모습은 보이지 않았다. 형구는 눈을 뜨고 주위를 둘러보고 싶었다. 수평선이 가물거리고 잔파도가 찰랑거리는데, 도저히 눈을 뜰 수가 없었다. 파도 소리는 점차 사라져가고 잠깐 또렷하게 들리던 아기의 울음소리도 서서히 사라져갔다. 잠이 든 건가? 형구는 아기를 응시한 채 눈을 뗄 줄 몰랐다.

호호흐, 마음은 자꾸 뭍으로 치닫는데, 형구의 의식은 잔파도처럼 잘게 부서져 흩어지고 있었다.

마젤란 해협

남아메리카 대륙을 지탱하는 척추처럼 남북으로 길게 이어진 나라 칠레. 칠레의 남쪽 언저리에 위치한 협수로, 마젤란 해협. 마젤란이 이 해협을 발견하지 못했다면 항해자들은 거친 파도와 바람, 그리고 안개 자욱한 혼곶(串)을 기점으로 태평양과 대서양을 시종 불안하게 넘나들어야 했을 것이다. 다행히 해협은 마젤란에 의해 길이 열렸고, 파나마 운하가 건설되기 전까지 많은 선박들의 주요 항로로 자리 잡았다. 하지만 수로는 워낙 폭이 좁은데다 수심까지 얕아 연푸른 물빛을 바라보는 항해자의 긴장을 한껏 고조시키고, 운항하는 선박이 언제 좌초될지 모를 조바심에서 잠시도 벗어나지 못하게 한다. 항로 부근까지 파고들어 얼키설키 쓰러져 있는 키 큰 나무와, 해저에 스크루를 박은 채 비스듬히 하늘을 바라보고 있는 난파선은 더욱 위협적이다. 뿐만 아니라, 해협에 들어서게 되면 널리 이용되는 항해계기인 N.N.S.S.(인공위성항법시스템)마저 기능이 마비되어 선위(船位) 측정에 애를 먹기도 한다.

노 선장은 영문 수로지(水路誌)를 읽는 3항사(3등 항해사)의 낭랑한 목소리를 등 뒤로 듣고 있다. 마가자네스 주의 대표적인 도시로 11만 명의 인구가 살고 있는 푼타아레나스에 대한, 여름은 짧고 차가운 바람이 항상 부는 추운 기후라든지 기타 풍습·특산품의 기사를 읽으면서는 무척 더듬거린다. 암초처럼 박혀 있는 애매한 단어 때문인지 가끔 요점이 빠지기도 하고, 두세 문장을 싸잡아 적당히 윤색하며 해석한 탓에 곡해된 부분도 없지 않지만 선장은 여느 날과 달리 아무 말을 하지 않는다.

선장은 쌍안경을 든 채 줄곧 창밖을 훑고 있다. 어둠이 내리기 시작한 초저녁. 해협 입구를 가로막고 있는 산타이데스 섬을 오른쪽으로 끼고 돌아 들어가면 호수처럼 조그만 만(灣)이 나타나고, 물빛이 연한 수면에는 파도 무리가 굼실굼실 몰려다닌다. 유월인데도 만의 주변에는 후박나무 종(種)의 군락지가 짙푸르게 숲으로 우거져 있어 겨울답지 않은 인상을 풍긴다. 선장은 고개를 들어 수풀 너머 멀리로 시선을 보낸다. 아득히 보이는 산비탈엔 마른 풀과 관목이 어우러져 있고, 하늘 높이 솟아 있는 산정에는 삿갓을 씌운 듯 만년설이 하얗게 자리 잡고 있다. 마치 한 조각의 말간 구름 같아 보이는 만년설. 산자락에 도사리고 있던 땅거미가 만년설을 향하여 슬금슬금 비탈을 기어오르고 있다.

만년설 저편 어디쯤에 푼타아레나스가 자리하고 있겠지. 만년설이 마치 목적지라도 된 듯 바라보는 선장은 마음이 설렌다. 푼타아레나스에서 하역을 마치면 길고 긴 항해가 끝나게 된다. 거기에서 다시 화물을 싣게 될지는 알 수 없지만, 그건 상관할 일이 아니다. 당장은 눈앞에 버티고 있는 먹구름이 문제다. 쌍안경을 창턱에 내려놓으며 선장은 선수 너머 수로를 굽어본다. 해협 안으로 들어갈수록 구불구불 이어진 수로가 좁아들다가 그 끝이 산자락 뒤로 사라지기를 수차례. 불안한

낮빛으로 창밖에 시선을 고정시키고 있던 선장이 돌아서며 기상도를 찾는다.

전날 팩시밀리를 통해 접수한 기상도에는 선장이 그려 둔 전선(前線)이 아직 그대로 남아 있다. 저기압의 중심부로부터 기압골을 질러 뻗쳐 있는 정체전선은 등압선 바깥쪽에서 'ㅅ'자 형상을 이루고 있는데, 한 가닥의 한랭전선과 또 다른 가닥의 온난전선이 교차하는 사이에는 희미한 빗금이 그어져 있다. 지나가듯 적은 양의 비가 내릴 것으로 판단될 때면 기호처럼 그려 넣는 선장의 습관이다. 왼손으로 턱을 괸 채 기압골을 해독하듯 골똘히 기상도를 들여다보던 선장이 고개를 갸웃거린다. 안경을 고쳐 쓰는 미간에 돋아 있는 깊은 주름으로 보아 빗나간 판단을 이해할 수 없다는 표정이다.

기상도를 밀쳐 둔 선장은 다시 창밖을 훑어본다. 좁은 수로에는 어느새 어둠이 짙어져 있다. 축축하게 내려앉은 어둠 속. 해협에는 지나는 배 한 척, 날아다니는 새 한 마리 보이지 않는다. 와류처럼 소용돌이치며 몰려다니는 파도와, 수풀 위를 내닫는 바람 소리만이 가득하다. 험상궂게 똬리를 틀고 있는 어둠을 응시하던 선장이 천천히 무선 전화가 있는 출입문 쪽으로 걸음을 옮긴다. 톡, 톡, 톡. 버튼이 돌아갈 때마다 단성의 음향이 적막한 실내에 흩어지고, 벽시계처럼 네모진 전화통의 투명 원판에는 수많은 채널이 나타났다 사라진다. 모든 채널은 잡음 하나 없이 고요하다. 인적 끊긴 해협에서 선장은 문득 고적함을 느낀 듯 송수화기를 든 채 잠시 그대로 서 있다. 이윽고 빨간 글씨인 호출 부호 16에 채널을 맞춘 선장이 송수화기를 볼에 붙인다.

"푼타 레디오, 푼타 레디오. 여기는 안탁틱 스타. 오버."

선장은 푼타아레나스 무선국과 교신을 시도한다. 날이 궂어 감도가 좋지 않은 탓일까, 무선국에서는 응답이 없다. 볼륨을 높이고 다시 불러보지만 반응이 없기는 마찬가지다.

"푼타 레디오, 푼타 레디오. 여기는 안탁틱 스타, 안탁틱 스타. 오버!"

잠시 사이를 두었다가 한층 목소리를 높여 또다시 불러본다. 이윽고 지익직, 쇳조각 긁히는 잡음이 흘러나오고, 쉰 듯한 남자 목소리가 '안탁틱 스타'를 호출한다.

"안탁틱 스타. 여기는 푼타 레디오. 말씀하시오."

백발 성성한 영화 속의 늙은 어부처럼 걸걸하고 느린 목소리다. 선장은 목소리의 주인공이 자신과 비슷한 연배쯤이지 않을까 잠깐 생각한 뒤 천천히 선명(船名)을 댄다.

"알파(A), 노벰버(N), 탱고(T), 알파(A), 로미오(R), 찰리(C)……."

태평양 횡단이 끝나갈 무렵 이미 통보했던 내용이지만, 응답하는 선장의 목소리에는 짜증스러움이 묻어 있지 않다. 오히려 무선국의 얼굴 모를 그것과 다르지 않는 포근함이 담겨 있다.

"현재 귀선의 선수와 선미 흘수(吃水)를 말하시오."

절차에 따라 무선국에서 흘수를 물어 온다. 수면 아래 잠긴 배의 깊이를 말하는 흘수는 좁은 수로를 통과할 때 무엇보다 정확해야 한다고 선장은 알고 있다. 수심이 깊은 곳과 얕은 곳은 부력의 차이가 다르므로 흘수 역시 변할 수 있기 때문이다. 준설선으로 물밑 바닥을 긁어내어 수심을 유지한다 하더라도 자칫 좌초될 수 있기에 정확성이 요구되는 것이다. 만선인 상태의 배라면 더욱 그러할 수밖에 없다. 선장은 흘수를 정확하게 통보한 뒤 현재의 위치와 항로, 속력을 선명처럼 낱자로 또박또박 끊어 알린다.

"오우 케이. 다음 보고지점에서 보고하시오. 아웃."

보고 사항을 접수하고 들어가려는 무선국의 목소리를 선장이 가쁘게 불러낸다.

"잠깐! 푼타 레디오. 도선사를 이용할 수 있습니까?"

조금 전 기상도에 골몰해 있던 선장은 해협 통과가 순탄치 않을 것이라 짐작했다. 이미 해협에 진입하여 도선사를 요청한다는 것이 때늦은 줄 알지만 선장은 한 가닥 가능성이라도 붙잡고 싶었다. 만선의 야간 항해 때문이 아니었다. 대양이 아닌 협수로에서 기상도에만 의지한다는 것도 불안했지만 고위도의 변덕스러운 날씨가 몹시 신경 쓰였다.

"지금은 불가능합니다. 주의해서 항해하시오."

거절하는 목소리가 단호하다. 무선국과 다시 교신하려면 자정이 넘어야 할 것이다. 송수화기를 걸어 두고 돌아서는 선장의 모습이 의외로 차분해 보인다. 무선국의 목소리가 사라진 실내에는 또다시 진공의 적막이 흐른다. 창밖은 이미 짙은 어둠으로 가득 차 있다.

기대하지 않았지만 짧게 내뱉고 사라져버린 무선국의 목소리가 선장은 못내 섭섭하다. 하지만 이내, 그럴 필요가 없는 거라고 애써 마음을 달랜다. 언제는 그렇지 않았던가. 부두에서 계류색을 올리고 방파제를 빠져나올 때마다, 혹은 불빛 아득한 항구에서 들려오는 무수한 목소리들이 하나둘 어두운 공간 속으로 사라져 갈 때마다 매번 느낀 감정이었다. 그것이 쌓이고 쌓일수록 떨쳐내야 하는 빚 또한 짐처럼 남는 것이기에 서슴없이 털어버려야 한다. 동시에 결연한 의지가 꿈틀거린다.

혹시나 하여 도선사를 요청하긴 했지만 애당초 혼자서 가야 했던 길. 선장은 느슨한 마음을 다잡으며 침침한 브리지 안을 둘러본다. 1항사(1등 항해사)와 2항사(2등 항해사)가 전면 유리창에 바싹 붙어 선박이 나아가는 전방을 주시하고 있고, 중앙에는 조타수가 열쇠를 잡고 있으며, 315도 방향으로 약간의 간격을 두고 있는 레이더에는 3항사가 붙어 있다. 구부정한 모습으로 레이더를 들여다보고 있는 3항사에게서 선장은 잠시 눈을 떼지 못한다. 처녀항해인 그에게 태평양은 지독한 항로였을 것이다. 아직 해가 수평선 너머로 이울기 전 별을 찾는다는 것이 그에게 어떤 고통으로 다가왔을까. 무거운 육분의(六分儀)를 어깨에 얹고 종일 태양을 관측하면서 그는 무슨 생각을 했을까. 그의 말버릇대로 최첨단 정보화 시대라고 할지라도 낡은 시대의 유물처럼 상자 속에 틀어박혀 있는 육분의를 꺼내 그의 어깨에 올린 데는 나름대로 생각이 없지 않았다. 3항사도 언젠가는 이해할 때가 있겠지. 황천항해라면 이해의 시간이 더욱 앞당겨질 수도 있을 것이다. 어둠 속에서 레이더에 코를 박고 배의 위치를 구하느라 눈에 핏발이 돋아 있을 녀석을 선장은 가만히 바라만 보고 있다. 올해 스물넷이라 했던가…….

노 선장은 해도실 옆으로 돌아가 인터폰을 든다.

"예, 기관실입니다."

기관장의 목소리다. 기관실은 당직 사관인 3기사(3등 기관사)와 기관장이 지키고 있는 모양이다.

"엔진 스탠바이 하시오."

"알겠습니다."

기관장은 주저 없이 대답한다. 그도 알고 있을 것이다. 협수로에 야간항해이니 엔진을 자주 사용하리란 것을.

전화를 끊은 지 10초쯤 지나 기관을 사용해도 좋다는 보고를 받고 선장은 곧장 해도실로 들어간다. 해도실에는 불이 켜져 있다. 브리지 면적의 1/3쯤 넓이로 뒷벽에 잇대어 설치된 해도실은 앞쪽을 두꺼운 커튼으로 길게 드리워 불빛의 바깥 노출을 막아놓았다. 선장은 안경을 벗어 부신 눈을 비비고 면밀하게 해도를 살펴본다. 좁은 수로를 따라 자주 꺾인 항로가 연필 선으로 그어져 있고, 숨어 있는 위험물을 피해 항해하도록 여러 개의 선이 항로를 호위하고 있다. 지나온 항로 위에는 ⓧ 표시가 삐뚤빼뚤 연이어져 있다. 초저녁부터 육지의 돌출부를 잡아 배의 위치를 계산하느라 애쓴 항해사들이 그려 넣은 것이다. 대양이든 협수로든 언제나 길이란 가야 할 수밖에 없는 것이지만 어두운 뱃길을 함께 헤쳐 가는 항해사들이 대견하여 선장은 가볍게 고개를 끄덕거려 본다.

삐이-. N.N.S.S.에서 배의 위치를 알리는 알람이 울린다. 선장은 대형 직각자와 삼각자를 이용하여 해도 위에 경도와 위도를 그려 넣는다. 엉뚱하게도 배가 산자락에 올라가 있다. 고위도 해역에서는 N.N.S.S.가 제 기능을 발휘하지 못한다는 걸 뻔히 알면서도 선장은 어처구니가 없어 쓴웃음을 짓는다. 설령 항로 위에 위치가 주어졌다 하더라도 크게 신뢰하지는 않았을 테지만, N.N.S.S.마저 소용없게 되니 곁에 있던 친구들이 하나씩 떠나간 기분이다.

긴요하게 쓰이던 N.N.S.S.마저 쓸모가 없게 되었고, 의지할 것은 레이더뿐이다. 레이더 역시 허상(虛像)이 많아 온전히 믿을 것은 못 된다. 하지만 궂은날 밤에 레이더까지 말썽을 일으킨다면……. 선장은 답답한 가슴을 손바닥으로 쓸어내린다. 하지만 너무 걱정할 것 없다. 아직 레이더가 잘 돌아가고 있으니까. 그래, 가보는 거야. 가고자 하는데 목적지에 닿지 않을라구! 선장은 오랜 세월 바다에서 경험한 것들을 기억 속에서 되살리며 해도실을 빠져나온다.

두툼한 커튼으로 차단된 해도실 바깥쪽은 불빛 한 점 보이지 않는다. 하늘도, 산도, 물도 온통 검은색 투성이다. 어디서 불어오는지 알 수 없는 바람 소리가 편대 비행하는 전투기처럼 끊임없이 쐐엥쐥 긴장감을 돋운다. 문틈으로 들어온 한줄기 바람이 써늘한 몸을 움츠리게 하는 밤. 유리창에 진눈깨비 같은 비가 듣고 있다. 새 떼가 달려들어 날카로운 부리로 양철판을 쪼아대듯 빗소리는 순식간에 요란해진다. 선장은 유리창을 난타하는 빗방울을 잠자코 바라본다. 넓은 유리창이 아롱져 흐르는 빗물 때문에 느물느물해 보인다.

"하프 어헤드(반속전진)!"

선장의 명령에 조타수가 복창하고 신속하게 전령기를 작동한다.

"하프 어헤드."

배가 서서히 속도를 늦추고 있다. 긴장한 탓에서일까. 선장은 어뜩한 현기증을 느낀다. 갑자기 눈이 침침해진다. 안경을 벗어 들고, 감은 눈을 살며시 눌러 준 뒤 천천히 떠본다. 하지만 어둠 속에 잠겨 있는 사위에서 볼 수 있는 것이라곤 아무것도 없다. 선장은 유리창에 붙은 동그란 회전창에 눈을 밀착시킨다. 선수루에 서 있는 전부 마스트의 등불이 눈에 들어온다. 등불 주위에는 굵은 빗줄기가 쏟아져 내리고 있다. 불빛 주위가 부서진 빗방울 때문에 목화송이처럼 부옇게 보인다. 빗줄기를 피해 연신 좌우로 흔들거리며 어둠을 헤치고 있는 등불이 마치 살아서 꿈틀거리는 것만 같다. 그곳만은 어둠이 지배하지 못한다. 비상구처럼 허공 속에서 길을 안내하는 하나의 불빛. 그것이 유일한 길잡이임을 선장은 알고 있다.

어린 시절 선장은 어슴푸레한 불빛이 사라진 암흑을 경험한 적이 있다. 눈앞에 서성이던 푸른 가운들도 보이지 않았다. 잘 발달된 청각만이 주위에서 일어난 일을 기민하게 듣고 있었다. 짧고 낮은 목소리가 들리고, 뒤이어 사각거리는 소리. 살짝 일었다 가라앉는 공기의 이동하는 소리. 겨드랑이에 바늘이 박히고, 온몸이 나른해지면서 한없이 멀어져 가던 모든 소리. 그리고 어느 땐가, 다시 공기의 이동하는 소리가 들리고 웅성거리는 소리가 들리고 누군가 눈에 감겨 있는 붕대를 풀었을 때 희미하게 다가오던 한 줄기 하얀 빛. 모여든 사람들은 신음하듯 탄성을 내질렀고, 여러 색깔의 꽃이 가슴에 안겨졌다. 처음으로 이 세상에 하얗게 밝은 빛이 있다는 걸 알았던 어린 시절. 알 수 없는 희망으로 용기가 불끈 솟구쳤다. 그때 보았던 하얀빛이 지금까지도 저만큼 앞서 가고 있음을 선장은 믿고 있다.

갑자기 불빛이 일렁거린다. 일순 선수에서 물보라가 높게 솟구치는가 싶더니 순식간에 달려들어 유리창을 뒤덮는다. 배가 몸을 뒤채며 요동을 친다. 급하게 키를 꺾지도 않았는데 수심에 변화라도 생긴 걸까? 선장은 기우뚱거리는 배의 흔들림에 따라 비틀거리며 측심기로 다가간다. 해저와 배 밑면의 거리를 나타내는 측심기의 기록지에는 별다른 이상이 없다. 다시 한 번 배가 요동을 치면서 바닥이 붕 떠올랐다가 가라앉는다.

1항사와 2항사 그리고 3항사는 쉴 새 없이 레이더와 해도실을 오간다. 보다 정확한 선박의 위치를 잡기 위해 해도에 기입한 위치를 비교

하기도 하고 최대한 오차를 줄이기 위해 낮은 목소리로 대화를 나누기도 한다. 브리지 왼편 난간에 서 있는 자이로 컴퍼스에는 이미 비닐 커버가 씌워져 있다. 자이로 컴퍼스는 선박의 위치를 잡아내는 데에 레이더보다 신뢰할 수 있으나 어둠 속에서는 도움이 안 된다.

어둠 속을 응시하고 있던 선장이 조타수 뒤를 지나 레이더로 향한다. 레이더에는 해도와 비슷한 지형이 희미하게 나타나 있는데, 중심을 축으로 가는 막대가 하얀 점을 뿌리면서 빙빙 돌고 있다. 선장은 꼼꼼하게 지형을 더듬어 본다. 오른쪽 앞으로 초승달의 불룩한 원호처럼 휘우듬한 산자락이 보이고, 우묵한 곳에는 좁쌀만 한 점들이 성글게 박혀 있다. 막 지나간 막대가 떨어뜨린 듯 수로 중앙에 낯선 점 하나가 보인다. 선장은 바짝 긴장하며 지나치기 십상인 조그만 점에 신경을 곤두세운다. 이대로 달리다간 알 수 없는 물체에 부딪치고 말겠지. 선장은 급히 레이더를 빠져나온다.

속도를 한 단계 낮추자 잠깐 주춤거리던 배가 멈춘 듯 조금씩 나아가기 시작한다. 어수선하게 흔들리던 전부 마스트의 불빛이 차츰 제 자리를 찾아가고, 비바람도 한풀 꺾인 듯 다소곳하다. 선장은 다시 레이더로 가 조금 전에 보았던 점을 찾는다. 정체를 알 수 없는 점들이 잠깐 사이에 오른쪽 면을 하얗게 메우고 있다. 수로 중앙까지 침범한 작은 점들도 훨씬 많이 늘어나 있다. 방해물이 있다 하더라도 널찍하게 열려 있으리라 여겼던 항로가 점들 사이에 묻혀 버리다니. 두리번거리며 항로를 찾던 선장은 왼쪽 산자락 아래에 이쪽보다 넓어 보인 공간을 발견하고 잠시 혼란에 빠진다. 눈을 질끈 감았다가 뜨고는 다시 살펴본다. 저편의 것이 수로라면 양쪽 수로를 갈라놓은 수많은 점들은 무엇이란 말인가? 허상(虛像)일까? 때때로 소나기나 새 떼가 흩어져 있는 섬처럼 나타나는 경우가 있긴 하지만 지금 보이는 건 그런 종류와는 좀 달랐다. 그쪽으로 뱃머리를 돌리면 안전할 수도 있을까. 어쩌면 지름길일 수도 있다는 생각이 선장의 뇌리를 스친다. 선장은 레이더에서 눈을 떼고 잠시 캄캄한 창밖으로 시선을 향한다.

유혹은 언제나 침샘을 자극하는 호기심을 동반하고 찾아오는 법이다. 섣불리 뱃머리를 돌린다는 건 모험이 아니라, 살자고 함이 아니라, 바로 유혹에 동의하는 것이리라. 안경을 벗어 들고, 감은 눈을 차디찬 손가락으로 부드럽게 문지른 선장은 다시 레이더 속을 헤쳐 본다. 그리고 해도에서 보았던 수로를 머릿속으로 천천히 더듬어 본다. 초저녁에 보았던, 마젤란 해협에서 가장 좁은 수로가 눈앞에 펼쳐진다. 계곡 같은 수로를 덮씌울 듯 바짝 붙어 있는 산줄기가 굽이굽이 이어지다가 활짝 열리는 곳이다. 그곳에서 수로는 오른쪽으로 급하게 꺾이다가 원을 그리듯 서서히 왼쪽을 감싸고 있는 형상이다. 해도에는 분명 그것밖에 나타나 있지 않았다. 그렇다면 반대쪽은? 선장은 머리를 조아린다. 외줄기 수로가 서로 산자락 하나씩을 붙잡고 두 줄기로 나뉜다? 그 가운데 벌판에 -정확히는 알 수 없지만 벌판이라면- 퇴적된 뭔가가 있다? 알 수 없는 일이었다. 레이더도 더 이상 믿을 게 못 되는군. 하지만 못 본 체 그냥 항해한다는 것은 자신에게 허락되지 않는 일이었다. 어찌됐든 이 수로를 무사히 통과해야 하는데. 이곳만 빠져나가면 더 이상 험악한 피요르드는 없을 텐데. 선장은 생각을 굳히고 확인을 하리라 마음 다진다.

손전등을 켜들고 계기함으로 가 육분의를 찾는다. 묵직한 상자 속에 들어 있는 육분의의 감촉이 차고 부드럽다. 태평양을 횡단할 때 3항사가 사용하고 손질을 잘 해두었기 때문이리라. 선장은 태양을 관측할 때 사용하는 검은색 유리를 옆으로 비틀어 젖힌 다음 브리지 밖으로 나간다.

선장의 갑작스런 행동에 세 명의 항해사가 알 수 없다는 표정으로 서로를 바라본다. 육분의를 이용하여, 수평협각에 의한 선박의 위치를 얻으려 한다는 사실을 그들이 모를 리 없지만, 아무것도 보이지 않은 어둠 속에서는 가당치 않는 일이기 때문이다. 하지만 아무런 행성 하나 보이지 않는 칠흑 속에서 육분의로 할 수 있는 일이란 수평협각에 의한 선위 측정 말고 뭐가 있겠는가?

선장은 꿀렁거리는 선박의 난간에 몸을 의지한 채 가만히 서 있다.

얼음물처럼 차가운 비바람이 순식간에 온몸을 파고든다. 오싹한 전율이 잠깐 인다. 선장은 어둠에 익숙해질 때까지 묵묵히 기다린다. 드디어 몸의 체온과 대기의 기온이 일체가 되었을 때, 선장은 지그시 눈을 감는다. 감은 눈으로 가만히 어둠 속을 응시한다. 고요하고도 집요한 응시는 좀처럼 끝나지 않는다. 레이더에서 보았던 하얀 돌출부 서너 개가 선장의 눈앞에 떠오른다. 선장은 그중에서 윤곽이 뚜렷한 두 개를 고른다. 두 개의 거리를 정확히 알 수는 없지만 사잇각은 대략 40도쯤 되어 보인다. 서서히 눈을 뜬 선장은 육분의의 다리를 벌린다. 그리고 하얀색이 선명하던 두 개의 돌출부에 육분의의 다리를 하나씩 연결한다. 찰나적으로 선장의 왼쪽 엄지손가락이 스톱워치의 꼭지를 누른다.

손에 들려 있는 스톱워치를 발견한 선장은 어이가 없다. 태양이나 별 등 천체를 관측할 때 필요한 스톱워치를 들고 있는 자신이 믿기지 않아서다. 아마 오래된 습관에서 비롯한 것이라고 믿고 싶을 뿐이다. 시력이 약해 태양을 마주볼 수 없었던 선장은 태양을 관측할 때면 색안경을 끼고도 육분의의 색유리를 있는 대로 앞세워야 했다. 선장의 동작은 언제나 더뎠고 손에는 스톱워치가 쥐어져 있었다. 태양을 포착하여 수평선에 끌어내리는 일은 극히 짧은 시간을 요구했다. 시간이 짧을수록 그만큼 오차가 줄어들기 때문이었는데, 능숙한 관측자들은 그 일을 일순간에 해결하곤 했다. 풋내기 항해사였던 그에게 스톱워치가 주어진 것은 오차를 줄이기 위해서가 아니라, 얼마만큼 시간이 경과하는가를 확인시키기 위함이었다.

그때부터였을 것이다. 그는 정오가 지나면 별을 찾았다. 한낮에 별을 찾기란 쉬운 일이 아니었다. 하지만 눈부신 태양을 관측할 수 없었기 때문에 별을 찾아야만 했다. 저녁이 되면 갑판에 앉아 별자리를 더듬었다. 견우성인 알테어와 직녀성인 베가는 어느 해역에서나 눈에 띄었기 때문에 쉽게 찾을 수 있었다. 아무도 없는 갑판에 앉아 밤을 지새우면서 그는 별과 함께 길을 걸었다. 별의 길을 터득한 뒤로는 한낮에도 별을 찾을 수 있었다. 별의 길을 더듬어 대략의 위치를 자세히 살피면 반드시 하얀 별이 거기에 떠 있었다. 육분의와 스톱워치를 함께 사용하여 별을 관측하기까지는 그리 오랜 시간이 걸리지 않았다. 그 뒤로 그는 견디기 힘든 고통이 덮칠 때면 하얀 별을 생각하곤 했다.

채 1초가 소요되지 않게 돌출부를 잡아 올린 것도 그 하얀 별을 만났기 때문이라 생각하며 선장은 해도 위에 위치를 그려 넣는다. 항로에서 이탈한 배가 벌판 쪽으로 접근해 있었다. 선장은 바짝 긴장하며 자신이 그려 넣은 두 개의 선(線)의 교차점을 확인한다. 수로지에는 분명

산 아래로 밀릴 거라고 기록되어 있었는데 오히려 바깥쪽으로 밀려나 있는 것이다. 선장은 확인을 하기 위해 적당한 시간을 두고 잡아 온 사잇각을 해도 위에 차례로 그려 넣는다. 분명한 이탈이었다. 그렇다면 수로지가 잘못됐다는 말인가? 미지의 지역을 항해할 때 참고해야 할 책이 무엇이지? 해협에 진입하기 전, 3항사에게 했던 질문을 선장은 되새겨 본다. 수로지입니다. 3항사는 잘 알고 있었지만 아직 수로지를 읽지 않고 있었다. 여행안내서와 같은 수로지를 읽지 않았다는 그의 말에 선장은 씁쓸한 기분이었다. 지금 바로 소리 내어 읽어 봐! 선장은 이미 꼼꼼하게 읽었던 뒤여서 훤히 꿰고 있었다. 지금도 내용을 고스란히 기억하고 있는데 배가 떠밀리는 방향이 다른 점만은 이해할 수가 없다.

더 이상 고개만 갸웃거릴 수 없다고 판단한 선장은 속도를 한 단계 더 낮춘다. 멈춘 듯 속도가 떨어진 배는 심하게 진동하기 시작한다. 발밑바닥이 아래층에서 망치로 두드린 것처럼 털털거린다. 선장은 배가 처음 물 위에 띄워졌던 때를 기억해 본다. 이십 년이 넘었으니 배로서는 늙은 나이다. 그럴 만도 하겠지. 인간이든 기계든 늙으면 세밀하지를 못하다네, 친구. 발을 내딛기가 고역이겠지만 참아 보게. 선장은 중얼거리며 조심스럽게 키를 오른쪽으로 조금 돌려 배를 항로 위에 올려놓는다.

제 길로 들어선 배가 파도를 헤치며 서서히 앞으로 나아가는 걸 확인한 선장은 예의 회전창으로 간다. 비에 젖은 옷에서 물이 뚝뚝 떨어져 내린다. 선장은 어깨를 짓누르는 두툼한 감색 방한복을 벗어 구석에 던져두고, 안경의 물기를 닦아낸다. 두 눈이 이물질이 굴러다닌 것처럼 껄끄럽다. 눈을 감은 채 잠자코 기다려 보지만 껄끄럽기는 마찬가지다. 차가운 손가락을 눈꺼풀 위에 얹고 빙빙 돌려가며 부드럽게 문질러 준다. 따뜻한 눈물 한 줄기가 볼을 타고 흘러내린다. 선장은 안경을 끼고 창밖으로 시선을 보낸다. 아무것도 보이지 않는데, 귀가 먼저 밖에서 일어난 소리를 듣고 있다. 오래전, 청각만으로 세상을 보았던 때처럼 귀는 모든 소리들을 하나도 빼놓지 않고 주워 담는다. 바람 소리와 빗소리 사이사이로 들려오는 많은 소리를. 아우성치며 마스트를 두드리는 안테나, 뱃머리에서 갈라지는 물살, 뜯겨나갈 듯 몸부림치는 선미의 깃발, 그리고 바람에 쓸려 휘어진 몸을 일으키는 나뭇가지, 심지어는 내부 통로를 걸어 다니는 발걸음 소리까지 귀는 듣고 있다.

순간 배가 기우뚱 휩쓸리면서 주위의 모든 소음이 한쪽으로 포개진다. 선수루의 마스트 등불이 균형을 잃고 흔들리는가 싶더니 이내 물보라가 앞 유리창을 덮친다. 세찬 바람에 부러진 마스트가 날려간 듯 등불이 허공을 난도질한다. 배가 밀어내며 달리던 산자락을 이번에는 감고 돌면서 급하게 꺾어 든 탓이다. 조타수의 당황한 모습이 어둠 속에서도 보이는 것 같다. 선장은 목구멍까지 솟구친 말을 내뱉지 않고 입을 다문 채 삭인다. 조타수도 제 나름대로 이 험한 항해를 안전하게 마치고 싶은 마음이 간절할 것이기 때문이다.

배를 제자리에 올려놓고서야 선장은 뭔가 짚이는 게 있어 나지막이 한숨을 내쉰다. 수로지에서 설명하고 있는 난파선을 찾아, 해도의 물길을 굽이굽이 따라가다 보았던 바로 그 지점. 이 근처 어디쯤엔 비스듬히 하늘을 향하고 있는 난파선이 있을 것이다. 선장은 문득 그 배가 궁금해진다. 그 배는 어디로 가는 길이었을까. 푼타아레나스를 향해 가는 길이었다면 거의 항해가 끝나는 셈이고, 태평양을 향해 가는 길이었다면 겨우 시작이었을 텐데. 어디에서 와 어디로 가는 길이었는지 알 수 없지만 그 배는 여기 마젤란 해협을 헤쳐 나가지 못하고 좌초되었다. 만일 그때 좌초 되지 않았더라면 아직껏 어느 대양 위를 항진하고 다닐지도 모를 일이지. 선장은 난파선이 하얀색일 거란 생각을 해 본다. 지금은 녹이 슬어 검붉게 썩어 있겠지만 한때는 하얀색이었을 난파선.

레이더 주변에 모인 항해사들이 놀라움 섞인 목소리를 애써 억누르며 수군거리고 있다. 3항사의 앳된 목소리만이 어둠 속에서 톡톡 튀어 오른다.

"꼭 대나무처럼 생겼어요. 배우긴 했지만 막상 보니까 정말 신기하군요."

대나무라…. 선장은 그들이 전파 표지에 대해 이야기하고 있다는 걸 알 수 있다. 협수로 만곡부 가장자리에 설치된 그것은 하얀 물감으로 대나무 표면을 그려 놓은 형상으로 레이더에 나타난다. 레이더 화면의 한 지점을 뚫고 들어와 중심을 향하여 뻗침으로써, 방위와 거리를 동시에 제공하여 배의 위치를 알 수 있게 한 등대. 달 밝은 밤이라면 호젓한 물가에 서서 오가는 배를 안내하는 등대를 직접 만나 볼 수 있도록 하겠는데.

레이더에서 대나무 형상이 사라지면 가장 좁은 수로는 거의 벗어난 셈이다. 축축하게 젖은 등이 뜨뜻하게 데워져 있음을 느끼며 선장은 무선 전화 쪽으로 걸음을 옮긴다.

"푼타레디오. 여기는 안탁틱 스타."

비에 젖은 탓인지 선장의 목소리가 고르지 못하다. 바람 소리처럼 가쁘게 내쉬는 숨소리에 목소리가 떨려 나온다.

"안탁틱 스타. 말하시오."

"지금 보고지점을 통과 중입니다."

"알겠습니다. 안전항해하시오."

목소리의 주인공이 브리지로 들어온 듯 내부로 통하는 문이 삐걱 소리를 지른다. 조심스럽게 딛는 발자국 소리가 멈추자, 실내에는 구수한 된장국 냄새가 떠돈다. 잠시 후, 레이더 주위에 모여 있는 항해사들을 부르는 조리사의 목소리가 들린다. 야식을 준비해 온 모양이다. 자정이 막 지났을 때 연락이 있어 미뤘는데 때를 맞추느라 여태 기다리고 있었던 모양이다.

"식사하십시오."

곁에서 들리는 3항사의 목소리에 선장은 그의 등을 토닥이며 사양한다. 뜨끈한 국물이라도 삼켰으면 싶지만 몸이 풀리면 금방 쓰러질 것 같다.

브리지에 가득 찬 된장국 냄새가 선장의 콧속으로 스며든다. 얼핏 밭둑의 흙 냄새가 코끝을 스쳐 가는 것을 느낀다. 고향에서는 유월에 무얼 넣어 된장국을 끓였던가? 덜 자란 보리 잎으로 된장국을 끓여 먹었던 척박했던 시절을 선장은 기억해 낸다. 검누르스름한 개떡, 까만 꽁보리밥으로 허기를 다독여야 했던 시절. 명절이나 생일 때라야만 먹을 수 있었던 하얀 쌀밥. 하얀 쌀밥을 꿈꾸며 막연하게 그날을 기다려야 했던, 어린 시절. 그러나 세월이 흘러 꿈을 이루었을 때, 그는 자신이 그토록 하얀 쌀밥을 갈망했다는 사실을 잊고 있었다.

"웬 물이 이렇게 짜?"

3항사가 불쑥 짜증 섞인 목소리를 토해낸다. 조리사가 킥킥거리며 너스레를 떤다.

"짜긴 뭐가 짜다고 그래요. 싱겁기만 하던데."

"싱겁다고, 이 물이?"

항해사들이 돌려가며 물맛을 보는지 입맛을 쩝쩝 다시는 소리가 들린다. 그리고 이구동성으로 투덜대는 소리.

"이 물이 싱겁다는 거야?"

"그럼 싱겁지 않구요. 좋을 대로 생각하십시오. 내가 싱겁다고 해도 항해사들께서 짜다고 하면 짠 거니까. 그렇지만 이게 바닷물이라면 어떻겠어요?"

조리사는 연해 낄낄대더니 마무리를 지으면서는 말끝을 누른다.

"바닷물이라고?"

보지 않아도 어이없는 표정을 하고 있을 항해사들의 모습이 눈앞에 떠오른다. 이번에는 조리사도 낄낄대지 않고 진지하게 대답한다.

"조금 전에 바다에서 떠올린 물인데 너무 싱거워서 맛 좀 보시라 가져온 겁니다. 만년설이 녹아 내려서 물이 짜지 않다는군요."

해석이야 다들 자기 방식대로니까 상관이 없지만 만년설이 녹아내린다는 말에 선장은 귀가 솔깃한다. 만년설이 녹아내린다구! 선장은 초저녁에 보았던 만년설을 떠올리며 가볍게 몸서리를 친다. 목표로 삼고 항해를 했는데 만년설이 다 녹아내리면 무엇을 바라고 항해한단 말인가.

선장은 나침반을 잃어버린 배처럼 잠시 허둥거린다. 갑자기 살갗에 살얼음이 덮인 것 같아 뻣뻣한 어깨와 목을 주물러 본다. 한겨울 내내 얼었다 풀리기를 거듭하며 미라가 돼버린 황태처럼 말라붙은 몸피에서 오톨도톨 딱딱한 잔뼈가 만져진다. 그것이 오랜 뱃생활의 흔적임을 모르지 않지만 선장은 무척 당황한다.

등대를 지나자 빗소리는 들리지 않는다. 한결 누그러진 바람이 진한 어둠을 방울방울 매달고 뒤로 빠져나간다. 서서히 엷어지는 어둠 속으로 흐릿하게 드러난 수로가 보이고, 높은 산의 검은 실루엣이 차츰 윤곽을 갖춰 나타난다. 선장은 고개를 들어 만년설을 찾는다. 하지만 먼 산은 어둠에 묻혀 있고 아무것도 보이지 않는다. 만년설을 보기엔 아직 시간이 이른지도 모르지.

선장은 안경을 벗어 눈을 비빈다. 손등에 닿는 눈자위가 뜨겁게 달아 있다. 까끄락이 박혀 있는 것처럼 눈 안이 몹시 쑤셔댄다. 눈을 질끈 감았다가 슬며시 떠보아도 따가운 것은 가시지 않는다. 세운 팔에 머리를 지탱한 채 가만히 눈을 감고 가시기를 기다린다. 갖가지 상념이 선장의 뇌리를 스쳐 간다. 퍽 먼 길이었는데 많이도 왔다. 그런데도 아직 항해는 계속되고 있다. 먼 옛날 마젤란이 처음 지나갔던 해협을 거스르며.

마젤란은 무엇 때문에 남아메리카 남단까지 내려왔을까. 그는 이곳에 해협이 존재한다는 걸 미리 알았을까. 아니면 대륙을 따라 내려오다가 우연히 발견했을까. 그것도 아니라면 대서양을 표류하다가 무심코 이곳에 닿았던 걸까. 그래, 무심코 닿았을 수도. 얼마든지 있는 법이다. 이런저런 상념 속을 헤매던 선장은 마젤란이 혹시 만년설을 보고 해협으로 찾아들었을지 모른다는 생각을 해 본다. 먼 바다를 항해하던 어느 날, 산 위에 펼쳐진 설원을 발견한 마젤란이 죽음을 무릅쓰고 달려들었을 거란 생각을. 설원으로 가는 길을 찾아 헤매며 해협을 지났을 거란 생각을.

마젤란은 탐험가로 알려져 있다. 그는 탐험가다. 이 해협 때문에 그의 명성은 더욱 자자해졌다. 이 해협이 없었다면 아마 마젤란의 이름을 기억하는 사람 역시 드물 것이다. 그렇기 때문에 마치 마젤란이 해협을 지나가는 일로 일생을 마친 것처럼 여겨지기도 한다. 그런 의미로 볼 때 대서양의 입구는 그의 탄생이며 출구인 태평양은 그의 죽음일 거라고 선장은 생각해 본다.

삐이-. 적막을 가르며 길게 꼬리를 늘인 N.N.S.S.의 알람이 선장의 상념을 흐트러뜨린다.

"위치가 나왔는데요……."

얼떨떨한 목소리로 3항사가 말한다. 선장은 잠시 생각을 멈추고 그쪽에 귀를 기울인다. 들어봐야 뻔한 얘기라는 걸 알면서도.

"산 위예요, 산!"

3항사의 말에 선장은 당연하다는 듯 고개를 주억거린다.

"천천히 얘기해 봐."

누군가 옆에서 지그시 누르는 투로 다그친다.

"N.N.S.S.가 지시한 위치를 해도 위에 그려 보니 산비탈에 배가 있는 겁니다. 그런데 글쎄, 만년설로 가고 있는 거 아니겠습니까."

"뭐, 만년설로 항해 중이라고?"

"네에. 초저녁에 선장님께서 잡아놓으신 지점과 조금 전에 제가 잡은 산비탈의 위치를 직선으로 연결했지요. 그려 놓고 보니 글쎄 배가 산 정상에 있는 만년설로 가고 있다니까요."

배가 만년설을 향해 가고 있다는 3항사의 말에 선장은 깜짝 놀라 머리를 일으켜 세운다. 만년설로 항해라? 선장은 그 말을 마치 오래전 누군가에게 들었던 것 같다는 생각을 한다. 그러나 누구에게서인지 기억할 수는 없고, 조금 전 자신이 마젤란에 대한 생각을 하고 있었던 것과 이어진다. 그래 그건 내가 또 다른 나에게 말했던 것인지도 모르지.

마젤란 해협을 항해하다 보면 저 멀리로 만년설이 보인다네. 그걸 처음 본 사람들은 정말 만년설일까 의아해하지. 만년설이라는 게 산꼭대기에만 삿갓처럼 얹혀 있거든. 울을 두른 듯 빙 둘러진 테 아래는 산인데 말야. 참 이상하지. 어떻게 만년설 아래 멀쩡하게 메마른 산이 있을 수 있는지. 햇볕에 훤히 드러난 그곳엔 흰 눈 한 점 보이지가 않아. 관목 몇 그루를 제외하면 마치 민둥산 같다니까. 그래서 많은 항해자들은 그걸 하늘로 올라가지 못한 구름인 거라고 말하기도 한다네. 그리고 언젠가는 하늘로 올라가게 될 거라는 거야. 때가 되면, 아니 때를 만나면. 모르지. 만년설 너머로 넓게 확장되어 있는 새하얀 구름이 빚어낸 착시일지도. 어쨌든 그 만년설은 보는 사람마다 몇 가지 해석으로 나뉜다네. 서로 다른 방향에서 산봉우리를 바라보는 시각의 차이에서 비롯된 것인지도 모르겠지만. 하지만 내가 생각하기엔 다 맞는 말인 것 같아. 끝없이 항해하면서 지친 자신들에게 희망을 심고 있는 것일 수도 있으니까.

눈을 감고 선장은 눈 덮인 산정을 향해 가고 있는 배를 본다. 하얗게 펼쳐진 설원이 저 앞에 있다. 무척 가까워 보인다. 조금만 더 가면, 조금만 더 속력을 내면 금방이라도 설원에 도달할 것만 같다. 선장은 조금 속도를 높인다. 수평선이 그러하듯 설원 역시 가까워 보이지만 쉽사리 거리를 좁혀 주지 않는다. 언제나 그만큼의 거리를 두고 떨어져 있다. 선장은 속도를 최대한 높이고 전속력으로 내닫는다. 그러나 생각과 달리 배는 더 이상 올라가지 못한다. 경사진 길에서 높은 기어를 사용한 화물차처럼 배는 자꾸만 뒤로 물러나려 한다. 설원이 바로 저 앞에 있는데…….

갑자기 목이 당기고 뻐근해진다. 선장은 목 뒤를 손날로 툭툭 쳐 보고, 오른쪽 왼쪽으로 빙빙 돌려 본다. 바다는 어둠을 한 꺼풀씩 걷어내고 있다. 비도 그치고 바람도 그친 바다는 다가오는 여명 속에 고즈넉이 잠들어 있다. 동이 트려면 얼마 남지 않았겠지. 선장은 문득 생각났다는 듯 항해사들 쪽으로 고개를 돌린다.

"3항사, 내려가 쉬어."

"조금 더 있다가 내려가겠습니다."

젊은 3등 항해사의 목소리는 아직도 카랑카랑하다.

"내일이 있잖아."

내일이 아니라 오늘입니다. 벌써 몇 시인데요. 팔팔한 3항사의 입에서 금방이라도 그런 말이 튀어나올 줄 알았는데, 그는 아무 말 없이 브리지를 빠져나간다. 내일 아침이면, 적확히 말해 어둠이 걷히고 날이 밝으면, 그는 브리지로 올라와 항로를 지켜야 한다. 이 바다는 아직 젊은 그의 미래이기도 하므로.

선장은 감은 눈꺼풀에 차가운 손바닥을 갖다 댄다. 화끈거리는 눈 속에 푼타아레나스가 서서히 모습을 드러낸다. 하얗게 펼쳐진 설원을 향해 달리고 있는 배가 겹쳐 보인다.

푼타아레나스에서 하역을 마친 배는 다시 한 짐 가득 싣고 바다로 나아간다. 노 선장은 푼타아레나스에서 끝내 만년설을 보지 못했다. 그는 나중에서야 자신이 만년설을 보았을지도 모른다는 생각을 해 보았다.

세월의 넋

문 두드리는 소리에 간신히 잠에서 깬 나는 그곳이 낯선 여관임을 알 수 있었다. 문밖에는 용문이 아메리카노 두 잔을 들고 있었다. 침대에 걸터앉아 연한 아메리카노를 홀짝거리던 중 어제의 일이 생각났다. 어제 나는 대한민국 사진전에서 대상을 수상했고, 그 축하연 자리에 용문이 대학 동기 여러 명을 불러 모았으며 몇 차인지 모르게 옮겨 다니다 여관에 들어선 것이었다. 해장이나 하러 가자는 용문의 말에 나는 지근거리는 머리를 손가락으로 누르며 창밖으로 시선을 주었다. 금방이라도 소나기가 쏟아질 듯 무거운 구름이 낮게 드리워져 있었다. 도로에는 크고 작은 차들이 딱정벌레처럼 부산하게 움직이고 있었다. 통행하는 차량의 낮고 무거운 소음이 귓전에서 웅웅거렸다.

나는 해장 대신 쓴 담배를 피우며 용문과 밀린 얘기를 나눴다. 용문이 결혼하고부터는 자주 만나지 못했기 때문이기도 했다. 용문이 가방 속에서 우편물 몇 통을 내밀었다. 줄곧 떠돌고 있었기에 주소지를 용문의 집으로 해 두었기 때문이었다. 우편물을 받아든 나는 또다시 어디론가 떠나고 싶은 욕망이 솟구쳤다. 나는 서둘러 여관을 나섰고 용문과 간단한 인사를 나눈 후 헤어졌다. 용문도 그런 나에게 익숙한 듯 싱겁게 웃어보였다. 늘 어깨에 메고 다니던 카메라 가방을 용문에게 맡기고 떠나는 길은 의외로 홀가분했다.

터미널에 도착했지만 마땅히 갈 곳이 없었다. 완행과 고속버스 노선을 찬찬히 살펴도 눈에 들어오는 지명은 없었다. 가판대에서 신문을 하나 샀다. 언제 어디서나 갈 길을 잃고 서성일 때 신문을 집어 드는 건 나의 오래된 습관이다. 신문을 폈다. 그런데, 신문을 넘기면서, 나는 문득 내 작품 '세월'을 보고 싶은 충동을 느꼈다. 며칠 전 컬러판 지면에 큼지막하게 실렸던 '세월'의 잔상이 아직 어른거린 탓인지도 모르겠다. 가판상인에게 지난 신문을 모아 둔 것이 있는지 물었다. 좀 엉뚱하다 싶었던지 그이는 나를 빤히 쳐다보더니 고개를 저었다. 충동에 이끌린 대로 나는 '세월'이 있는 그 섬에 가고 싶었다.

어뜩한 현기증을 느끼며 차창에 머리를 기댔다. 새벽까지 마신 술 때문일까 하는 생각이 얼핏 들었지만 그것만은 아닌 듯싶었다. 사진전의 대상 소식을 처음 전화로 들었을 때 나는 정말 태연했다. 마치 남의 일인 듯 종잡을 수 없는 허허로움의 소용돌이 속으로 빨려 들어가는 느낌이었다. 그것은 흡사 가파른 산을 정복하고 정상에 섰을 때 치오르는 희열보다 눈앞에 펼쳐지는 공허, 아득히 흐르는 운해를 망연히 바라보는 심정이 되었던 탓이다. 깊게 패어 아물지 못한 상처처럼 주체할 수 없이 텅 비어 버린 마음, 무엇 때문이었을까. 나는 두리번거리며 카메라 세트가 들어 있는 가방을 찾다가 용문에게 맡기고 왔음을 상기하고 의자 등받이를 뒤로 제치고 누웠다.

소란하던 차 안이 잠잠해지면서 버스가 움직이기 시작했다. 실눈을 뜨고 주위를 돌아보았다. 평일인데도 좌석은 거의 차 있었다. 아는 얼굴이 없는 게 그나마 다행이었다. 예나 이제나 항상 공치는 법이 없는 이 버스는 종점이 벌교가 아닌 고흥이다. 벌교를 통과해야만 갈 수 있는 땅 고흥, 거기가 내 고향이었다. 내가 한사코 거부해 왔던 이 노선의 버스를 스스로 타게 된 까닭을 내 자신도 알 수 없었다. 나는, 단지, 벌교로 가서 여수행 버스를 갈아탈 마음뿐이었다. 빗방울이 하나둘 차창에 부딪혔다. 바람이 불고 있었다. 가로수가 흔들리고, 길 가던 사람들은 서둘러 의지할 곳을 찾아들었다.

의지할 곳, 고향. 한 해 두 해 세월의 부피를 늘려 가면서 은근히 가고 싶은 욕망이 봄날 아지랑이처럼 피어오를 때가 있었다. 하지만 두서없이 얼굴을 들이밀기에는 이미 세월이 흘러버린 탓에 고향집 주위만을 얼쩡거리며 겨우 아버지의 생사 여부를 확인할 따름이었다. 이윽고 짙게 덧씌워진 시커먼 구름이 하늘을 덮자 물을 퍼붓듯 소나기가 쏟아졌다. 차창이 금세 뿌옇게 변했다. 손바닥으로 창을 닦아내고 밖을 살폈다. 도심을 빠져나온 차는 쫓기듯이 달리고 있었다. 차창에 부딪힌 빗물이 사선을 그으며 흘러내렸다. 근처의 산은 저물녘처럼 어두웠고, 모시오리 같은 하얀 빗줄기들이 바람에 날려 창문 뒤로 사라졌다.

앞은 산으로 막혀 있고 차는 길 없는 산속으로 달려가는 것만 같았다. 근처의 지형을 훑어보았다. 도무지 종잡을 수 없는 새로운 도로며 건물들뿐이었다. 유리창에 눈을 붙이고 시야를 넓혀 보았다. 도시의 확장을 예고하듯 말뚝처럼 듬성듬성 서 있는 건물 사이로 논이 보이고 기다랗게 이어진 논 가장자리께에 실개천이 논둑길을 따라 이어져 있었다. 실개천을 따라 달리던 차가 급회전을 하자, 몸이 휘우뚱거리고 눈앞의 풍경이 긴 원을 그리며 순식간에 뒤로 밀려났다. 나는 자세를 고쳐 앉아 다시 창 쪽으로 고개를 돌렸다.

차가 회전하는 것과 동시에 금세 도시는 농촌으로 변했다. 건물은 보이지 않고 산 아래로 다랑이 논과 슬레이트 지붕을 한 인가 한 채가 보였다. 쏟아지는 빗속에서 쟁기를 진 채 소를 몰고 가는 농부가 언뜻 보였다. 도시의 언저리에 아직도 쟁기질을 하며 살아가는 농부가 있다니. 눈앞의 현실임에도 나는 믿어지지 않았다. 조금 전에 지나친 큰 건물의 잔상이 아직 남아 있기 때문인지도 몰랐다. 하긴 도시라는 게 애초부터 존재했던 것은 아니리라. 농촌 혹은 어촌으로 태동하여 그중 한 지점에서부터 형성되었을 도시는 역으로 농촌이며 어촌을 잠식해 가고 있다. 어제의 농촌이 오늘의 대형 건물에 쫓기다가 미처 달아나지 못하고 움츠러든 듯 저 산 아래 인가는 도시 속에 소외된 농촌의 모습처럼 보였다. 가식 없는 인간의 삶에 근거한 작품의 소재를 찾아 헤맸던 나는 도시와 가까운 곳에서, 아니 도시 속에서 얼마든지 그런 모습을 볼 수 있었다.

내가 처음부터 인간 혹은 운명 등의 거창한 주제를 염두에 두고 사진 창작에 매달린 것은 아니었다. 카메라를 손에 든 이십여 년 중 최근 삼사 년이 내가 가난한 이웃을 위해 쏟아왔던 시간이었다. 내가 형식에만 치우친 창작 생활을 팽개치고 인간 본연의 진실된 삶 쪽으로 눈을 돌리게 된 데는 일정한 직장도 없이 소요되는 경비를 조금이나마 충당하기 위한 한 방편으로 가난한 이웃들과 함께 힘든 노동을 하면서부터였다.

그들의 고통과 애환을 이해하기 전까지 나는 그들의 모습을 단순히 작품의 소재 거리로만 여겼고 늘상 방관자로 맴돌았다. 방관자라는 어휘가 주는 느낌처럼 실제로 처음 내 사진 역시 겉치장만 요란한 작품이었다. 진실된 그 무엇을 찾기보다는 가공된, 보는 이들의 눈을 현혹시킬 수 있는 그런 작품이었을 것이다. 그런 작품으로 그동안 나는 몇 차례 입선한 적도 있었다. 여태까지 내 작품이 지상(紙上)에 실린 것은 달포 전의 그것 한 번뿐이었지만 예명으로 쓰고 있는 내 이름 김정후와 작품명만큼은 입선할 때마다 실리기에 나는 이따금 메일도 받곤 했었다. 아까 용문이 건네준 것도 바로 그런 것들일 터였다.

나는 우편물이 들어 있는 가방을 더듬었다. 우편물은 주로 아마추어 사진작가나 사진에 관심 있는 사람들이 보낸 축전 따위였다. 그리고 한 장. 부음을 알릴 때나 쓰는 누런 봉투가 눈에 띄었다. 틀림없이 인기인들처럼 보지도 않고 밀쳐 둘 것을 염려하여 의미를 짙게 하려고 어느 독자가 사용한 것일지도 몰랐다. 궁금했다. 옆으로 길게 쭉 찢어 내렸다. 역시 특이하게 빛바랜 종이였다.

김정후 씨 보시오.

지면의 첫 줄이 진지하게 시작되고 있었다. 나는 겉봉의 주소를 보았다. 순간 나는 아연했다. 편지는 바로 아버지로부터 온 것이었다. 아버지는 필경 치매 증세를 보이고 있는 것이라고 생각했다. 아버지가 나를 낳을 당시의 나이에 내 나이를 더하고, 아버지가 팔순이 지났음을 감안할 때 그건 당연한 것일 수도 있었다. 대학교 때 몇 번 받아보았던 아버지의 편지, 그 필체는 그러나 여전하였다. 김귀환, 겉봉에 쓰여 있는 아버지의 이름이었다. 아뿔싸, 이런! 아버지는 노망한 것이 아니었다. 거의 이십여 년을 가명으로 살아왔던 때문에 아버지가 김정후란 사람이 내가 아니라고 생각했을 건 너무도 당연했다. 그런데 아버지는 김정후란 사람에게 무엇 때문에 편지를 보냈을까. 나는 천천히 장작 같은 글씨를 더듬어 가며 편지를 읽었다.

> 우연히 당신의 사진이 신문에 난 것을 보고 새삼스럽게 내 가정사를 들먹인다는 것이 우습게 들릴지 모르지만 나는 말해야만 하겠소. 내게는 자식이 하나 있었소. 독자였지요. 제 어미도 모르고 자란 불쌍한 놈이었소. 그놈이 대학에 다니고 있던 80년 5월에 광주에는 난리가 났었소. 나는 그 난리통에도 자식을 찾으러 불바다가 된 광주로 들어갔지요.

그래, 내게도 80년의 봄이 있었다. 특별히 어떤 동아리에 소속되어 있지 않았더라도 그때의 봄은 대학생 모두가 고스란히 받아들여야 했었다. 모든 학생들은 가슴팍에 '민주회복'의 리본을 달고 다녔지만 그 행위가 친구들의 눈이 두려워 함께한 것은 결코 아니었다. 봄은 오월이 되면서 절정에 다다랐고 나는 뭔가 할 일을 찾아 거리를 헤맸다. 소속되어 있던 동아리를 홍보하기 위한 한 수단으로 사진 찍는 일을 도맡아 했는데 그즈음 엉뚱하게도 생각이 다른 곳으로 미치기 시작했던 것이다. 나는 카메라를 들고 시위현장을 주워 담다가 급기야 쫓기는 신세가 되었는데 다행히 지방도시의 명문가라는 용문의 집으로 피신해 위기는 면할 수 있었다.

계엄군이 도시 외곽으로 철수했다는 소식을 전해 듣고 나는 고향으로 가기로 작정했다. 거리에는 쑤셔놓은 개미집처럼 사람들이 들끓었다. 하지만 그들의 발길은 정처 없이 헤매는 것이 아니었다. 각자 목적지를 향해 부산히 이동하는 중이었는데 우연찮게도 나와 방향이 일치한 것이었다. 나는 사람들 속에 섞여 도청으로 나갔다. 도청 인근의 건물 벽에는 대자보가 나붙었고 소복 차림을 한 여인들이 보였다. 도시에는 시민들이 있을 뿐 위장복 차림의 계엄군들은 보이지 않았다. 나는 다소 안심이 되었다.

저 멀리 너릿재가 보이는 곳에서 도로는 바리케이드로 차단되어 있었다. 나는 길가에 쳐진 안내줄을 따라 아스팔트 길에서 논둑길로 들어섰다. 한 줄로 걸을 수밖에 없는 좁은 논둑길을 걸으면서 나는 저만치 논둑길과 아스팔트 길을 잇는 다리 위에서 검문하는 군인들을 보았다. 두 사람이 한 조가 되어 간혹 가방이며 보퉁이를 헤쳐 보는 모습이 보였다. 나는 학생이라는 신분의 두려움과 함께 용문의 말을 듣지 않고 카메라를 가져온 걸 후회했다. 버릴 수는 없었고 누군가의 손이라도 잡고 싶은 심정이었다. 하지만 다들 굳은 표정. 말을 잃고 귀가 먹은 듯 사람들은 간신히 두 다리로만 버티고 있을 뿐, 아무런 의식이 없어 보였다. 혹시 군인들은 사진을 찍다가 줄행랑을 친 내 얼굴을 기억하고 있을까. 일순 나는 전신이 오그라들면서 오줌이 마려웠다. 그때, 나는 흐르는 행렬을 거스르며 이쪽을 향해 서서히 다가오는 낯익은 사람을 보았다. 머리가 허연 아버지였다.

"자, 입어라. 아무것도 못 들고 가게 한다기에 이렇게 입고 왔다."

길 가장자리에 서서 당신은 옷을 벗기 시작했다. 한 겹 두 겹, 벗은 옷 속에서 김밥이 빠져나왔다. 내가 머뭇거리는 사이 아버지는 내 어깨의 카메라를 가져다가 당신의 목에 걸었다.

나이 사십이 넘어 아버지는 달랑 나 하나만을 보았을 뿐이었다. 어머니는 내 어렴풋한 기억 속에서만 맴돌 뿐이고, 내 뒤로는 아무도 없었다. 내게는 한없이 다정했던 아버지. 우락부락한 얼굴에 몸집이 군내에서는 제일이어서 힘으로는 맞부딪칠 만한 사람이 없었다. 나는 씨름판에서 아버지가 맞잡은 사람들을 가볍게 메다꽂는 것을 여러 번 보았다. 나는 아버지가 곁에 있으면 그저 든든했다. 시골 학교에 운동화를 처음 신고 갔던 날처럼 조무래기들은 항상 내 뒤를 졸졸 따라다녔다. 아버지는 그런 아이들을 불러 씨름을 붙이고는 사탕을 한 움큼씩 나눠주곤 했는데 그들이 부러워했던 것은 내가 신은 운동화보다도 어쩌면 늘 곁에 버티고 있는 아버지였을지도 모른다.

아버지는 어린 나를 데리고 자주 외출을 했지만 반도인 고향에서 바다에 가 본 적은 한 번도 없었다. 더구나 동네 아이들과 함께 가는 것마저도 아버지는 철저하게 단속했다. 아이들로부터 전해 들은 바다는 온갖 호기심으로 나를 자극했지만 일찍부터 금기시해 온 바다를 나는 애써 외면해야만 했다.

두어 달에 한 번 정도 아버지는 혼자서 외출할 때가 있었다. 그날만큼은 온종일 혼자서 집을 지켜야 했다. 동네 아주머니들은 아버지가 여자를 보러 간 것이라며 수군댔다. 그녀들이 말한 여자란 새엄마를 두고 한다는 것쯤은 나도 알 수 있었다. 하여튼 어디를 다녀오는지 밤이 이슥해서야 돌아온 아버지는 어김없이 술에 취해 있었고, 그때마다 혹시

나 싫어 나는 방문을 열고 밖을 내다보았다. 아버지가 데려온 여자가 밖에 서 있을 것 같은 생각에서였다. 그러나 컴컴한 나뭇가지에 걸린 스산한 바람 소리만 들려올 뿐, 마당엔 아무도 없었다.

> 그런 애비의 심정을 모르는지 자식은 점차 내게서 멀어져 갔소. 어쩌면 대학에 들어갈 때부터였는지도 모르겠소. 나는 한이 맺힌 놈이라 자식만큼은 꼭 대학에 보내서 법관을 만들 작정이었소. 하지만 세상일이란 게 어디 마음먹은 대로 되는 것입디까. 애비 속도 모르고 완강히 제 주장만 고집하는 자식 놈이 원망스러웠소. 하지만 그보다도 정말 참을 수 없었던 건 그놈이 해군에 간다는 말을 했을 때였소. 바다나 배란 말만 들어도 나는 이가 갈리는 놈이오. 나는 그놈을 내 자식이라 생각하지 않기로 했소.

"너는 법을 공부해야 한다. 법을 알아야 남한테 큰소리치고 사는 세상이여."

내가 대학에 진학하기 위해 나름대로 이미 결정해 둔 학과가 있었음에도 넌지시 아버지의 의향을 물었을 때 당신은 한사코 법대 지원을 원했다. 법대만 들어간다면, 내가 원하는 한 외국 유학도 보내주겠다던 아버지를 비웃듯 나는 소신껏 문리대를 지원해 합격했다. 나는 아버지가 만족해하지는 않더라도 한마디 따뜻한 격려를 기대했다. 합격통지서가 집으로 날아든 그날, 나는 조심스레 아버지의 눈치를 살폈다. 아버지는 배신감을 느낀 듯 험상궂은 표정으로 한참 동안 노려보던 합격통지서를 거칠게 찢어버린 다음 벌떡 일어서 밖으로 나갔다. 그리고 그

긴 겨울밤이 다 새도록 돌아오지 않았다. 설핏 잠이 들었던 나는 아버지의 고함 소리에 놀라 잠에서 깨어났다. 당신은 밤을 새워 술을 마셨는지 충혈된 눈빛으로 나를 노려보았다. 그리고 무슨 말인가를 내뱉으려다가 술기운을 이겨 내지 못하고 모로 쓰러졌다. 너는 꼭 법대를 가야 해. 법, 버업….

아버지의 회유에도 아랑곳없이 재수를 한 나는 다시 문리대에 들어갔다. 그때 아버지의 얼굴에 드리워진 회색빛 그림자를 지금도 나는 잊을 수가 없다. 고교 시절 일주일이 멀다 하고 하숙집을 찾았던 아버지였다. 밤늦게 학교에서 돌아온 내 얼굴을 보고 가야만 직성이 풀렸던 당신은 이미 변해 있었다. 내가 대학에 진학한 뒤부터 당신은 한두 달에 한 번씩 다녀가는가 하더니 내가 요구한 액수에 못 미친 용돈을 집주인에게 맡겨둔다든지 그나마 편지와 함께 전신환으로 부쳐버리곤 그만이었다. 나는 아버지의 그런 변화를 애써 괘념치 않기로 했다. 그런데 어느 때부터였을까. 내가 아버지에 대해 다시 생각하게 된 것이. 아마 대학 3학년이 시작될 무렵이었을 것이다. 해군에 자원을 하고서였다.

"육군이나 공군이라면 또 모르겠다. 하고 많은 군대 중에 하필이면 해군이냐!"

해군에 자원했다는 말을 듣고 부르르 떨던 아버지는 막무가내로 심한 욕을 퍼붓더니 격정을 주체하지 못한 듯 내 뺨을 후려쳤다. 나는 영문도 모른 채 뺨을 맞고는 곧장 집을 뛰쳐나왔고 다시는 아버지를 만날 일이 없을 거라며 이를 물었다. 내가 저지른 일에 대한 모든 책임을 버겁더라도 혼자서 처리하겠다고 속으로 별렀다. 그 의문에 대해서는 지금도 이해할 수가 없다. 내 생활의 모든 것을 왜 아버지는 그토록 철저히 거부했을까.

해군을 제대하고 나서 자식 놈은 전혀 딴 사람이 돼 버렸소. 복학을 하고서도 학교를 다닌 것인지 놀러 다닌 것인지, 하숙집 주인 말처럼 도대체 뭘 하는지 알 수가 없었소. 전화를 미리 하고 갔어도 하숙집에서 더 이상 자식 놈의 얼굴은 보지 못했소. 광주에서 피난 올 때 어깨에 메고 있던 카메라가 이상하게 마음에 걸리더니… 그 때 그것을 빼앗아버렸더라면 혹시 공부나 열심히 했을지도 모를 일이었는데, 어째 그것이 자꾸 마음에 거슬린단 말씀이오. 남들처럼 취직을 한다든지 결혼을 해야 할 나이에 이것도 저것도 아니고 보니 더욱 그러하오.

3학년 한 학기를 마치고 해군에 입대한 나는 정훈병으로 근무하게 되었다. 일테면 사진병이었는데, 내가 찍은 사진들은 대개 교육용이나 홍보용으로 이용되었다. 나는 철저하게 맡은 일에 충실했고 사진에 대한 매력은 더욱 끈끈하게 나를 옭아매었다. 그것과 더불어 취재 차 함정에 오를 때마다 솟구치는 감정은 엉뚱하게도 일반 수병들처럼 배에서 생활하고 싶다는 거였다. 해군이긴 했지만 거의가 육지 생활일 뿐이었다. 금방이라도 삼켜버릴 듯한 거친 파도를 헤치며 함상에 서서 목이 터져라 군가라도 부르고 싶은 욕망이 끊임없이 출렁였다.

군대를 제대할 때까지 아버지의 면회나 편지는 한 번도 없었다. 나는 복학을 해서도 틈만 나면 카메라를 둘러메고 사방으로 쏘다녔다. 예식장이며 병원, 공원묘지는 주된 마당이었고 이따금 농촌과 어촌을 기웃거렸다. 더러는 좋은 작품을 가려 출품을 하기도 했다. 그때마다 번번이 안겨 오는 낙선의 패배감이란…. 자부하던 사진술, 대상에 대한 렌즈의 포착은 이미 내 그릇된 생각만큼 빛나가 있었는지도 몰랐다. 그러나 나는 결코 포기할 수 없었다. 사진에 관한 전문서적을 구해서 밤새워 읽었고 선배들을 따라다니며 눈동냥을 했다. 입선된 작품들 중에서 우수한 것만을 골라 꼼꼼히 살핀 후 비슷한 작품을 만들어 내기도 했다. 그런 각고 끝에 내 작품이 처음 입선된 것은 대학을 졸업하고도 2년이 지난 후였다.

아버지에게 내밀던 손이 멀어진 만큼 내가 바라던 꿈은 훨씬 가까이 다가와 있는 듯싶었다. 천지를 헤매다가 도시로 들어와 술좌석에서 만난 용문은 내 눈치를 살피다가 조심스레 입을 열었다.

"요즘 같은 디지털 시대에 사진 찍어 밥 먹고 살겠나?"

나는 그의 말에 대답하지 않았다. 현상소라도 하나 운영하는 게 어떻겠느냐는 둥, 필름 값이라도 벌면서 작품 하는 게 부담 없지 않겠냐는 둥 하는 용문의 말을 들을 때마다 나는 성급하게 입안에 소주잔을 털어 넣곤 했다.

용문은 내가 물질적으로 의지할 수 있는 유일한 친구였다. 산이며 바다를 황황히 떠돌다가 어느 날인가 텅 비어버린 주머니를 발견할 때쯤이면 어김없이 통장엔 용문이 조금씩 송금한 돈이 들어와 있었다. 그즈음의 나는 그걸 꺼내다가 쓰는 재주밖에 가지고 있지 않았다. 어쩌다 도시로 들어가면 용문이 근무한 신문사를 찾거나 고작 전화로 말 사례를 할 뿐이었고, 그럴 때마다 용문은 함께 동아리 활동을 할 때 별명으로 붙여준 '쇠고집' 소리를 거푸 해대곤 했다. 나이 삼십 초반이 되어 그가 결혼했다는 소식을 뒤늦게 들었을 때 나는 혹시 그의 결혼 생활까지 방해했던가 하는 자괴감으로 다시는 전화를 할 수가 없었다. 가물었고 목이 탔다. 핍진한 생활을 더욱 쥐어짜야 했고 때로는 용문의 말처럼 적당한 곳에 안주해 버릴까 하고 생각도 했다. 착잡했다. 하지만 나는 다시 가방 두 개를 둘러메고 쫓기듯이 길을 떠날 수밖에 없었다.

처음 카메라를 손에 들고 십 년이 넘을 무렵까지도 내겐 몇 차례의 입선 경력 외에는 이렇다 할 성과가 없었다. 처음 나의 꿈은 입선이나 대상 따위의 현실적 명예욕보다는 내 마음에 드는 작품을 얻는 것이었다. 그러나 그 꿈은 해를 거듭할수록 아득히 멀어져 가는 것만 같았다. 결혼 후에도 용문은 간간이 송금을 해왔다. 하지만 그것으로는 턱없이 부족한 것이어서 나는 임시방편으로 농촌이나 어촌에서 카메라를 잠시 벗어두고 노동을 하기 시작했다. 그 대가는 넉넉하진 않았지만 부족함 역시 없었는데, 그것은 작품과 경비를 동시에 벌어들인 데 대한 만족 때문이었을 것이다. 원시의 순수함과 끈끈한 삶의 노정, 인간의 진실을 노동을 통해 나는 처음 맛보았다. 그 무렵부터 나는 줄곧 농촌과 어촌, 그리고 도시의 언저리에 있는 가난한 이웃들을 찾아다니기 시작했다.

마을 사람이 어느 봄에 관광을 다녀와서는 자식 놈을 남해안 어디선가 얼핏 보았다는 말을 해 주었소. 이 애빌 닮아 바닷가를 어정거린 건지는 알 수 없는 노릇이오. 해군에 간다길래 따귀 한 대 때리면서 차라리 호적을 파가라고 했더니 호적은 안 파가고 엉뚱한 연(緣)만 끊어 가버린 모양이오. 어느 부모가 제 자식 잘되라고 나

무라지 못되라고 그러겠소만 사실 나는 바다와 배를 증오하고 있었
기 때문이었소. 바다, 여수에 있는 그 조그만 섬은 내가 한을 묻어
둔 곳이오.

"가방 좀 열어보시겠습니까."

나는 사진 작업을 해오는 동안 수차례 검문에 걸렸다. 세월을 찍던 날도 그랬다. 그날도 섬에서 나흘간 일을 하고 사흘은 작품 수집을 해서 일주일 만에 뭍으로 나오는데 섬과 육지를 연결한 연륙교 입구에서 검문에 걸린 거였다. 가방 안을 들여다보던 경찰은 자세한 조사를 빌미로 나를 버스에서 끌어내렸다.

"이게 뭡니까?"

경찰이 카메라 세트를 한쪽으로 밀어붙이고 가방 바닥에서 조약돌을 꺼내들었다.

"조약돌입니다."

"이 섬에서 조약돌 밀반출이 범법행위인지 알고 계시지요?"

"몰랐습니다. 아이들에게 선물 받은 거라 그냥…."

바닷가에 놀고 있는 섬 아이들에게 사진을 찍어줬더니 사진 값이라며 건네는 걸 못 본 체할 수 없어 담아온 터였다.

"모른다는 게 말이 됩니까?"

"신분증 좀 봅시다."

비닐 지갑에 넣어둔 주민등록증의 사진은 얼굴을 알아볼 수 없을 만큼 얼룩덜룩했다.

"직업이 뭐요?"

경찰은 몽타주 같은 사진을 들여다보고 있는 게 한심하다는 듯 짜증을 부렸다.

"사진작갑니다."

"무슨 작가요?"

그러자 옆에 있던 그의 동료가 능글맞게 웃으며 귀엣말을 했다.

"거 있잖아. 모델들 벗겨 놓고 사진 찍는 사람들…."

일순, 나는 불쾌한 얼굴로 그들을 노려보았다. 내 표정이 심하게 일그러졌던지 나를 끌어내린 경찰이 내쏘듯 정리했다.

"조약돌은 여기서 보관하겠습니다. 다음부터는 용서 못 합니다. 아시겠어요!"

검문소를 나온 나는 삼십 분을 더 기다려야 탈 수 있는 버스를 포기하고 천천히 다리 위를 걸었다. 다리 건너 오른편으로 낮은 산이 누워 있었고 왼쪽의 바다 끝에는 기역자 모양의 부두가 길게 자리 잡고 있었다. 부두에는 같은 틀에서 제조된 듯 똑같이 생긴 배들이 부두를 따라 도열해 있었는데, 파도가 밀려들 때마다 일제히 어깨춤을 추듯 출렁였다. 부두가 끝나는 저 건너편에는 동산 같은 작은 섬이 보였고, 그 섬은 뒤쪽으로 몸을 빼다가 다시 바다 쪽으로 치닫고 있었는데, 그 끝이 희끄무레한 해무에 덮여 있었다. 작은 섬의 가운데쯤에 인가 몇 채와 푸른 밭이 보였다. 그 앞의 물가에 울긋불긋한 옷을 입은 사람들이 조개를 캐는지 점처럼 보였고 통선인 듯한 배가 마침 그곳을 빠져나오는 참이었다.

다리 끝에서 부두로 내려가는 길은 둔덕진 비탈길이었다. 경사가 가파른 길을 내려서자 곧장 부두 앞에 자리 잡은 3층의 하얀 건물이 나타났다. 부두마다 흔히 있는 어획물 공동 판매장이었다. 건물을 싸고돌아 부두로 들어서자 비릿한 갯내음이 물씬 풍겨왔다. 부두는 파시 때와 달리 한산하였다. 배들이 몰려 있는 부두를 따라 걸으면서 나는 코끝을 스치는 비릿한 냄새에 끌려가는 듯한 착각에 빠져들었다. 하지만 그것은 해군에 근무한 것 외에 여태 바다를 모르고 살아온 내게 있어 엉뚱한 느낌일 것이었다.

배는 출항시간이 얼마 남지 않은 모양이었다. 마지막 어구(漁具)의 손질을 마친 사람들이 부두로 나와 떼거리로 모여 앉아 술을 마시며 큰 소리로 이야기를 나누는 중이었다. 인근 모든 배의 선원들이 얼추 다 모인 성싶었다. 택시에서 가방을 메고 내린 사내가 허겁지겁 뛰어오더니 술판으로 끼어들었다. 또 한 번 술판에서 왁자한 웃음소리가 터져나왔다. 간간이 파도 소리와 갈매기 소리가 섞여 들리는 가운데 술판은 무르익어 가고 있었다. 두리번거리며 걷고 있는 나를 술 마시던 무리 중의 한 사내가 불렀다.

"여보쇼, 거기 가는 양반. 술이나 한잔하쇼."

사람이 있는 곳은 어디든 좋았다. 일부러 그들 곁으로 지나가던 참이었다. 내가 엉거주춤 끼어들자 시선이 일제히 내 쪽으로 집중되었다. 낯선 사람이라 안주 삼아 화제로 삼고 있었을 지도 모를 일이었다. 한 사내가 이리 오쇼 하고는 엉덩이를 들썩거려 자리를 내주었다.

"배 타러 왔소?"

한결같이 물개처럼 살갗이 시커먼 무리 중의 한 사내가 잔을 건넨 뒤 됫병 소주를 기울이며 물었다. 때가 낀 냄비에는 사내들의 손등만큼이나 큰 꽃게가 삶아져 있었다. 게딱지를 뜯어내고 몸통을 내게 건네준 사내처럼 모두들 내 대답을 기다리는 듯 묵묵히 입을 다물고 있었다. 나는 뭔가 대답을 해야만 했다. 아니라고 간단히 대답해 버릴 수도 있었지만 어쩐지 삐딱한 욕망이 꿈틀거리는 것 같았다. 언제나 마음은 있었으면서도 갈 수 없었던 바다. 이상하리만큼 나는 끌려들고 있었다.

"아니오."

나는 술잔의 소주를 마시다 말고 내 의지와는 전혀 다른 대답을 냉큼 했다. 배를 타러 온 게 아니라 사진작가라고 말했을 경우 그들의 반응은 불 보듯 뻔한 것이었다. 낄낄낄 사진작가라고. 벗은 여자 사진이나 찍는…. 아서라, 이쯤에서 술이나 한잔 마시고 덮어 두자. 아무려면 공무원인 경찰보다 입이 건 뱃사람들에게 잘못 걸려들었다간. 흐흐, 푸하하하 작가? 작가 좋아하시네. 오입쟁이 잡놈들. 어째 그라고 봉께, 고 낯짝 얍실얍실하게 생긴 것이 질게 하게 생기기는 했는디 영판 히말탱이가 없겄어….

"거봐. 그럴 줄 알았어. 내 말이 맞었지라?"

그들은 나를 두고, 배 타러 온 사람이냐, 아니냐 내기를 한 모양이었다. 자신의 말이 들어맞았다는 듯 젊은 사내가 곁에 있는 사람에게 키들거렸다. 사내는 무표정한 옆 사람과는 달리 연신 기분 좋은 미소를 지으며 입방아를 찧더니 내게 말했다.

"요새는 사람이 부족해서 배가 출항도 못하고 안 그렇소. 사람이 없응게 괴기도 못 잡고… 이 짓거리도 인자 더는 못해 묵을랑갑써."

꽃게 다리를 하나 끊어 쪽쪽 빨아대는 젊은 사내의 푸념을 듣고 있던 옆자리의 중늙은이가 그 말에 불퉁스럽게 갈고리를 걸고 나섰다.

"사람이 없다냐, 괴기가 없응게 사람이 다 가분 거지."

중늙은이가 말을 마치고 흐벌쩍 웃자, 젊은 사내가 숙인 고개를 옆으로 돌려 노려보았다. 무거운 긴장이 감돌았다. 잠시 후 느닷없이 젊은 사내의 입에서 거친 소리가 튀어나왔다.

"쓰벌, 사람이 없으나 괴기가 없으나 그것이 그거지, 안 그렇소?"

좌중을 훑으며 젊은 사내가 물었다. 맞다. 니 말이 맞다. 사람이 없으나 고기가 없으나 어차피 굶기는 마찬가지다. 사람들은 저마다 한마디씩 지껄이며 술잔을 들었다. 두 사람에게 기울어졌던 술판이 웅성거리며 다시 살아나기 시작했다. 하지만 젊은 사내 옆에 있는 사람만은 못내 서운한 듯, 아니면 무슨 생각을 하고 있는지 술잔을 든 채 망연히 바다를 바라보고 있을 뿐이었다. 그는 혼잣말처럼 중얼거렸다.

"그래도 옛날이 좋았제. 바로 요 앞에서 대창을 물속에다 콱 박으면 팔뚝만 한 괴기가 대번에 꽂혀 나오곤 했으니까."

혼잣말임에도 옆의 젊은 사내는 행여 놓칠까 싶어 꼬리를 잡았다.

"헹님, 시방 구석기 시대 야그 허요?"

술판의 분위기가 다시 그 두 사람에게 쏠렸다. 이번에는 혼잣말을 중얼거렸던 사내도 지지 않았다.

"아니, 저엉 못 믿겄으믄 갑판장 성님한테 물어 봐라. 내가 손톱만치라도 거짓말을 하는가. 내 말이 틀리요 성님?"

구원을 청하듯 던진 물음에 좌중의 시선이 일제히 갑판장이라 불린 사내에게 몰렸다. 마치 그의 하회를 기다리는 듯한 투였다. 우락부락한 몸집에 시커먼 선글라스를 끼고 묵묵히 앉아 있던 갑판장이 천천히 입을 열었다.

"김 씨 말이 맞다."

갑판장은 방금 물었던 사람에게 턱짓을 해 보였다. 소줏잔을 가볍게 털어 넣고 헛기침을 한 뒤 그가 말을 이었다.

"내가 이 바닥에서 산 지 오십 년이 되었다. 뱃생활 만도 삼십 년이 넘었고…."

정녕 그는 이 바닥의 산 증인처럼 말했다.

"내가 처음 배를 탔을 때만 해도 모든 배가 어망 준비는 안 해도 만선기는 준비했다."

그의 말이 다소 과장된 것 같았지만 누구 하나 웃거나 참견하지 않았다.

"원래 이 바닥이 대한민국에서 돈이 제일 흔한 곳이란 건 기저귀 찬 애도 아는 사실 아니더냐. 밀수 때문에도 그랬지만 그때는 부두에 다 주워 담지 못한 고기들이 산더미같이 쌓였지. 그라고 아까 김 씨가 말했던 것은 내가 어렸을 적 이야기다. 그때 내가 열 살이었을까. 나는 대창으로 고기를 잡으러 다녔다. 참말이다. 고기가 없어서가 아니라 고기를 잡아야 묵고 사는 세상이었는디 배들이 고기를 잡지 않았어. 갑자기 배들이 고기를 잡지 않으니 대창을 들고 나서는 수밖에 더 있겠냐? 이 바닥에 난리가 한번 났었거든. 어이, 김 씨 자네도 아는가? 그 양반. 김 장사란 양반 말여."

한참을 정신없이 주절대던 갑판장이 갑자기 김 씨란 사내에게 물었다. 연신 술잔을 홀짝이고 있던 사내가 기어드는 소리로 대답했다.

"성님이 열 살이었다믄 내가 세 살 때였는디… 나도 이야기만 들었지라."

갑판장은 김 씨의 말끝에 고개를 끄덕이고 나서 김을 팔러 다녀서 김 장순지 힘이 세어서 김 장산지의 이야기를 하기 시작했다. 사뭇 비장감마저 어려 있던 그때 모습이 지금도 기억에 생생하다.

"그날 귀항할 때 태풍이 불었는디…"

김 장사의 배들은 만선기를 휘날리며 속속들이 부두로 돌아왔다. 그는 몸소 부두까지 나가 그들을 맞이했다. 김 장사의 배만으로도 항구는 북적대기 시작했다. 그런데 밤이 이슥하도록 배 한척이 귀항하지 않는 것이었다. 연안으로 접어든 것을 분명히 보았다는, 마지막으로 입항한 배의 선장의 증언을 뭉개버리듯 배 한 척은 끝내 돌아오지 않았다. 어스름 새벽에 귀항하는 한 척의 배가 있었지만 그 배는 인근 학교의 실습선이었다. 김 장사는 날이 새도록 부두를 떠나지 않았다. 제주도가 이미 태풍권에 휘말렸다는 뉴스가 있었다.

김 장사는 점차 거칠어 가는 바다를 바라보고 있었다. 그는 큰 덩치만큼 과묵하였고 모든 일에 적극적이었으며 힘이 좋아 자연히 사람들은 그를 김 장사로 불렀다. 그 항구에 있는 배는 몇 척을 빼놓고는 모두가 김 장사의 소유였다. 나이 겨우 삼십 후반에 그는 이미 바다를 독차지한 셈이었다. 그는 많은 배를 가졌음에도 인색하지 않아서, 그의 손에 목이 걸려 있는 수백 명의 선원과 그의 가족들에게 고기를 직접 퍼 담아 주곤 했다. 그는 주위 사람들에게 좋은 평을 얻은 반면 고집이 어찌나 세던지 아무도 달래볼 수가 없었다.

바람이 점차 거세지고 있었다. 파도가 높게 일고 있었고 모든 배들이 대피한 바다는 검은 파도만 날뛰고 있었다. 그날 오후 김 장사는 인근 학교에서 걸려온 전화를 받았다. 급히 상의할 것이 있으니 학교에서 만나자는 내용이었다. 뭔가 불길한 예감을 느끼며 학교를 찾아간 그는 그제야 돌아오지 못한 배에 사고가 있었음을 알았다. 태풍에 휘말린 게 아니라 선원 한 명이 행방불명된 충돌사고였다. 귀항 중인 배를 뒤에서 들이받은 어처구니없는 일이 일어난 것이었다. 학교의 실습선은 철선이라 문제가 되지 않았지만 김 장사의 배는 목선이라 충돌에 의한 파손이 컸다. 돌산 끝에다 배를 묶어 두고 겨우 몸만 빠져나온 사고 선박 선장의 증언에 따라 그는 학교 측에 보상을 요구했다. 정부 재정으로 운영되고 있는 학교 측에서는 그 요구를 완강히 거절했다. 해사 법규와 충돌 예방 규칙 따위의 충분한 법규를 내세우며 되레 몰아붙였다. 도리가 없었다. 송사를 벌이기로 했다. 배를 팔아 그 비용을 댔다. 배를 몽땅 파는 한이 있더라도 송사만은 이기리라 작정했다. 재판은 학교 측이 출석하지 않거나 실습으로 출항 중이라 하여 번번이 지연되었다. 게다가 증거물을 확보하기 위한 전문가의 의견은 처음부터 학교의 뜻대로 이루어졌다. 그는 다짐했던 대로 송사비용을 댄 끝에 거덜이 났고, 스스로 물러나 고향을 떠났다.

"그때 난리를 생각하면…. 나도 선원 가족들이 모여 학교로 항의하러 갈 때 아버지를 따라갔던 기억이 나는구만."

갑판장은 잠시 말을 멈추고 술잔을 들었다. 어울려 있던 사람들 중에서 몇몇이 출항 준비를 한다며 일어섰다. 오후의 태양이 이울어 가고 있었다.

그날 갑판장은 왜 그런 이야기를 하였을까. 자신보다 그곳 바다의 내력을 잘 아는 사람이 없다는 데서 비롯된 치기로 보기에는 그의 모습이 너무 진지했다. 김 씨가 팔뚝만 한 고기를 잡았다고 한 것 때문에 소싯적까지 거슬러 올라간 얘기에는 필경 그로서도 여태까지 보아온 바다에 대해 하고 싶은 말이 많았을지도 모른다. '썩어 버린 고기들이 산더미 같았던', 비록 그것이 과장일지라도 당시 북적댔던 걸 곱새기면서 초라한 항구를 들락거리며 그는 무엇을 생각하고 있었을까. 수입 자유화로 인해 수백만 톤씩 유입된 고기가 시장 바닥을 차지하고 있는 현실을 보고 그는 푼푼했던 과거를 되새기고 있었는지도 모른다.

"성님, 나는 못 봤는디 그 배가 지금도 돌산 끄트머리 어딘가 있소?"

술기운이 올라 불그죽죽한 얼굴로 김 씨가 물었다.

"아니어. 돌산 끄트머리에 있던 배를 그 이듬해던가 김 장사란 양반이 경도로 끌어다 놨제. 그라고는 고향을 안 떠나부렀는가."

갑판장은 어획물 공동 판매장을 마주 보고 있는 작은 섬을 가리켰다.

"다 깨진 배를 뭣땜에 끌어다 놨는지는 나도 몰겄는디, 바다에 갔다가 돌아옴서 봉게 지금도 보이더구만."

갑판장의 말을 들으면서 나는 문득 그 사연 많은 섬에 가보고 싶었다. 하룻밤 사이에 어느 선주의 몰락을 가져온 그 배가 오랜 세월의 고통을 어떻게 보여줄까 하는 생각에 미치자 갑자기 나는 들뜨기 시작했다.

경도라는 섬에는 통선이 운항하고 있었다. 나는 경도에 들어서서, 갑판장의 이야기를 되새기며 함께 배를 타고 온 섬 주민들에게 난파선이 있는 곳을 물었다.

"저기 산 너머…."

늙수구레한 사내는 배의 주인인 김 선주를 잘 알고 있었다. 사내는 김 장사를 김 선주라고 불렀는데 선주가 지어준 집에서 묘지기처럼 난파선을 관리하고 있다고 했다. 관리라고 해 봐야 동네 조무래기들이 근처에 얼씬거리는 것을 단속하는 일뿐이었다. 그런데 한 달에 한 번씩은 들러서 술값이라도 쥐여 주던 선주가 이태 전부터 뜸해지자, 관리도 마다하고 시(市)에다가 철거하도록 신고를 해 놓은 상태라 했다. '환경보전의 일환으로 바다오염을 방지하기 위한 폐선의 철거작업'이 머잖아 있을 거라고 말하던 그는 내 얼굴을 한동안 들여다보더니 혀를 끌끌 찼다. 영락없구만….

그가 돌아서면서 중얼거린 말이 저무는 햇살처럼 가느다랗게 귓가를 스쳤지만 무슨 말인지 나는 종잡을 수 없었다. 나는 노인이 가리킨 산으로 곧장 발길을 옮겼다. 산속에 나 있는 오솔길은 사람의 왕래가 없어선지 낙엽이 쌓여 있고 넝쿨식물들이 난잡하게 얽혀 있었다. 산등성이로 올라서자, 저 아래 물가에 앙상한 뼈대만 간신히 남아 있는 폐선 한 척이 비스듬히 기운 채 석양빛에 젖어들고 있었다. 비바람을 고스란히 맞아 그 윤곽마저 흐려진 폐선은 이제 어디에서고 그 옛날 만선의 위용은 찾아볼 수가 없었다. 떼를 지어 쉬고 있던 갈매기들이 인기척을 느꼈는지 일제히 날아올랐다. 그 광경에 빨려들어 나는 셔터를 누르고 또 눌렀다. 그리고 닳고 헤진 공책을 꺼내 날짜와 시각을 적고 이름을 달았다. 세월.

나는 이름을 세월로 정한 작품에 애착을 가지고 작업에 들어갔다. 대개의 다른 작품들은 내 판단에 의해 의미가 부여되곤 했지만 세월은 그렇지가 않았다. 헐벗고 굶주렸던 6·25 직후 한 어촌의 생계를 이어주었던 그 배의 전설 같은 이야기가 내 의식을 묶어버렸기 때문이었다.

그렇게 한 시대의 고통을 간직하고 있었던 만큼 나는 색상까지도 신경을 썼다. 1커트의 필름을 여러 가지 다른 색조로 인화하여 작품에 걸맞는 색상을 가려냈다. 생각보다 색상의 처리는 어려웠다. 명도가 큰 색상에서부터 검은색에 이르기까지 무려 20여 장을 뽑았지만 확신이 서지 않았다. 작품이 안고 있는 현실을 감안하여 나는 어두운 색상 쪽으로 눈을 돌렸다.

한 달쯤 그 작품을 붙들고 있던 어느 날, 나는 사진 속에서 여태껏 무심코 지나쳤던 희미한 그림자를 문득 발견했다. 피사체 상단부에 이상한 그림자가 어려 있었던 것이다. 피사체의 낡은 브리지 상단부에 커다란 새가 앉아 있는 것도 같고 다시 보면 늙은 노인네가 바다를 바라보며 담배를 피우고 있는 것도 같은 알 수 없는 그림자가 아주 희미하긴 해도 분명히 실재하고 있었다. 오히려 종잡을 수 없었던 노릇은 무심코 내가 그 형체에 초점을 맞추고 있었다는 점이었다. 왜 진즉 그것을 보지 못했을까. 그리고 도대체 그것은 무엇이란 말인가.

그동안 신세를 져 온 용문에게 뒤늦은 결혼 선물을 하려고 출품한 작품과 다른 색상과 크기로 재차 뽑았을 때도 그 알 수 없는 형체는 뚜렷한 윤곽으로 여전히 사진 속에 남아 있었다. 나는 사진을 찍을 때의 상황을 다시 더듬어 보았다. 갈매기가 석양 속으로 날개를 퍼덕이며 날아올랐고, 서툰 도장공이 페인트를 흘린 듯 난파선은 온통 갈매기 똥으로 희끗거렸다. 설령 미처 날아오르지 못한 한 마리가 있었다 해도 나는 갈매기 따위에 핀트를 맞추는 바보 같은 짓은 하지 않았을 것이었다. 더구나 갈매기가 그렇게 큰 새일 수는 없었다. 부서진 나뭇개비처럼 뼈대만 앙상하게 남아 있는 듯한 그 새는 컴퓨터 그래픽으로 본래 모습을 복원한 과정을 설명한 책 속의 시조새 같았다. 마치 희망을 찾아 창공을 떠돌다가 지쳐 갈 길을 포기하고 내려앉은 새, 그래서 물거품이 된 희망을 가슴속에 묻어야만 하는 새의 모습 같았다.

> 나는 한평생을 오기로 살았소. 하지만 이제는 세상을 오기만 가지고 살 것이 아니란 생각을 하게 되었소. 요즘 들어 더욱 그러하오. 이제는 지나간 일이 돼버렸지만 나는 신문에 난 그 배 때문에 인생을 망친 사람이오. 나는 세상이 싫어 호적을 파 가지고 고향을 떠났지만 시간이 흐를수록 피붙이 같은 그 배가 자꾸 눈앞에 어른거리는 것이었소. 자식 놈이 떠나버린 후로는 그 증세가 더욱 심해졌소. 아무리 잊으려 했으나 도리가 없었소. 그래서 아무도 몰래 이따금 찾아가곤 했는데 섬 아이들이 그 배를 놀이터로 삼고 있었소. 나는 불안했소. 어느 날 그 배가 사라져버린다면 어쩌나 싶고. 그 배를 끝까지 지켜야 할 의무감 같은 것을 떨쳐버리지 못하고 있소. 이젠 늙어 기력도 달리고 하여 잊어버리려 하나 늘상 눈에 밟혀 쌌던데…. 그렇게 빛을 볼 수 있다니, 고맙소. 당신은 지금 내가 무슨 말을 하는지 잘 모르겠지만 그토록 한이 맺힌 배를 내가 어떻게 잊을 수가 있겠소. 나는 신문을 보자마자 대뜸 알 수가 있었소.

나는 편지를 든 채 허탈하게 창밖을 바라보았다. 내가 여태 찾으러 다녔던 것은 무엇이었을까. 아버지가 간곡히 종용했던 법대와 그 기대만큼 철저히 거부했던 바다와의 관계가 이제 선연히 잡힌 셈이었다. 나는 가난한 이웃이나 인간의 진실된 삶을 찾아 헤맸다지만 아직도 방관자일 뿐이었다. 왜 좀 더 인간 깊숙이 스며들어 보지 못했던가. 아버지와 배, 아버지와 송사, 아버지와 바다 그리고 아버지와 아들…. 나는 비로소 세상 안으로 끌려든 듯싶었다. 사진 속의 새, 그것은 어쩌면 아버지가 지닌 세월의 넋일지도 모른다는 생각이 불쑥 들었다.

고흥이오, 고흥. 고흥 출발합니다. 개찰구에서 젊은 개찰원이 대합실 쪽을 향해 손나팔을 불었다. 버스가 가재걸음을 하며 빠져나가고 있었다. 나는 허겁지겁 버스를 쫓아갔다. 버스는 뒷걸음질을 멈추고 고흥을 향해 서서히 움직이기 시작했다. 움푹 팬 상처에 차오르는 새살처럼 허전함이 없었다. 내일은 맑으려나. 버스 창에 붉게 물든 저녁노을이 번지기 시작했다.

여기 배가 있었다

정수? 아쉽지만 오늘 모임에는 참석하지 못할 거야. 며칠 전 내게 편지 한 통을 보냈더라구. 자신의 아픈 심경을 절절히 토해낸 내용이었는데, 읽고 나서도 좀체 떨쳐버릴 수 없는 진한 여운이 남더군. 겉봉을 보니 남해안의 항구 도시 소인이 찍혀 있었어. 편지를 접어 두고 정수 휴대 전화 번호를 눌렀지. 연결되지 않더라구.

다음 날 출근해서 정수 사무실로 전화를 넣었더니 사무원 아가씨가 받더군. 어장(漁場)과 관련된 보상 문제로 출장 중이라더구만. 어민들의 항의가 만만찮은 모양이더라구. 아마 맘고생이 심할 거야. 지난겨울 상처가 아직 아물지 않았을 테니 말야. 들어서 알고 있는 동창도 있겠지만 지난겨울에 정수 아버지께서 돌아가셨잖아. 아마 그때가 동창회 송년 모임 안내장을 보낸 며칠 뒤였을 거야. 갑자기 모임 장소가 변경된 바람에 급히 사무실로 전화 연락을 넣었다가 나도 알게 되었던 거지. 때문에 대표격으로 내가 직접 다녀오기도 했구.

그날 일을 생각하면 차암…….

꼬박 하룻밤을 달려 정수 고향에 도착하니 어슴한 새벽이더군. 나다니는 사람 하나 보이지 않는 적막한 미명이었어. 마을 앞 사거리에 차를 세운 나는 흙바람이 날리는 어스름 속을 기웃거렸지. 오르로 저 멀리 삿갓처럼 높은 산이 솟아 있고, 산자락 아래에는 인가의 가로등이 추위에 떨고 있더군. 마을로 들어가 보고 싶은 충동이 일었지만 바닷가에 늘어서 있는 어가들을 보자 마음이 흔들렸어. 어느 쪽으로 갈까, 잠시 망설였지. 그리고 양쪽을 번갈아 보며 저울질을 하다 차에서 내렸어. 사거리 한쪽 구석에 외따로 있는 가게에서 물어볼 작정으로 말야. 어떻게 가게인 줄 알았냐구? 처마 밑에 매달린 담배 간판이 보였거든. 사실 좀 미안하기는 했어. 아침이 되려면 아직 이른 시각이었으니. 허나 뾰족한 수가 없잖은가.

불 꺼진 가게 창을 똑, 똑, 똑, 조심스럽게 두드렸지. 바람에 유리창은 쉴 새 없이 덜컹이는데 아무리 기다려도 기척이 없더구만. 안되겠더라구. 주먹을 쥐어 망치질하듯 냅다 두드렸지. 그제야 가게 안에 불이 켜지며 걸걸한 목소리가 새나오더군. 거기 가게 주인 되게 쌀쌀맞대. 빠끔히 열린 문 사이로 얼굴만 내밀고는 대뜸 누구요, 하는 거야. 당황한 나는 선뜻 묻지 못하고 담배를 달라고 했지. 그리고 계산을 치르며 조심스럽게 물었어. 아 그런데 가겟집 주인, 설뜬 눈으로 나를 훑어보더니 초상집이라구? 되묻질 않겠어. 주소를 확인해 보니 그 동네가 틀림이 없는데 말야. 나는 유리창을 닫으려는 주인의 손을 붙잡았어. 눈만 감으면 금방 곯아떨어질 것처럼 보인 주인이 어물쩍 대답한 것 같아 자세히 묻고 싶어서였지. 김정수라는 사람을 찾는데요, 나이는 마흔이 좀 넘었고, 아버지가 돌아가셨다기에. 성함이……. 정수 아버지의 이름을 몰랐기 때문에 나는 정수 이름만을 곱씹으며 끈질기게 매달렸어. 주인은 귀찮다는 듯, 목덜미를 쓸어내는 바람보다 더 차가운 목소리로 말허리를 꺾더군. 그 양반, 초상난 집 없단 데두 되게 치근거리네 거. 아 일 봤으믄 빨리 나가셔, 문 닫게. 나는 엉망으로 뒤엉켜버린 의식을 채 수습하지도 못하고 밖으로 밀려났어. 문고리에 숟가락을 꽂는 그림자를 보자, 하, 신음처럼 야릇한 웃음이 비어져 나오더군. 불 꺼진 거리에 우두커니 서 있으려니 이게 꿈인가 생시인가 싶은 거야. 고속도로 휴게소에서 가락국수를 먹고 승용차에 들앉아 잠깐 눈을 붙이기는 했지만 여윈 잠 끝이 개운하지 못한 터여서 마치 몽롱한 꿈길을 헤매는 기분이더라구. 사무실 아가씨 말만 믿고 덜컥 출발했던 경솔한 행동이 후회됐지만 그렇다고 그 먼 곳까지 가서 그냥 되돌아올 수는 없는 일 아닌가.

잘못 찾은 게 아니냐구? 그럴 리가 없지. 오래돼서 조금 낯설기는 했지만 하늘과 맞닿은 뒷산 삿갓바위를 금방 알아볼 수 있었거든. 언제였던가? 아마 별송이가 무더기로 쏟아져 내리던 여름이었을 거야. 몇몇 친구들이 그곳에 간 적이 있었어. 그날, 마당 가운데 있는 평상에 앉아, 맥주를 마시며 관념산수화 전시회장을 둘러보듯 어둠이 짙어가는 뒷산봉우리들을 보고 있었지. 근데 갑자기 정수 아버지가 바다에서 돌아오시는 거야. 우리는 피던 담배를 비벼 끄고, 술병과 술잔도 비껴놓은 채 엉거주춤 일어섰어. 정수 아버지, 가는 걸음에 평상 위에 놓인 것들을 쓰윽 훑어보더니 노발대발하시는 거야. 그때 정수 아버지 모습이 지금도 눈앞에 삼삼해. 우리는 버릇없이 마당 가운데 턱 버티고 앉아서 술 마신다고 야단치는 줄 알았는데, 실은 맥주 안주로 뜯적거리던 노가리 때문이었던 거야. 수산대학을 다닌 학생들이 어린 명태 싹쓸이 하라고 노가리를 안주 삼느냐는 거였어. 본분을 모르는 녀석들이라고 한바탕 호통을 치더니 노가리 꿰미를 누렁이 앞에 던져버리지 않겠어. 우리는 뭐라 할 말도 잃고 꿰미에 꿰인 노가리처럼 흙마당에 나란히 서 있었지. 정수 아버지, 앉아라 서라 말한마디 없이 우물가로 가서는 망태기에 담아온 갯것을 죄다 쏟았어. 그날 싱싱한 갯것 포식을 했지.

그런 시골 마을을 잘못 찾아들었을 리 없고, 확실하긴 한데 상가(喪家)가 없다고 하니까 뭔가 복잡하게 꼬여 간다는 생각이 들더구만. 정수에게 전화를 하려다 말고 나는 수첩을 꺼내 새삼스럽게 번호를 확인했지. 혹시 내 기억이 잘못된 게 아닌가 싶어서 말야. 고속도로를 벗어난 뒤로 수차례 두드렸지만 번번이 허탕이었거든. 번호는 틀리지 않았어. 한 자 한 자 새겨가며 버튼을 눌렀지. 역시 매끄러운 여자 목소리가 먼저 앞지르고 나섰어. 연결이 되지 않아 어쩌구저쩌구 하면서 말야. 나는 전화 덮개를 짓찧듯 닫아버렸어. 순간 차가운 대기 속에서 얼음판 갈라지는 소리가 나더군. 적막을 가르는 그 소리에 움찔 놀란 말미잘이 뻗쳐 놓았던 촉수를 감아 들이듯 열려 있던 신경이 화들짝 움츠러드는 기분이었어. 암담하더군. 걷잡을 수 없는 낭패감에 몸뚱이는 어느 순간 떨고 있었고, 그럴수록 바람은 더욱 모질게 후려 대는 거야.

돌아가야 하나, 더 기다려야 하나. 망설이다가 나는 바람 의지도 할 겸 가까이 있는 전봇대로 바짝 붙어 섰어. 기다려야겠다는 확신이 있어서가 아니라 솔직히 그때까지 어떻게 해야 할지 뚜렷한 결정을 내리지 못하고 있었던 거지. 점퍼 주머니에 손을 깊이 쑤셔 넣고 나는 망연히 앞바다를 굽어보았어. 둘러봐도 물길이 보이지 않는 꽉 막힌 바다였지.

바다 건너 긴 산줄기 때문이었을 거야. 끝없이 길게 뻗어 있는 검은 산줄기가, 마을로 들어갈 때 내가 타고 넘었던 산줄기와 잇닿아 있는 것처럼 보였거든. 산모퉁이를 돌아오면서 보았을 때는 꽤 먼 거리였는데 말야. 오른쪽 역시 아득해 보이긴 했지만 마찬가지였고. 그런데 오른쪽 저 끝, 바다 쪽으로 내민 산과 맞물려 있는 그 언저리에서 나는 가로수처럼 서 있는 수십 개의 불빛을 발견했어. 선등도 아니었고, 어촌의 가로등이라기엔 지나치게 반듯하고 그 숫자가 너무 많더란 말야. 마치 곧게 뻗은 고속도로를 따라 서 있는 가로등 같았으니까. 나중에 알고 보니 간척 공사장이었는데, 바다 건너 땅과 이쪽 땅을 잇는 석축 위에 세워 둔 가로등이었어. 넋 나간 듯 한동안 가로등을 보고 있던 나는 불빛을 휘저으며 달려온 트럭의 경적 소리를 듣고서야 정신을 가다듬었지.

차로 돌아와 시동을 걸고, 히터를 작동시킨 다음 시계를 보니 일곱 시가 조금 지나 있더군. 히터에서 내뿜은 열기로 차 안은 금방 후끈해졌어. 라디오를 낮게 틀어놓은 채 나는 전날 사무원 아가씨가 했던 말을 찬찬히 되새겼어. 부친상을 당해 고향에 가셨는데요……. 전화가 오면 알려주기를 바라고 정수가 미리 전해 두었다는 듯 아가씨는 분명하고 또렷하게 말했던 거야. 차 안에 온기가 퍼지면서 온몸이 촉촉해지더군. 얼었던 얼굴이 풀리면서 후끈후끈 달아오르고, 구두 속 발가락은 무좀이 갉아대는지 몹시 근질거리더구만. 수건으로 얼굴을 훑고 난 나는 동창회 주소록에서 정수 집 전화번호를 찾았어.

또르르, 또르르-. 초조한 시간이 흘러가더군. 물방울이 빠져나가는 듯한 신호음은 목이 타는 갈증을 불러일으켰어. 하나 둘, 숫자가 늘어갈수록 물풍선 같은 심장은 압박감에 못 견뎌 하고. 입속으로 다섯,

하고 외쳤을 때 신호음은 끝이 나더군. 나도 모르게 전화기에 귀를 바짝 갖다 댔지. 여보세요, 낮고 잠이 덜 깬 목소리가 들려왔어. 나는 대답 없이 잠자코 듣고만 있었어. 말씀하세요, 여자의 목소리였어. 이거 도대체 어떻게 된 거야, 나는 투덜거리며 전화기를 노려보았지. 그리고는 다시 전화기를 귀에 대고 상대방에게 정수 집 전화번호가 맞는지 확인했어. 틀림없는 정수 집이더군. 나는 내 신분을 밝힌 뒤 정수를 찾았어. 아버지가 돌아가셔서 고향에 갔다더구만. 전화를 받은 사람은 정수 부인이었던 거야. 그때는, 순간이긴 했지만 어떻게 된 일인지 정말 종잡을 수가 없었어. 이 친구 우리가 모른 사이에 이렇게 부부관계가 사나워졌나 생각했다니까. 정수 부인, 전화를 건 상대가 나라는 것을 알자, 인규 씨? 하며 금세 파릇파릇해진 목소리로 말하는 거야. 갑자기 들이닥친 방문객을 맞기 위해 이불 속에서 헝클어졌던 머리를 재빨리 빗질한 머릿결처럼 매끈한 목소리였어. 정수 씨 시골에 갔는데요. 시아버지께서 돌아가셔서요. 사흘째네요. 저요? 전화하면 내려오라더니 그냥 집에 있으래요. 왜 그런지는 저도 잘 모르겠네요. 어젯밤 늦게 전화가 왔는데 다른 말 없이 내려올 필요가 없다고만 그러대요. 오늘쯤 올라올 거예요. 거기에 계신다구요? 어떻게 알고 거기까지 가셨어요? 그래요? 애쓰셨네요. 휴대폰요? 왜 아직 못 만나셨어요? 안 될 거예요. 배터리가 방전됐다나 봐요. 제가 가르쳐 드릴게요. 마을 입구에 사거리가 있을 거예요. 지금 사거리에 계신다구요? 그럼 거기에서 높은 산 아래 있는 큰 마을로 가지 마시고 바닷가로 가세요. 큰 마을에 시아버님 혼자 사신 집이 있긴 한데 바닷가에 있는 친척집에 있다고 연락이 왔거든요. 어디냐면요. 내려다보시면 오른쪽 저 건너로 산줄기가 보일 거예요. 그래요. 그 너머에 집안 시아주버니가 살고 계신 집이 있거든요. 정수 부인, 능숙한 가이드처럼 한동안 세세하게 설명하더니 만나거든 집에 전화 좀 부탁한다며 전화를 끊더군. 어떻게 된 거냐, 내게 물을 틈도 주지 않고.

나는 정수 부인이 알려준 지형지물들을 확인한 뒤 바닷가로 차를 몰아갔어. 20도쯤 내리막진 흙길은 겨우 승용차 한 대 다닐 만한 좁은 길이더군. 그나마 빗물에 패여 나간 움푹한 길에는 삐쭉빼쭉 돌머리가 솟구쳐 있었어. 차 바닥이 드륵드륵 쓸리는가 싶으면 돌멩이가 텅, 차체를 두드려대곤 했지만 개의치 않았어. 텅 빈 밭과 논 사이를 지나 바닷가에 이르자 더 이상 길은 사라지고 없더구만. 방조제처럼 늘어선 어가와 개펄 사이에 차 한 대 다닐 만한 여지가 있었지만 무드럭진 모래밭이라 갈 수가 없었어. 나는 두리번거리다가 곁에 있는 어가 마당으로 들어갔지. 기다렸다는 듯 누런 개가 하얀 입김을 뿜어대며 앙칼지게 짖더구만. 차에서 내려 개를 피해 슬그머니 마당을 빠져나오던 나는 문틈으로 이쪽을 내다보는 여자와 마주쳤어. 곱지 않은 눈으로 흘겨보는 여자의 입이 꽁치처럼 툭 튀어나와 있더군. 마치 잠자리를 염탐하다 들킨 것처럼 머쓱한 기분이었어. 나는 주춤주춤 다가가 정수 친척집을 물었지. 아 그랬더니 대뜸, 그런 사람 몰라요, 불퉁스럽게 내쏘는 거야. 그때까지만 해도 나는 정말 이상한 마을이라고 생각했지.

오두막집을 빠져나오자, 잠잠하던 바람이 다시 기승을 부리기 시작하더군. 모래를 껴안은 바람이 거침없이 옷깃을 헤치며 파고들었어. 나는 따갑게 와 닿는 모래를 뒤집어쓰며 바람을 거슬러 갔어. 어가 앞으로 바짝 붙어 걷고 싶었지만 문밖에 커다란 개가 매여 있어 그냥 푹푹 빠져든 모랫길을 걸었지. 발밑에서 모래알이 버석거리더군. 모래알을 털어 내고 싶었지만 내 손은 이마를 감싸고 있었어. 머리칼이 바람에 흩날리면서 할퀸 이마가 생채기라도 난 듯 쓰라렸거든. 등을 구부린 채 움츠린 목을 모로 꺾고 걸었지. 바다 멀리 산꼭대기에 머무르고 있는 두꺼운 구름 덩어리 사이로 희붐한 빛 기운이 번져 있는 게 보이더구만. 그 아래 바다에는 자디잔 파도가 구름장처럼 떠다니고. 잦감 때라 바다는 아스라이 멀어져 보였는데, 드넓게 펼쳐진 개펄 위에는 크고 작은 배들이 정성드뭇이 들어차 있더군. 바다에 비해 지나치다 싶을 만큼 많은 배들이 말야. 호수처럼 좁은 내만에 대체 무엇이 몰려들기에 이렇게 많은 배들이 있는 걸까, 의아스럽더구만.

아무리 봐도 좁은 내만에서 건져 낼 만한 것이 그리 많지 않게 보였거든. 리아스식 해안이어서 산란기 철에 값비싼 어종이 몰려들기라도 하는 건가, 생각했지. 아무려면 그렇다 치더라도 지형적 조건으로 봐서 이미 수면이 보호를 받을 법도 한데 말야. 자연 단속이 없지 않을 테고. 작은 배로 그곳을 벗어나 연근해까지 나간다는 것은 아무래도 무리일 성싶고. 어찌됐든 한 철을 벌어 일 년을 먹고사는 사람들인지 몇 채를 제외한 대부분 어가들은 텅텅 비어 있더구만. 유리창은 깨어져 있고, 파란 비닐 천막은 바람에 날려 펄럭거리고 있었어.

출장 나간 걸로 착각했던 모양이라구? 직업적 감각이 몸에 밴 탓이었겠지. 외면하려 해도 시선이 끌리던 걸 뭐. 아무튼 그때 이런저런 생각을 많이 했지. 그렇게 15분쯤 걸었을까. 모랫길이 끝나고 말라붙은 시내가 나타났어. 냇가를 지나고는 산 아래까지 누런 갈대밭이 펼쳐져 있었는데, 그 가운데로 좁은 길이 하나 나 있더군. 나는 평편한 둑길을 버리고 개펄이 얼어붙은 울퉁불퉁한 갈대밭 사잇길을 걸었지. 바람이 불 때마다 갈잎 스치는 소리가 스산하게 들리더군. 갈대밭 한가운데로 들어섰을 때는 마치 벌 떼에 포위된 기분이었어. 갯벌이 들썩이는 듯 끊임없이 쏴쏴 울부짖는 그 소리는 은근한 소요처럼 느껴지기도 했지. 나는 가까워진 산자락을 향해 내처 걸었어. 그때 문득 어디선가 이상한 소리가 들려온 것 같더군. 바람결에 묻어온 그 소리는 정확히 어떤 소리라고 꼬집어 말할 수 없지만 아득한 곳에서 들려오는 곡성(哭聲) 같기도 하고, 다시 귀 기울이면 상여 소리 같기도 한 애끓는 가락이었지. 아마 산 너머에 있다는 정수 친척집에서 들려오는 소리일 거라 단정하고 나는 걸음을 서둘렀어.

정수를 만난 건 산줄기가 바다 쪽으로 치닫는 그 끝, 바위섬에서였어. 처음엔 정수인 줄도 몰랐지. 노송 몇 그루가 우람하게 자라 있는 산마루에 올라서서 어가를 찾으려고 두리번거리는데 바위 위에 웬 사내가 앉아 있는 거야. 헉, 신음 소리가 절로 새어나오더군. 사내는 인기척을 느끼지 못한 듯 요지부동이었어. 나는 사내를 외면하고 하얀 차일 아래 사람들이 웅성거릴 어가를 찾았어. 근데 어디에도 보이지가 않는 거야. 차일은 고사하고 어가마저도 없더군. 지나온 바닷가와는 전혀 다른 모습이었어. 고작 보인다는 게 해안선 저편에 꼬막 껍질만 한 어가가 한 채 있긴 했지만 사람이 사는 집인지 의심스러울 정도였어. 그게 어가라면 딱 한 채 있긴 있는 셈이었지. 하지만 그곳 역시 사람이라곤 얼씬도 않더라구. 어디 그뿐인가. 갈대밭 사잇길을 지날 때 분명히 들었던 이상한 소리마저 어느 순간 뚝 끊겨 있질 않겠어. 정말 알 수가 없더구만. 갑자기 눈앞이 아득해지는 기분이더라구. 마치 물컹한 펄 속으로 끝없이 빠져들면서 개펄을 덮쳐오는 파도를 속절없이 바라봐야 하는 심정이었어. 점퍼 차림의 사내 역시 괴이쩍긴 했지만 마땅히 물어볼 데가 있어야지. 나는 마을 사람들의 뚝뚝한 말투를 떠올리며 조심스럽게 말을 건넸어. 그런데 스윽 고개를 돌리는 그가 바로 정수인 거야. 순간 얼어붙은 신경 조각이 돌 맞은 유리창처럼 와르르 부서져 내리는 기분이더군. 자리에서 일어선 정수가 뭐라 말했지만 알아듣지 못했어. 된 바람 소리 때문만은 아니었을 거야. 아버지가 돌아가셨다는 작자가 추레한 몰골로 바닷가에 앉아 청승을 떨고 있었으니 누군들 그러지 않았을까. 그것도 아침부터 말야. 나는 어이가 없어 아무 말도 못하고 정수 곁에 앉았어.

상가가 없다는 건 거기서 알게 되었지. 문상을 갔는데 상가가 없었으니 정수보다도 내가 더 황당하더군. 하얀 차일 아래서 술이라도 한 잔했더라면 마을 입구에서 헤맸던 일들이며 만났던 사람들의 말살스런 행동을 푸념하듯 지껄여댔을 텐데, 상가가 없었으니. 그런 따위일랑 생각지도 못했지. 대신 담배를 꺼내 정수에게 건넸지. 어느새 해는 긴 악몽에서 벗어난 듯 얼음처럼 말갛게 솟아 있더구만. 나는 담배에 불을 붙이고 정수에게 내밀었어. 해풍에 라이터 불은 번번이 꺼지고 말더군.

손바닥으로 울을 두르고 머리를 들이밀어 불을 붙이는 정수에게서 술 냄새가 확 풍겨났어. 내가 늦게 온 건가? 불을 붙여 연기를 내뱉는 정수에게 나는 물었어. 정수, 고개를 돌려 잠깐 나를 보더니 고개를 흔들더군. 일견 마주친 정수의 눈에는 시뻘건 핏발이 돋아 있었어. 아마 밤을 잡아 마셔댄 모양이라고 생각했지. 그렇다면 왜 이러고 있는 거야? 나는 담배를 입에 문 채 구두를 벗어 모래를 털어내며 물었어. 연신 담배만 피우고 있던 정수, 바다를 응시한 채로 대답하더군. 아버지를 잃어버렸어- 라고. 난데없이 터져 나온 기대 밖의 대답에 나는 조금 전 내가 무슨 말을 들었나, 몹시 혼란스러웠어. 터무니없고 생급스런 말이어서 나는 주위를 한번 휘둘러본 뒤에야 정수에게 시선을 모았지. 하지만 정수, 짐짓 딴전부리듯 바지락처럼 입을 꾹 다물고 천연덕스럽게 바다만 보고 있는 게 아니겠나. 나는 되묻지 못하고 잠시 망설였어. 묻기 전에 뒤죽박죽된 신경부터 갈무리할 필요를 느꼈던 게지. 잃어버렸다! 잃어버렸다니? 나는 귓속을 후비며 정수의 말뜻을 헤아리려고 노력했어. 하지만 무슨 뜻인지 도무지 이해할 수 없더군.

물었지. 아버지를 잃어버렸다니 그게 무슨 소리냐고. 정수, 말없이 바위틈에 담배를 눌러 끄더군. 나는 얼얼한 귓불을 손바닥으로 문지른 뒤 옷자락을 그러모았어. 그리고는 채근하듯 묵묵히 정수를 바라보았지. 정수의 말을 듣고서야 나는 비로소 그날 아침에 정수 부인이 했던 말뜻을 이해할 수 있었어. 돌아가신 게 아니라 잃어버렸기 때문에 정수는 혼자 내려갔던 거야. 그런 속사정을 정수 부인은 정확히 몰랐던 눈치였어. 친척인 형이 정수 회사로 연락했기 때문이었지. 전화를 걸어온 형은 안절부절 못하고 허둥거리며 말하더라는군. 당숙님께서 며칠째 보이지 않는다고, 아니 오래되었다고, 혹시 그곳에 가지 않으셨냐고. 그러더니, 그곳에 안 가셨다면 날도 이렇게 추운데 아직까지 안 보인 걸로 보아 뭔가 잘못된 게 틀림없는 거라고, 하여튼 급히 내려와야겠다고. 그래서 정수는 혼자 갔던 거야. 그 사실을 알 까닭이 없는 부인은 정수를 기다리고만 있었던 거구. 정수 그러더구만. 시신을 찾게 되면 연락하려 했다고. 아버지를 잃어버렸다는 말을 행방불명쯤으로 여졌던 나는 시신이라는 말에 다시 혼란에 빠졌어. 뭐가 뭔지 오락가락하더구만. 그럼 찾아봐야지 이렇게 앉아만 있으면 되나! 그때 화가 좀 났을까, 나는 정수를 똑바로 쳐다보며 빈정대듯 내질렀어. 그러나 지금 생각해 보면 경솔한 짓이었어. 그곳에 머무른 지 사흘째였는데 아무렴 가만히 앉아 있기만 했겠는가 말야.

정수, 내 말끝에 한숨을 푸욱 내쉬더니 말하더군. 모두가 자기 잘못이라면서. 나는 자세한 내막을 몰랐기에 무슨 소린가 했는데 자초지종 얘기를 듣고 보니 멋모르고 정수를 나무랐던 게 어찌나 부끄럽던지. 정수가 도착해서 보니 경찰이 기다리고 있더라는군. 형이 신고를 했는데, 이미 마을을 한 바퀴 뒤지고 난 뒤였다는 거야. 경찰이 떠나자, 형은 아버지를 찾아보자며 앞장을 서더라네. 개펄 밖으로 밀려난 물 위에 띄워 둔 배의 닻을 감아 들이면서 말야. 구름이 낮게 드리워진 충충한 하늘에선 금방이라도 눈발이 날릴 듯 심상치가 않았는데 막무가내로 목 긴 장화와 어깨끈이 달린 비닐 바지를 건네주더라는 거야. 마치 약속 시간을 정해 놓고 누군가를 데리러 가는 사람처럼 구체적인 행동이었다지. 아무것도 모른 정수, 형의 지극한 모습에 목이 메더라네. 남의 짐을 떠맡고서도 불평 한마디 없으니까.

정수, 형과 함께 바닷가 마을을 샅샅이 뒤졌다네. 따개비처럼 올망졸망 붙어 있는 바닷가 마을들을 들쑤시고 다니며 아버지의 행방을 탐문하고, 혹시 금전 거래를 한 사람이 있거든 말하라며 넌지시 속셈을 떠보기도 했다는 거야. 심지어 바다 건너 마을까지 찾아 다녔다더구만. 그 인근의 바닷가 사람치고 정수 아버지를 모르는 사람이 없는데 모두들 고개를 젓더라는 거지. 배도 사람도 보지를 못했다며 말야. 마을을 훑고 난 뒤 형은 정해진 순서처럼 바다 가운데로 뱃머리를 돌리더라네. 만일 배가 침몰했다면 나무 조각이라도 떠다니지 않겠냐면서. 정수, 그 때까지는 아무런 적의 없이 형이 하는 대로 따랐다더군. 파도 속에 밀려다니는 나무토막만 보여도 배를 붙여 확인을 했는데, 둥둥 떠다니는 검은색 비닐봉지는 마치 사람 머리처럼 보여 가슴이 덜컹 내려앉더라는구만. 그렇게 지그재그로 바다를 훑으며 만의 입구까지 찾았다네. 만의 입구에는 신새벽에 보았던 물막이 공사가 벌어져 있었는데, 시공 회사가 부도가 난 바람에 중단된 석축 위에서 낚시꾼들이 낚시를 하고 있더라네. 가까이 다가가자, 낚시꾼들이 손을 흔들더라는구만. 형도 덩달아 손을 흔들더니 정수를 의식하고는 슬그머니 손을 접으며 말하더라네. 어둠이 내리고, 석축을 따라 줄지어 있는 가로등이 빛을 내기 시작하는 밤이면 농어며 우럭, 감성돔까지 걸려들어 꾼들이 더 몰려든다고 말야.

뱃놀이하는 것도 아니고 아버지를 찾으러 다니는데 농어며 우럭이 무슨 상관이었겠는가. 정수, 모르는 체 외면을 했지만 형의 말이 거슬렸던 모양이더라구. 그때의 불편한 감정을 내 앞에서 노골적으로 드러내더라니까. 느닷없는 어종(魚種)의 출현은 생태계의 교란이야, 라며. 물속 생물들뿐 아니라 육상의 생물까지 그렇다는 거야. 원래 그 바다엔 낙지와 숭어, 멸치 등속이 주종을 이뤘다더군. 이 나라가 찰가난에 허덕이던 시절에 곤고를 견딜 수 있었던 건 바다 때문이었다지. 그곳에서는 유독 멸치가 많이 잡혔다더구만. 그래선지 예로부터 낭장망 어업이 성행했는데, 물밑에 그물을 가라앉혀두기만 하면, 들고 나는 조류에 휩쓸려 걸려드는 멸치 때문에 엄청나게 바빴다더라구. 그물 속의 어획물을 털어 돌아올 때면 뱃전까지 바닷물이 찰랑거렸다는 거야. 멸치를 삶아내느라 바닷가 어막에는 밤새도록 불이 꺼지지 않았고, 밤낮으로 무쇠솥에 삶아내는 데 건조를 미처 다 하지 못할 정도였다니. 정수 아버지도 낭장망 다섯 틀로 가족의 생계를 꾸려 나갔다더군.

그러던 어느 해인가 고요한 바다에 태풍처럼 거센 바람이 불기 시작했다지. 대학 다닐 때였으니 20여 년 전쯤이라며 정수는 정확히 기억하고 있더군. 어느 날 갑자기 어구 단속을 하더라는 거야. 불법어구라면서. 모른 건 아니었지만 처음 당한 바닷가 사람들은 대수롭지 않게 생각했다더군. 하루 이틀 목소리만 높이다 말겠거니 했다지. 그런데 줄기차게 몰아붙이는 기세가 예사롭지 않더라는 거야. 그물에 붙은 해조류를 털어내려고 모래밭에 말려 둔 그물을 뭉뚱그려 가져가 버리거나 짓찢어 누더기를 만들기 일쑤였다는 거야. 바닷가 사람들, 순순히 당해서는 안 된다며 단속반들과 맞붙어 싸우기도 하고 찢은 그물을 보상하라며 관청에 쫓아다녔다더군. 정수 아버지가 앞장을 섰다지 아마. 그런데 알 수 없는 일이 벌어졌다네. 그토록 어기차게 항의하던 사람들이 어느 날엔가 태풍 뒤끝처럼 갑자기 잠잠해지더라는 거야. 마법에 걸린 듯 하나같이 입을 다물더란 거지. 나중에 알고 보니 결탁이 있었다더군. 그물 단속이 있고 나서 오래지 않아 낯선 사람들이 몰려들었는데 피조개 양식을 한답시고 바다에 말뚝을 박고, 줄을 뻗대고, 하얀 스티로폼을 띄우는 극성을 부리더란 거야. 그런데 글쎄, 바닷가 사람들이 양식업자들과 함께 어울려 일을 하더라지 않겠나. 정수 아버지에게도 상당한 대가를 조건으로 접근했다더군. 정수 아버지, 가당찮은 소리라며 호통 쳐 돌려 보냈다더구만. 마을 사람 중 어떤 사람은 양식장을 지키는 관리인으로 들어앉고, 또 어떤 사람들은 양식장 한쪽 귀퉁이에 빌붙어 한 무리가 되어갔다는 거야. 정수 아버지, 날마다 관청을 찾아 다녔다더구만. 그때 무척 힘들었다고 정수가 말하더군. 대학을 졸업하자마자 원양어선을 타야 했던 까닭도 거기에 있었다면서.

정수 아버지, 밭고랑 같은 좁은 뱃길을 따라 고집스럽게 어장을 드나들었다네. 바다가 온통 양식장으로 변했으니 뱃길이 좁아질 수밖에. 어느 겨울밤에는 양식장의 굵은 줄이 스크루에 감겨 꼼짝없이 하룻밤을 바다 한가운데서 보낸 적도 있었더라네. 뱃길을 몰랐던 건 아니었으나 양식장이 워낙 촘촘하게 붙어 있었기 때문이었다지.

바다는 오 년을 넘기지 못하고 병이 들었다더군. 팥죽을 풀어놓은 듯 불그스름한 바다에는 죽은 고기가 떠오르고 어린 피조개가 하얗게 입을 벌리고 죽어갔다는 거야. 적조였다더군. 이전까지는 다른 바다 얘기로만 들었던 적조가 그 내만에 엄청난 세력으로 번졌던 모양이야. 드넓은 개펄로 보아 물의 흐름이 원활할 터였지만, 양식장이 물길을 막고 있었으니 자연 부패할 수밖에. 양식업자들이 떠난 바다는 그야말로 폐허였다더군. 물밑에 함부로 버린 나일론 줄이며 그물 조각에 물고기들이 걸려 썩어 가는가 하면, 그물을 뒤집어쓴 장수거북이 걸려들기도 했다네. 해안에는 부서진 스티로폼이며 비닐조각이 날로 더해 갔고. 정수 아버지, 형망 어구로 바다 밑을 갈퀴질했는데 바닷가에 모아둔 폐기물이 웬만한 벼 낟가리 하나는 되더라는구만. 황토를 실어다 바다에 뿌리기도 했고…. 하지만 적조는 바다 어귀에 씨앗을 감추어 둔 듯 그 뒤로도 끊이지 않고 발생했다는 거야. 그때 떠난 전어나 멸치 같은 물고기는 몇 해가 지난 뒤에야 조금씩 보이긴 했지만 예전처럼 풍성하지 않았다더군. 20여 년이 지난 지금까지도 적조는 계속되고, 대하나 짱뚱어 등 그때 떠난 물고기는 돌아오지 않고.

그런데 정수, 심각한 것은 적조보다도 물막이 공사라더군. 이틀째 되는 날 바다 건너 수협에 다녀왔는데, 돌아오는 길에 혼쭐났던 이야기를 하더라구. 밤새도록 잠 못 자고 궁리했다는 듯 꺼칠한 눈을 비비며 형은 아침상을 물리자마자 자리를 털고 일어서더라네. 몇 해 전부터 정수 아버지는 바다 건너 녹도수협에다 건어물을 위탁 판매 했다더구만. 수협까지는 가고 오고 하루가 짱짱하게 소요되는 거리라는데 말야. 아무리 가격을 잘 쳐준다지만 기름값 빼고 품삯 제하면 남을 게 뭐 있냐며 형이 투덜대니까 정수 아버지는 되레 형을 나무랐다네. 형뿐만이 아니었다지. 뒤에서 수군거린 바닷가 사람들까지 어르고 나섰다는 거야. 바닷가 사람들, 누구 하나 귀 솔깃해 듣지 않았다더군. 하지만 그들보다도 정작 파르르 떨며 막고 나선 건 여자들이었다는 거야. 바닷가 사람들 사이에는 홀아비의 의도가 다른 데 있는 거라며 얄궂은 소문이 자자했던 모양이더라구.

그곳에 도착하자마자 형은 서슴없이 가게로 들어가더라는구만. 위판장 뒤쪽으로 해안을 따라 길게 나 있는 도로변에는 길 한편을 차지하고 횟집과 색시를 갖춘 술집들이 늘어서 있었는데 빠짐없이 드나들며 사진까지 내보이더라는 거야. 점심시간이 지난 뒤여서 아직 영업도 시작하기 전인데 말야. 하나같이 그런 사람을 모른다 했다더구만. 그럴 리가 없다며 짐짓 과장된 객기를 부리던 형은 색주가 아가씨들이 뿌린 소금을 뒤집어쓴 뒤에야 물러났다는 거야. 날은 춥지, 돌아오는 길에 저물기까지 하여 애를 먹었다더군. 겨울밤의 지독한 어둠에다 파도가 날뛰는 바람에 새로 건조한 5톤짜리 배도 속수무책이더라는 거야. 그렇다고 해도가 있나, 변변한 등대가 있길 하나. 육지의 불빛이 가물가물 보이는데 형은 그나마 가늠조차 제대로 못하더라는 거지. 다행히 그즈음에서 물막이 공사장에 늘어서 있는 가로등 불빛이 보이더라는군. 형은 불빛을 길라잡이 삼아 한껏 속도를 높였는데 진수한 지 6개월 되었다는 배는 맞바람을 거스르면서도 엄청난 속력을 보이더라는구만. 물보라를 일으키며 내닫던 배가 석축 사이를 빠져나오면서는 휘청하더라네. 찰라적이나마 복원성을 잃고 그대로 물속에 처박힐 뻔했다는 거야. 형은 과속한 탓이라고 변명했지만 정수의 생각은 다르더군. 그 시간이 한창 밀물 때여서 석축 사이를 빠져나온 물이 안쪽의 잔잔한 수면을 덮치며 소용돌이를 일으켰기 때문이라는 거야.

정수, 그때는 정말 오싹하여 피가 얼어붙는 것 같더라는구만. 그래서 내가 나무랐지. 배가 많던데 바닷가 사람들과 함께 찾아 나설 일이지 무모한 짓을 했다고. 정수, 나를 돌아보며 야릇한 미소를 짓더군. 그게 배로 보이더냐면서. 바닷가 사람들 눈빛을 보았다면 그게 배로 보일 턱이 없다는 거였지. 나는 무슨 소리를 하는가 하고 정수를 빤히 바라보았지. 어쩐지 좁은 바다치고 지나치게 많은 배들이 처음부터 수상쩍어 보이긴 했지만 말야. 물론 바닷가 사람들이 정수 아버지와 소원한 관계였음을 부정할 수 없다 할지라도 같은 어장에서 생계를 꾸려간 처지이고 보면 한 식구나 다름없지 않은가. 여기 원양어선을 탔던 동창들이 적지 않으니 말이지만 뱃사람들은 어딘가 달라도 다르지. 항구에 닿으면 미친 듯이 술을 마시고 더러 다투기도 하지만 일단 배가 출항하면 그때부터는 숙연해지는 게 또한 뱃사람들이 아니던가, 그 말이야. 게

다가 항해 중에 태풍이라도 만나 봐, 네가 어디 있고 내가 어디 있던가. 태풍 속에서는 '너'나 '나' 대신 '우리'만 남는 거지. 어쨌든 정수, 바닷가 배들에 대해 지나치게 예민해 보였어.

그 마을에 배가 부쩍 늘어난 건 물막이 공사가 시작되기 전부터였다더군. 바닷가 사람들은 1톤짜리 배가 있는데도 큰 배를 사들였다는 거야. 바닷가 사람들이야 그렇다 치더라도 농사를 짓는 윗마을 사람들까지 이악스럽게 달려들어 배를 사들였다더군. 논밭까지 팔아가며 어가를 짓고, 배를 사들이고, 너덜너덜한 그물을 바다로, 바다로 끌고 들어가는 이재를 발휘했다는 거야. 보상금 때문이었지. 정수도 전날 밤 형에게서 들었다더군. 바다 건너 수협에 다녀온 그날 밤에 말야. 몸을 씻어도 좀체 얼어붙은 추위가 가시지 않아 늦은 저녁밥을 먹으면서 소주를 마셨다더군. 피로한 데다 몇 잔 걸친 술이 쉬 취해오더라네. 나른한 몸을 눕혀야겠는데 안방 하나에 부엌 딸린 거실이 전부여서 그냥 술상 앞에 앉아 있었다는 거야. 그만 자야겠다고 먼저 일어설 수도 없는 노릇이었겠지. 정수, 화장실에 다녀온 김에 집에 전화를 하고 주머니에서 준비해 간 장례비 봉투를 꺼냈다네. 애쓰셨다고, 약소하지만 쓰시라고. 형은 취기 오른 두 눈을 부라리며 당치 않는 소리라며 손사래를 쳤다지. 대개 남자들이 그렇기에 옆에 있는 형수 손에 쥐여 줬다는구만. 두 사람의 눈치를 번갈아 살피던 형수는 봉투를 손에 쥐고서도 어쩔 줄 몰라 하더니 슬그머니 무릎 위에 내려놓더라는군. 그제서야 형은 아내에게 상을 물리고 따로 술상을 봐 오라더라네. 일찍 끝내려 했던 게 오히려 늘어진 셈이었지. 됫병 소주를 두 병 비우고서야 술판은 끝이 났다더구만. 이취한 형은 안방으로 들어가고 정수는 거실에 몸을 눕혔다더군. 겨울바람 소리가 끊임없이 들려오는 신새벽에서야. 그러다가 가뭇없이 잠이 들었는가 싶었는데 돌연 이상한 소리가 들리더라네. 가만 귀여겨들어 보니 누군가 안방에서 신음하듯 흐느끼고 있더라는 거야. 울음소리 사이사이로 낮은 목소리를 흘려보내며. 정수, 취기가 싹 가셨지만 눈을 감고 있었다더군. 잠이 올 리 없었겠지. 그런데 자세히 들어보니 목소리는 한 사람의 것이 아니더라네. 형의 목소리에 섞여 드문드문 형수의 목소리가 끼어들었는데, 둘 다 애써 숨죽인 말투더란 거야. 뒤섞인 목소리는 한동안 어르고 달래기를 거듭하더니 긴 한숨을 내쉼과 동시에 느닷없는 말을 토해내더라네. 지긋지긋해! 정수, 영문 모를 소리에 귀가 곤두서더라는군. 정말 지긋지긋해, 어서 이곳을 떠나야지. 울분 가득한 목소리는 형이 흐느끼며 내뱉은 소리였다는 거야.

그렇게 얼마나 시간이 흘렀을까. 정수, 오줌이 마려워서 견딜 수가 없더라는구만. 조심스럽게 문을 열고 밖으로 나가 어두운 밤바다를 향해 오줌을 누고 있는데 갑자기 거실에 불이 켜지더라네. 돌아다보니 형이 문틀에 기댄 채 비틀거리며 밖을 내다보고 있더라는군. 밤짐승처럼 고통스럽게 흐느끼면서 말야. 정수, 닥쳐올 어떤 예감을 감당하겠다는 듯 형 앞에 앉았다지. 여전히 고개를 떨군 채 흐느끼던 형, 느닷없이 주먹으로 방바닥을 내려치더니 울부짖기 시작하더라네. 쇼야! 어떤 곡절쯤은 예상을 했지만 정수, 터무니없는 그 말에 온몸의 피가 쫙 말라붙은 기분이었다는 거야. 경찰을 부르고, 당숙을 찾아다녔던 것은 내가 조작한 쇼란 말이다. 방 안에서 형수가 뛰어나와 팔을 끌며 말렸지만 형은 막무가내였다지.

정수, 찬물로 갈증을 달래며 묵묵히 형의 말을 들었다더군. 정수 아버지는 20여 년 전의 그 기억을 현실로 다시 본 것 같았던 모양이야. 마을 사람들이 수군거리며 보상금을 의논하고 있을 때, 간척 공사를 해서는 안 되는 이유를 밤잠 설쳐가며 정리했다더군. 마을 사람들에게 협조를 구했지만 거들떠본 사람 하나 없었다네. 오히려 노망했다며 손가락질을 해대더란 거야. 물막이 공사는 물을 막는 데만 어려움이 있을 뿐 순조롭게 진행되었다더군. 정수 아버지, 진정서 따위로 해결될 문제가 아니란 걸 알았다는 듯 좀 수그러진 기색이었다네. 더 이상 어떻게 손써 볼 재간이 없다는 걸 깨달았다는 듯이 말야. 공사는 하루가 다르게 진척이 되고, 물고기가 지느러미를 흔들며 유영하던 바다에는 덤프트럭이 흙먼지를 일으키며 달려다니더라네. 정수 아버지, 그때부터 아직 막지 않은 바다에 뱃길을 열어 바다 건너 녹도수협을 오갔다더군. 차마 길까지 막지는 못할 거라면서. 하지만 마을 사람들은 이미 간척 공사로 인한 보상금에만 혈안이 되어 있었던 거지. 피해 어민을 섭섭하지 않게 할 것이라는 전제로 보상 조건을 내세웠으니 누군들 혹하지 않았겠어. 마을 사람들은 폐기 직전의 배를 이전해 오고, 모래땅 위에 집을 짓고, 불법이라 하여 단속하는 낭장망 어구를 가급적 많이 바다에 집어넣었다는 거야. 친척인 형도 1톤짜리 배를 가지고 있었는데 빚까지 끌어다가 5톤짜리 배를 사들였다더군. 마을 사람들이 대부를 해주었다지. 무이자로. 원금은 보상금 나오면 갚기로 하고. 그런데 마을 사람들 저의가 따로 있었던가 보아. 일을 방해하는 노인 하나 달래지 못한다며 대부금을 독촉하더라는구만. 요구 조건이 무리한 것도 아닌데 까짓 노인 입 하나 틀어막지 못한다며 날마다 행패였다는 거야. 바다에 나간다며 정수 아버지가 마지막으로 들렀던 날 아침에도 형은 전날 마신 횟술로 방에 누워 있었다더군. 배 밑바닥 물구멍에 나무쐐기를 빼고 대신 구겨 박아 놓은 비닐 뭉치가 마음에 걸렸지만 말야.

그래, 가만둘 거야? 목구멍까지 솟구쳐 오른 충동을 억누르며 나는 고개를 들어 저 멀리 희미하게 드러난 석축을 바라보았어. 미명 속에 어뜩한 현기증이 일며 복잡한 장면들이 적나라하게 눈앞에 펼쳐지더군. 바다를 가르는 거대한 석축이 보이고, 수많은 사람들이 그리로 몰려들고 있었어. 아직 막지 못한 석축 사이로는 바닷물이 밀려들고 있더군. 모여든 사람들은 돌을 쌓으며 필사적으로 물길을 막았어. 빗장을 지르듯 양쪽 석축이 이어질 무렵, 석축 건너편 하늘 위에 머리 허연 정수 아버지를 닮은 형상이 모습을 드러내더군. 정수 아버지는 쌓은 돌을 무너뜨리려고 안간힘을 쓰고 있었어. 하지만 이쪽 사람들은 용납할 수 없다는 듯 완강하게 버티며 마지막 물막이에 열을 올렸지. 석축이 이어지는 순간 물길은 끊겼어. 어느 순간 정수 아버지의 모습은 사라지고, 이쪽 사람들은 박수를 치며 괴상한 웃음을 토해대더군. 입가에 선지피를 뚝뚝 흘리며 웃음소리가 높아가고 있을 때 돌연 어디선가 낮은 울음소리가 들려오기 시작했어. 어디선가 들은 적이 있었던 귀에 익은 소리였지. 나는 곧 그 소리를 금방 기억해냈어. 갈대밭을 지나며 들었던 소리, 소리를.

갈대들이 진혼곡을 불렀던 걸까? 정신을 가다듬고 고개를 돌려 갈대밭 쪽을 바라보았지. 갈대밭은 산등성이에 가려 보이지 않았어. 눈을 질끈 감았다가 떠 보니 어느새 개펄을 덮은 밀물이 해안을 향해 치닫고 있더구만. 힘차게 밀려드는 파도에 죽은 듯이 움츠리고 있던 배들이 꿈틀꿈틀 자리를 털며 일어서더군. 파도를 타고 한들거린 배들은 하나같이 닻줄에 묶여 제자리를 맴돌고 있었어. 마치 코 꿴 순한 짐승들처럼 그렇게. 그러다가 바람이 거세게 휘몰아치면 일제히 바람을 향해 뱃머리를 돌려 굽실거리는 거였어. 그럴수록 닻줄은 더욱 팽팽히 그들의 코를 조이고. 그때 나는 보았어. 닻줄을 끊고 바다를 향해 떠나가는 배 한 척을. 조그만 배였지. 그 배는 차츰 무리에서 멀어져 가고 있었어. 파도는 끝없이 해안을 향해 밀려드는데, 그 배는 바다를 향해 나아가고 있었어. 마치 바람의 뜻을 거역하여 쫓겨난 그런 모습이었지. 제 갈 길을 찾아 파도 험한 길을 재촉하듯이 말야.

그날 마을을 빠져나오면서 보았던 바다가 아직도 눈앞에 선하구만. 물막이 공사는 거의 끝나간다더군. 정수는 긴 편지를 이렇게 끝맺고 있었어. ……모두가 떠나간 바다엔 갈매기 한 마리 날지 않는다. 이제 이곳에 배는 없다— 라고. 편지가 남긴 여운 때문이었을까. 나는 배가 없는 바다를 생각하다가 그날 바위섬에서 정수가 했던 말을 떠올렸어. 그리고 이제야 이해할 수 있을 것 같아. 아버지를 잃어버렸다는 그 말을…….

쑥대머리가 들린다

6월 하순의 늦은 오후, 태양이 거침없이 빛을 쏘아댔다. 기상청에선 예년보다 이른 더위를 엘리뇨 탓으로 돌렸지만, 유월도 하순이고 보면 굳이 이상 기온으로 미루지 않아도 될 것 같았다. 등줄기를 흐르는 끈적한 땀방울, 끊임없는 갈증, 그리고 탈출의 욕망이 솟구치게 하는 계절.

도망치듯 퇴근을 한 나에게 할 일이라고는 아무것도 없었다. 방의 길이를 재는 양 느린 걸음으로 창문을 열고, 텔레비전을 켜고, 옷을 벗어 단정하게 옷걸이에 건 다음 목욕탕으로 들어가 긴 시간 샤워를 하는 것이 주요한 소일거리였다. 따가운 살갗의 열기라도 식힐 양 오랜 시간 물줄기를 뿌려대는 일과는 그중에서도 유독 긴 시간을 차지했다.

텔레비전에서는 뉴스가 한창 진행 중이었다. 요즘 각종 매체를 통해 쏟아지는 홍콩 반환에 관련된 뉴스였다. 마치 비행기에서 내려다보는 기분으로 나는 머리의 물기를 털어내며 화면에 가득 찬 도시의 전경을 바라보았다.

지상의 건물들이 클로즈업되고 있었다. 대축척(大縮尺) 지도처럼 빽빽이 들어찬 구조물들이 점차 선명하게 제 모습을 나타냈다. 휘황한 불빛을 뿜을 수많은 장식과, 거리를 따라 이어져 있는 깃발이 오성홍기(五星紅旗)라는 것도 알 수 있었다. 공식 행사가 있을 행사장의 소개에 이어, 각국에서 몰릴 손님맞이로 분주한 대형 호텔을 소개할 때, 파견된 기자는 자못 상기된 모습이었다. 나는 냉장고에서 녹차 캔을 꺼내 들고 의자에 앉았다. 화면은 행사장에서 부두로 가는 길로 이동하고 있었다. 화면 아래 '이스트 타마르 부두'란 자막과 함께 활짝 열린 바다가 나타났다.

기자는 말한다. "영국의 왕실 전용 요트인 '브리타니아 호'가 이곳에 정박하게 될 것입니다. 공식 행사가 끝나면 그들은 155년간 통치했던 홍콩을 반환하고 이 부두에서 '브리타니아 호'를 타고 돌아가게 될 것입니다." 20세기 말의 가장 획기적인 사건 운운하는 기자는 태연하게 말을 하면서도 말끝은 애써 탁하게 맺었다.

전 세계의 방송과 언론이 홍콩으로 몰려들고 있을 무렵, 영국의 해군은 홍콩으로 가기에 앞서 조용히 우리나라 거문도에 입항하였다. 물론 그것은 세계적인 뉴스거리도 아니었고 한국에서조차 뉴스 속에 끼이지 못했다. 다행히 공영방송국에서 홍콩 반환 문제와 함께 포괄적으로 다룬, 1885년의 거문도 사건을 집중 조명하는 〈일요 스페셜〉이라는 프로그램이 있어 나는 그것을 눈여겨보았던 것이다.

1885년, 거문도를 점령하라는 본국의 지시에 따라 '아가멤논 호' 외 두 척이 거문도에 들어왔다. 거문도는 동도와 서도가 에두른 형상으로 그 가운데 고도를 두고 있는데 당시는 무인도였다. 그들은 고도에 영국기를 게양하고 2년간 불법으로 주둔했다. 포대와 목책을 설치하였고,

상하이와 홍콩을 잇는 해저 광케이블 작업을 했으며, 그 흔적이 지금도 남아 있다. 1887년, 그들은 조용히 섬을 떠났다. 단 아홉 기의 묘를 남겨둔 채.

'아홉 기의 묘를 남겨둔 채'라는 내레이터의 마지막 말에, 나는 수파처럼 잔잔한 진동을 강렬하게 느끼면서 며칠 전에 보았던 신문을 뒤적거렸다. 일요 스페셜에서 보지 못했던 (혹은 처음부터 보지 못한 탓에 놓쳤거나) 신문 기사가 생각나서였다. 신문에서는 특집으로 크게 다루지 않았다. 그렇지만 내게 깊이 와닿는 짤막한 기사를 싣고 있었는데, 묘지를 찾아 해마다 영국 해군이 위문을 온다는 내용이었다. 백 년도 넘는 짧지 않은 세월 때문이었을까? 기사가 내게 준 충격은 엄청나게 큰 것이었다. 20세기 말의 획기적인 사건 만큼, 그보다 훨씬 더한, 어쩌면 21세기에도 끊임없이 이어질 그 충격적인 기사를 읽은 뒤 나는 매일 쓰기로 작정하고 쓰고 있던 일기를 집어치우고 지내온 길을 반추하는 그런 글을 쓰기로 마음먹었으니까.

지나온 길을 반추하는 글 – 자서전.

젊은 나이에 자서전이라니? 물론 처음에는 자서전이란 이름이 내키지 않았다. 이름을 달고 나서도 거북스럽기는 마찬가지였다. 하지만 자기 자신을 낱낱이 기록하는 방법으로 일기 외에 마땅한 이름을 찾지 못했던 나는 결국 자서전이라 이름 할 수밖에 없었던 것이다. 자신의 과거를 반추하고 기록하는 일, 과거에 연연하기 위함이 아닌 미래를 설계하는 한 방편으로써의 기록이라고 덧붙인다면 마흔 살의 자서전을 이해할 수 있겠지.

그러나 나는 곧 후회해야 했다. 자서전이란 적어도, 내 상식으로는 어린 시절부터 기록하는 것이라 믿고 있었기 때문이었다. 따라서 어린 시절이 기억에 없는 내가 자서전을 쓰지 못한 것은 당연한지도 몰랐다. 벌써 여러 날째였다. 수없이 자서전을 폈다가 밀어두고 일기장에 시선을 줄 뿐이었다.

일기는 날마다 기록한 것이어서 현재의 내 마음과 행동을 누군가에게 확실히 보여줄 수 있다는 이점이 있었다. 이를테면 나는 일기라기보다 알리바이를 증명할 수 있는 글을 썼다고 하는 편이 옳을 것이다. 만약 그 신문의 기사를 보지 않았더라면 두 번 다시 혐의를 받지 않기 위해 나는 여전히 근무일지 같은 일기를 끄적대고 있을 테니까.

언제나처럼 책상 구석에 있는 일기장으로 시선이 갔다. 일기장을 꺼내 아무렇게나 펼쳤다. 이곳 서(署)로 전임해 와서 대단한 각오로 쓰기 시작했던 것이다. 하지만 일기라기에는 내가 보아도 한심할 지경이었다. 비록 삶의 한 방편으로 썼다고는 하지만 어찌 사람이 이토록 강파를 수 있단 말인가.

1997년 4월 20일.

06:00 기상. 조깅을 하다. 길에서 시장 다녀오는 밥집 할머니를 만나다. 07:15 아침 식사. 07:45 출근, 11:30 과(課)직원들과 점심 약속함. 12:10 점심은 비빔밥을 먹고 식비는 각자 부담함. 12:50 사무실로 돌아옴. 16:20 경무과 김 선배와 저녁 약속. 18:00 퇴근. 김 선배와 저녁 식사. 용추골 '토종식당'에서 식사와 함께 술을 마시다. 21:30 귀가.

숫제 이런 식이었다. 한 치의 여유도 없고 미래도 보이지 않는 메마른 삶. 내가 스스로 기록한 것이기는 하지만, 만일 누군가가 이런 따위의 일상을 기록하기라도 했다면 나는 고개를 흔들고 말았을 것이다. 그 사람의 지내온 과정이야 어떻든, 기록의 내용과 속내가 전혀 딴판인 그런 인물일지라도 나는 도저히 화합할 수 없음을 통감하고 말았을 것이다. 어쩌면 나는 짐짓 그런 사람이 되고 싶었던 건 아니었을까. 나를 향해 접근하는 다른 대상으로부터 나를 감추기 위한 견고한 벽을 쌓아 아예 눈길조차 보내지 못하도록 하는…… 그렇게 시작한 것이었는데 나는 두 달을 채 넘기지 못하고 푸슬푸슬 무너져 내리는 내 의지를 보고야 말았다. 해마다 영국 해군이 찾는다는 거문도의 그 묘 때문에.

텔레비전을 끄고, 자서전이라 이름 붙은 공책을 책상 위에 올려놓았다. 금방 쓸 수 있을 것 같았지만 잘 되지 않았다. 담배를 물고 베란다로 나갔다. 살갗을 스치는 바람결이 서늘했다. 오밀조밀한 읍내의 불빛 사이로 때마침 환하게 불을 밝힌 열차가 지나가고 있었다. 나는 고개를 들어 시퍼런 하늘과 경계를 치고 있는 산너머로 시선을 보냈다. 그리고 기억 속에 아무것도 없는 고향을 되살리려 애썼다. 나는 언젠가 사무실 벽에 붙은 관내 지도에서 고향이란 곳이 존재한다는 사실을 알았으나 그것만으로 자서전을 쓸 만큼 어떤 충동을 느끼기에는 어림없는 것이었다.

그나마 어머니가 들려줬던 얘기가 슬금슬금 되살아난 것은 고향 근처에 와 있기 때문일까. 하지만 좀체 가닥이 서질 않았다. 어머니가 조심스럽게 전해준 얘기 속의 짙푸른 산은 눈을 들면 어디에서나 볼 수 있는 산의 형태로 변했고, 철철 넘친다던 개천은 이미 허옇게 바닥을 보인 채 찌든 기억 속에 말라붙은 지 오래였다. 심지어는 기억 속에 가물거리는 몇 가지도 마치 사춤을 넣지 않은 돌담처럼 위태롭고, 흐릿한 모습으로 남아 있을 뿐이었다. 고향을 다녀온다면 온전하게 기억해 낼 수 있을지 모른다. 하지만 평소 고향 얘기에 질색이었던 아버지의 주의에 따르면 뭔가 피할 수 없는 곡절이 숨겨져 있을 것 같아 선불리 행동할 수 없는 노릇이기도 했다. 아무튼 누군가가 당시를 얘기해준다든지 아니면 뭔가 기억해 낼 만한 충동적인 사건이 있어 퍼뜩 떠올리는 도리밖에 달리 없을 듯싶다. 그렇지 않고서는 나는 어쩌면 겨우 시작해 놓은 글을 그대로 방치할 수밖에 없을지도 모른다. 방치라니! 불안한 일이다.

자서전을 펼쳤다. 그리고 나름대로 각오를 새겨 넣은 글을 들여다보았다. 글 속에, 사건의 구체적인 내용은 빠져 있었다. 굳이 말하지 않아도 누구나가 알 만한 뻔한 것이어서 혼자 앓으며 간직하려는 심사에서였다.

사람은 혼자 살 수 없다. 고독하고 싶다거나 사람이 싫다는 본질적인 이유는 곁에 사람이 있기 때문에 존재한다. 간혹 이기적인 사람을 보거나 염세적인 사람을 볼 때, 그들은 얼마든지 혼자 살 수 있을 것 같지만, 그러나 그런 사람일수록 집단의 이익을 최대로 누리는 자들이다. 나도 그들 중의 한 사람이었다. 엄밀히 말하면 나는 집단을 계획적으로 이용한 셈이었다. 계획적이라니? (지금 나는 추락한 내 자신을 빈정대거나 자서전이기에 겸손을 부리고 있는 것일 게다.) 하지만 전혀 근거가 없지는 않다. 남들이 웃을 때 나는 냉담한 반응을 보였고 화가 나도 무신경한 듯 담담한 표정을 지었으니까. 나는 쉽게 속마음을 내비치지 않았고, 다른 사람들과 어울릴 때는 가급적 빨리 자리를 떠났다.

나의 그러한 행동은 지나칠 정도로 대화에 인색하고 사람을 기피한 염세적 성격 탓인지도 모른다. 아무튼 그런 나를 두고 주위에서 말이 많았던 것만은 틀림없는 사실이었다. 어떤 사람은 '속이 깊어서'라 했고, 또 어떤 사람은 '자기밖에 모르는 이기적인 존재'라고 말했다. 그러나 나는 늘 태연했다. 그게 다른 사람들의 눈에는 가식적인 것으로 비쳐졌을 것이다. 혹은 의뭉한 사람이 계획적으로 어떤 모사를 꾸미기 위한 전조처럼 느껴졌을지는 더욱 모를 일이었다.

나는 내 할 일만 다 하면 그만이라고 생각했다. 그래서 부하 직원의 비리가 있었을 때 나는 사건의 전말을 전해 듣고 전말서만을 받아 두었다. 사건은 얼마든지 있을 수 있는 것이었다. 상부에 보고하지 않아도 될, 내 선에서 충분히 처리할 수 있는 문제였다. 직원으로부터 보고 받은 대로라면 분명히 그랬다.

그런데 일이 의외로 크게 벌어졌다. 언론에 보도되면서 사건은 펼쳐진 쥘부채처럼 내막을 확연히 드러냈다. 사건의 주된 골자에 살이 붙어 부풀려진 것이었다. 아니 부풀려진 게 아니라 언론의 보도가 사실이었다. 해당 직원의 자백이 그걸 여실히 증명하고 있었다. 나는 고의로 사건을 은폐하려 했다는 혐의를 받게 되었다. 뿐만 아니라, 직원의 사건에 내가 깊이 관여했다는 의혹이 함께 따랐다. 나는 상부에 나의 결백을 주장했다. 당연한 얘기지만, 거짓임이 드러나면 직장을 떠나겠다고 했다. 결국 나는 무혐의가 인정되었다. 하지만 직원은 구속되었고, 나는 그에 마땅한 책임을 져야 했다. 근신을 조건으로 도시에서 밀려난 것이었다.

나는 나의 잘못을 인정한다. 그런데 그 와중에서도 왜 나는 떠난 지 삼십 년이 넘은 고향인 이곳을 선택하였을까? 몇 군데 전보로 인한 빈자리가 있었지만 나는 이곳으로 자원해 왔다. 무엇 때문에? 고샅에서 느닷없이 사나운 개와 맞부딪쳤을 때 허겁지겁 어머니 치마 속으로 파고드는 그런 기분에서였을까. 만일 그랬다면 거기에 어머니가 없는 텅 빈 집으로 무작정 쫓기는 막연함 역시 없지 않았을 텐데……

나는 공책을 펼쳐 둔 채로 일어나 냉장고에서 녹차 캔을 꺼내 들었다. 뚜껑을 따서 입술을 축이며 맨 앞쪽을 넘겨보았다. '거듭되는 시행착오는 파멸이다!' 시행착오? 내게 어떤 희망이 있었던 걸까. 도발적이면서도 철저하게 자신을 탄압하는 글. 거듭 읽어 보아도 이곳으로 오게 된, 올 수밖에 없었던 필연성을 은근히 내포하는 글. 그렇다면 나는 상실해버린 어린 시절을 좇아 일부러 이곳으로 왔다는 말인가? 의문에 대해 선뜻 대답할 자신이 없다. 오직 머리를 조아려 유년의 기억을 되새기려 애를 쓸 뿐이었다. 하지만 어린 시절의 기억은 전과를 보고 베낀 숙제처럼 쉽게 사라졌고, 어른거린 무늬로만 남아 있을 뿐이었다.

창가로 나갔다. 풋오이 냄새처럼 상큼한 바람이 밀려들었다. 풀벌레 소리는 가물거리는 꼬마별들의 합창인 양 은은하게 들려왔다. 맑고 고요한 밤이다. 내가 태어난 절골은 저 산 너머 어디엔가 있을 텐데.

"절골이라니? 그런 마을이 있었던가."

언젠가 김 선배와 함께한 술자리에서 이 고장이 나의 고향임을 넌지시 드러냈을 때 선배는 고개를 갸웃했었다. 계곡 좋은 곳이나 낚시터를 찾아 하릴없이 떠돈다던 그는 자신을 움직이는 지도라며 껄껄 웃었다.

"내가 모르는 마을이 관내에 있었다니. 거 기이하구만. 어느 마을이라고 이름만 대면 머릿속에서 산새가 울고 파도가 출렁대는데 말이야."

기억 속의 어느 촌락을 뒤지는 양 미간을 좁힌 채 안주를 파헤치던 선배는 여전히 짧게 도리질을 칠 뿐이었다.

그때까지 나에게 고향이라는 곳은 기억 속의 절골에 한정되어 있었던 것 같다. 그래서 나는 무심결에 절골이라고 말했을 것이다. 아니면, 경무과장으로 경찰 간부 후보 출신의 선배인 그가, 나의 신원을 미리 파악하고 있으리라는 추측에 그렇게 말했을지도 모른다. 사실 김 선배가 그곳을 모른다 해도 상관없는 일이었다. 하지만 이 고장의 구석구석을 꿰뚫고 있다는 그의 도리질친 모습이 나에게는 마치 막다른 골목에서 길을 잃은 막막함으로 전해져 왔고, 나는 그제서야 기억난다는 듯 호적상의 주소를 댔던 것이다.

"그 마을이 있긴 한데…… 그곳에 절골이란 마을이 있었나?"

내가 불러준 주소를 듣고서도, 선배는 게슴츠레한 눈으로 되물었다. 그리고는 천천히 술을 한 잔 비우고 나서 덧붙였다.

"그곳이 지금은 엄청난 부자 마을이지. 찰옥수수에다 감자, 그리고 쪽파까지 윤작을 하여 그 면(面)의 최고 소득원이라구. 그런데 좋은 일이 있으면 궂은일이 따른다고, 거 뭐야, 중간상인들과 싸움이 빈번해, 말하자면 파종이 끝나 어느 정도 자라면 중간상인들과 계약을 하는 모양이더라구. 근데 작물이 제대로 자라지를 않거나 수확기에 값이 폭락하면 계약이고 뭐고 필요 없이 마구 떼먹거나 아예 얼굴도 내비치질 않아 사건이 생기지, 관할 파출소는 그런 일로 애를 좀 먹나 보더라구. 한두 번 있는 일도 아니고, 서로 얼굴까지 아는 처지이고 보면 더욱 곤란

하겠지. 그런 일들이 해결이 안 되어 가끔 올라오기도 하구 그래."

오늘 낮에도 그곳 사람이 경찰서를 찾아왔었다. 땡볕에 번들거린 검은색 지프를 타고 온 걸로 미루어 아마도 마을의 유지쯤 되리란 생각이 들었다. 사십 중반에서 오십까지 눈대중을 흐리게 한 나이의 사내는 마른 옥수수 털을 뒤집어쓴 듯 헝클어진 머리를 하고 있었다. 호리호리하게 키가 컸고, 암띤 얼굴에선 얼핏 도회지 냄새가 풍겨나기도 했다. 딴은, 도시 사람의 눈으로 본다면 시골 사람으로 보일 어정쩡한 인물이기도 했다. 차에서 내린 사내는 허리를 손바닥으로 의지한 채 비실비실 건물 쪽으로 걸어왔다. 직감적으로 폭력사건임을 알 수 있었다. 요즈음 시골에서조차 보기 드문 사건이었다. 도시나 시골이나 범죄의 양상이 크게 달라져 걸핏하면 피를 흘리며 파출소를 드나들던 때는 사건의 단순함에 차라리 아기자기한 맛이 있었다.

"요즘이 옥수수 수확기이니, 여지없이 나타나셨구먼."

건물 앞 나무 그늘에 앉아 있던 김 선배가 중얼거리며 나를 힐끗 돌아보았다.

그 마을 사람이라는 거였다. 순간 나는, 빽빽한 공간을 힘겹게 밀어붙이며 파고드는 낯익은 얼굴을 대할 때처럼 마음이 들썩거렸다. 사내는 김 선배에게 아는 체를 하고 나서 건물 안으로 들어갔다. 높은 콧대와 앞으로 내밀린 뾰족한 턱, 양끝이 치켜올라간 날카로운 눈이 언뜻 승냥이를 연상케 하는 모습이었다. 나는 천천히 사내의 어린 모습을 그려 보았다. 희끗하고 푸석한 머리에 어릴 적 삭발한 머리를 덧씌워 보며…… 하지만 사내는 없었다. 삼십일 년이란 세월이 너무 길었던 걸까. 기억 속에 투영되는 것은 느닷없는 고등학교 동창이거나, 군대 동기이거나, 아니면 사회에서 만난 그러그러한 무수한 얼굴들뿐이었다. 내 판단이 잘못된 것이라면 세월의 골이 너무 깊은 탓일 게고, 옳은 것이라면 김 선배가 뭔가를 착각한 것일 터였다. 말하자면 다른 마을 사람을 잘못 알았을 거라는 얘기다. 대개 사람을 많이 겪어야 하는 직업을 가진 사람들의 공통된 맹점이기도 한 것이기에, 김 선배 역시 예외일 수 없을 터였다.

그러나 나는 나의 판단이 잘못된 것이었음을 곧 알 수 있었다. 큰소리치며 건물을 빠져나오는 사내의 등을 떠밀어 내보내는 담당 직원이 보라는 듯 증명해주었다. 아 이런, 뭐가 잘못 돼도 한참은 잘못 됐어. 싸우고 온 주제에 잘났다고 저리 소란이니. 고소를 했으니 당장 잡아들이라는 게야. 글쎄, 지금 밭에서 옥수수를 딴대나 뭐한대나. 알았다고 돌아가라 하니 파출소처럼 흐지부지해서는 재미없다고 저리 야단이니, 내 참 기가 막혀서. 자잘한 일로 파출소에 몇 번 고소를 했던 모양인데, 화해를 시키는 통에 자기만 손해가 크다고. 이번에는 아주 뿌리를 뽑아야겠다는구만. 착실하게 병원에서 진단서까지 떼왔다니까 글쎄. 하여간 저 동네 사람들 문제여 문제.

푸념을 늘어놓는 직원을 향해, 사내는 다짐을 주듯 사박스러운 말로 거듭 다그쳤다. 마치 출출한 사람이 거푸 들러 마신 술에 급작스레 취해 나온 듯한 인상이었다. 틀림없이 잡아넣는 거요. 나 지금 돌아가서 불러들인가 어쩐가 그놈 뒤를 밟아 볼 테니까. 적당히 봐 넘기려 했다가는 정말 재미없을 거요. 참말이오. 그런 놈은 살아도 한두 해로 안 되고 아조 푸욱 썩혀야 한다니까. 영금을 봐야 담부터는 딴소리를 안 하지. 남의 땅을 지어 먹은 주제에, 몽둥이까지 휘두른 놈이 버젓이 행세하는 세상이 어디 있단 말이오. 염념해서 들으시오. 나 틀림없이 내일 아침에 또 올 거요. 거짓말인지 두고 보시오. 틀림없이 올 테니까.

낯선 사내가 떨치고 간 한낮의 여운이 벌레 소리처럼 귓전에 잉잉거렸다. 어디선가 들릴 듯 말 듯 여울져온 아우성, 폭력 사건, 얼핏 고향에 대한 뭔가가 수선스럽게 다투며 튀어나올 것만 같았다. 머리를 조아려 보았다. 하지만 정리가 되지 않았다. 나는 오랜만에 포착한 기억 속의 다양한 부류들을 갈무리하려 안간힘을 썼다. 담배를 피워 물고 서서히 연기를 내뿜었다. 환상처럼 뭔가가 그려지는 것 같았다. 어머니로부터 들었던 얘기에 그럴싸한 농촌 마을을 윤색하고 있는지도 모를 일이었다.

마을을 에워싼 산이 보인다. 산 아래로 기와집과 슬레이트 지붕을 한 마을이 보인다. 마을 앞에는 넓은 들이 있고, 들판 가득 푸른 곡식들이 자라 있다. 들판을 가로지른 개천가에는 늙은 느티나무 한 그루가 서 있다. 개천의 끝은 바다와 연결되어 있고, 시작된 곳은 보이지 않는다. 산줄기 때문이다. 절골은 저 산 너머에 있는가. 아버지의 얼굴이 보이고, 어머니의 얼굴이 보인다. 마치 어머니의 얘기를 듣고 있는 기분이다.

나는 기억을 적어 나가기 시작했다. 자서전을 쓰겠다고 덤빈 지 일주일이 지났다.

우리가 절골에 살게 된 것은 할아버지 때부터였다. 호적초본에 미루어 보면, 그곳이 본적인 사람은 아버지와 나 그리고 사망 처리된 누나와 형, 네 명이었다. 당연히, 아버지가 태어난 고향이니 만큼 먼저 할아버지가 그곳으로 이주해 자리를 잡았다는 증거인 것이다. 할아버지가 어떤 연유로 그곳에 정착하게 됐는지에 대해서는 알 길이 없다. 다만 고향에 대해 철저하게 등을 저버린 아버지의 태도에 견주어 볼 때 뭔가 피치 못할 곡절이 있을 거라는 느낌을 가질 뿐이다.

고향은 원래부터 씨족으로 구성된 마을이었다고 어머니는 말했다. 그렇기 때문에 모두가 아저씨·조카 혹은 형님·동생 사이로, 말하자면 남이 없는 마을이라 했다. 시골이긴 해도 백여 호 남짓으로 제법 규모가 큰 마을이었는데, 타성바지가 대여섯 집쯤 끼어 있었다는 거였다. (이렇게 써 내려가다 보니 큰 마을에 우리가 살았던 집이 있는 것처럼 여겨지지만 실상은 그렇지가 않았던 모양이다.) 우리가 살았던 곳은 큰 마을에서 상당히 떨어진, 따로 이름을 가진 독립된 마을이라 했다. 큰 마을과 마치 칸막이를 하듯 길게 뻗쳐 있는 산줄기를 끼고 돌면 저 멀리 골 깊은 산속에 우리 집이 있었다는 거였다. 우리 집과 나란히 이웃하고 살던 판쇠 아저씨네도 그중 한 집이라 했다. 타성바지들은 격리되어 있는 모양새부터가 그렇듯이 마을 안에서 함부로 설치고 다닐 수가 없었다고 했다. 농사일을 제외하면 마을에 드나드는 일조차 꺼렸다는 거였다.

판쇠 아저씨네는 다른 타성바지들과 달리 형제가 살고 있었는데…… 광산촌을 떠돌다가 한쪽 다리를 다친 동생이 숫제 거지꼴로 식솔들을 이끌고 들어왔기 때문이었다. 판돌 아저씨는 술주정뱅이에다 성격이 난폭해서 마을에 들어온 날로부터 싸움질이었다. 순식간에 판돌 아저씨의 난장이 돼버린 마을은 저물녘이면 더욱 요란하였다. (나는 지금 자서전에서 어긋나고 있음을 안다. 여느 때 같으면, 덮어 구석에 밀쳐 두었을 테지만 오늘은 포기하지 않겠다.)

그해 가을, 절골 사람들은 판돌 아저씨가 저지른 대가를 톡톡히 치러야 했다. 추수가 거진 끝나갈 무렵이었다. 마을 노인들은 타성바지에게 소작으로 내놓은 논이며 밭을 죄다 거둬들이기에 이르렀다. 그때 아버지와 판쇠 아저씨는 노인들을 찾아다니며 하소연하였고, 다랑이논과 밭뙈기를 다시 받아왔다. 그런 일을 차치하고라도 판쇠 아저씨는 아버지를 형님이라 부르며 따랐다. 자연 나도 혼자였던 탓에 어른들을 흉내 내어 판쇠 아저씨의 아들인 이현재를 형이라 부르며 따랐다는 것이다.

비로소 기억난다. 이현재가 작은집 동생보다 나를 친동생처럼 예뻐해주었던 것이. 학교를 파하고 꼴을 베러 가거나 소를 먹이러 갈 때면 6학년인 형은 항상 나만을 데리고 다녔다.

"저 녀석은 싫어!"

"왜?"

"너무 욕심이 많아서……. 줄 줄은 모르고 남의 것 뺏으려고만 하니까."

땅거미 내린 산길을 걸어 집으로 돌아오던 날, 이현재는 노골적으로 작은집 동생이 싫다고 말했다. ('저 녀석은 너무 욕심이 많아 싫어'라는 말은 지금 불쑥 떠오른 뜻밖의 소득이다.)

그렇다. 나는 이현재와 네 살 터울이었지만 늘 함께 어울렸다. 우리는 약속을 하지 않아도 집에서 그리 멀지 않는 계곡 옆 구릉에서 어김없이 만나곤 했다. 학교에서 먼저 파한 나는 그의 소까지 돌보았고, 소가 멀리 달아날 때면 그가 산 너머까지 가서 잡아다주곤 했다. 그래, 산 너머엔 절이 있었지. 지금 생각하면 암자였을지도 모를 조그만 절이었던 것 같다. 소를 풀어놓고 정신없이 놀다가 해가 산 고개를 훌쩍 넘어가면 아이들은 부랴부랴 소를 찾으러 절로 올라갔다. 꼭 그맘때쯤이면 계곡 옆 오솔길로 풀짐을 지고 내려오는 사람이 있었다. 판쇠 아저씨. 서울로 이사한 뒤에도 아버지께서 자주 들먹이셨던 고향 마을의 딱 한 사람, 점잖은 마을에서 소리를 했다는 유별난 사람.

판쇠 아저씨의 소리를 들은 것이 언제부터였는지 나는 정확히 기억할 수 없다. 여름이었던가. 나는 솔바람 소리처럼 부드럽고 계곡물 소리처럼 강렬하게 메아리진 이상한 소리를 들었다. 깊은 숲속에서 끊어질 듯 이어지며 다가오는 소리는, 넋을 놓고 놀던 나의 귀를 끌어당기는 마력이 있었다. 슬픈 듯 하면서도 잉아처럼 질긴 목소리. 처음에는 그저 고개 너머에 있는 절에서 울려 나는 소리인 줄 알았다. 절이 있긴 했지만 목탁 소리나 독경 소리를 듣지 못했던 나로서는 절이니 알 수 없는 소리가 울려도 그러려니 여겼을 터였다.

어느 날 해거름이었다. 절로 가는 이정표인 양 소리를 좇아 소를 찾으러 올라가던 나는 계곡 중간쯤의 쉼터에 있는 아저씨의 풀짐을 발견했다. 아저씨는 풀짐 옆 그늘에 앉아 있었다. 오른손에 나뭇가지를 들고 왼손으로는 무릎을 가볍게 치면서 마치 요령을 흔들 때처럼 슬픈 노래를 부르고 있었다. 나는 당황하여 어쩔 줄을 몰라했다. 가쁜 호흡을 억누르며 슬금슬금 그곳을 빠져나갔다. 그러나 소리는, 멀어질수록 안타까움과 함께 긴 여운을 남기며 끝없이 귓불을 끌어당겼다. 그제서야 비로소 소리를 한 사람이 다름 아닌 아저씨였다는 걸 알게 되었다.

그 뒤부터 나는 숲속에 귀를 기울이는 이상한 버릇이 생겨났다. 실오라기의 미세한 떨림 정도의 환청에도 나는 남모르게 긴장하곤 했다. 언뜻 들리는 듯싶으면 잠잠하고, 그러다가 긴장을 늦출라치면 바람 소리처럼 은은하게 이어져온 그 소리 때문에 나는 앓을 지경이었다. 규칙적인 소음을 끊임없이 토해 내는 계곡물 소리며 산새들의 울음소리는 그런대로 견딜 만했다. 도저히 참을 수 없는 것은 풀섶에서 소란을 피운 풀벌레들 소리였다. 꼭 제 몸피만큼 여린 소리를 내는 여치며 베짱이며 쓰르라미며 풀무치에다 매미, 벌, 귀뚜라미 게다가 개구리까지 가세를 하여, 소리는 더욱 멀어져가는 것만 같았다. 어쩌면 나는 산중의 모든 것들이 엮어 내는 불협화음 속에서 시시때때로 판쇠 아저씨의 소리를 조작하고 있었는지도 몰랐다.

소리는 겨울로 접어들면서는 더 이상 들려오지 않았다. 나는 꿈속에서 아저씨의 노랫소리를 자주 들었다. 은근히 이현재가 부러웠다.

"형은 참 좋겠네."

"뭐가?"

"형 아부지 노래 잘 하니까."

"노래? 난 싫어."

"왜 싫어?"

"저것이 노래야. 청승맞긴."

내가 부러워한 것과는 달리 이현재는 달가워하지 않는 눈치였다. 그의 말을 듣고 보니 언제부턴가 수상쩍은 데가 있었다는 생각이 들었다. 그는 소를 찾으러 올라가다가 쉼터에 있는 아버지를 마주치기라도 하면, 산꼭대기를 향해 달음질을 쳐댔다. 나는 그가 신이 나서 그러려니 생각했다. 그럴만한 이유가 있었다.

1학년 겨울방학 전쯤이었으리라. 그해 겨울 처음으로 엄청나게 내린 눈이 금세 유리창을 흐려놓던 날이었다. 학교가 파하고 밖으로 나오자, 이현재가 나를 기다리고 있었다. 날이 궂은 탓에 함께 가려고 기다린 줄 알았는데 그는 앞장서서 마을로 들어갔다. 나는 책보자기를 허리에 묶고 묵묵히 뒤를 따라갔다. 마을에서 상엿소리가 들려왔다. 수업 시간에도 그 소리를 듣긴 했다. 하지만 대개는 수업이 끝나기 전에 상여가 나갔기 때문에 나는 산으로 가는 들녘 어디쯤에서 울려오는 소리로만 알았다. 이현재는 나를 세워 두고 다짜고짜로 상여 앞으로 다가갔다. 상여 앞에 판쇠 아저씨가 요령을 들고 서 있는 게 보였다. 같이 나눠 먹자. 아부지가 귀신 안 붙은 떡만 골라 싸놓은 거다. 이현재는 신문지로 포장된 떡을 내밀었다.

그렇게 따르던 아버지를 언제부터 외면했는지는 지금도 의문일 뿐이다. 그 무렵 판돌 아저씨네가 절골 저편 산자락에 있는 빈집으로 살림을 들여왔고, 판쇠 아저씨는 면 소재지나 읍내로 불려가서 요령을 흔드는 것 외에 크게 달라진 것은 없었는데도.

그렇다. 판쇠 아저씨는 소문난 상두꾼이기도 했다. 상여 주위에 몰려든 사람들은 아저씨를 '공포' 라고 불렀다. 한겨울의 추위에 소스라치는 듯한 목소리는 아저씨만이 내지를 수 있는 특유의 것이었다. 골짜기를 휩쓸고 온 세찬 바람이 퍼덕퍼덕 만장을 두드려 댔지만 아저씨의 먹임 소리는 오히려 카랑카랑하게 울려 퍼졌다. 그때마다 유대꾼들은 먹임 소리를 되새기며 불붙은 한지처럼 가냘픈 목소리를 하늘 높이 피워

올렸다. 모여든 구경꾼들은 상두가에 부르르 몸을 떨었다. 찬바람에 팔짱을 낀 아낙들의 수군거린 목소리가 축축하게 젖어 들었다. 상엿소리가 들판을 지르며 가물거릴 때까지 아낙들은 자리를 뜨지 않고 수군거렸다. 멀고도 멀다는 북망산천도 아저씨의 소리라면 힘들지 않게 갈 거라며, 소리를 두둔하는 무성한 소문을 부추기고 있었다.

아저씨의 소리가 군내에서 단연 으뜸이라는 소문도 돌았다. 그렇지만 소문과는 달리 불려가는 일은 극히 드물었는데, 부잣집이어야 가능한 거라고 지레 겁을 먹은 탓이라고 했다. 하지만 아저씨는 소문과 달리 이악스럽게 소릿값을 우려내지 않았던 모양이었다. 늦은 밤 외지의 초상집에서 돌아올 때면 아저씨는 으레 막걸리병을 들고 우리 집엘 먼저 들렀다.

“형님, 막걸리 한잔합시다. 나 오늘은 그냥 막걸리 값만 받아 왔소. 아 거, 그 좋은 소리를 어디서 배웠냐고 묻기만 하제 당최 돈 줄 생각을 해야제라.”

이미 거나하게 취한 아저씨는 호기에 찬 목소리로 오랜만에 기분 좋은 웃음을 껄껄 웃었다. 그 말은 거짓이 아니었을 것이다. 아저씨는 무엇보다도 소리에 열중했던 것 같다. 간혹 구경꾼들 중에서 아저씨를 놀린 사람이 있었다. 아저씨는 한번 흘겨보고는 씩 웃어넘길 따름이었다. 하지만 아저씨가 무심코 넘기지 못한 것이 있었는데, 소리를 시샘할 때였다. 아저씨는 당장 그 사람에게 따지고 들었다. 어디 한번 해봐. 드물게 자신의 성깔을 드러낸 흔치 않은 모습이었다. 당당하게 호통치고 돌아설 때면 농담을 탓하듯 핀잔을 주곤 했지만, 그건 다만 소리를 할 때일 뿐, 보통 때는 더없이 인정 많고 수더분한 사람이었다.

(소리. 아저씨에게 있어 소리는 무엇이었을까, 끊임없이 되풀이하는 소리는 빈약하지만 간고한 생계에 일조하는 수단이 아니었던가. 숲 속에서 메아리져 오는 애잔하고 유장한 선율은 단지 망자를 위한 정성에서 비롯됐을 뿐이었단 말인가.)

저 사람은 술만 줄이면 못한 게 없을 텐데, 재주를 아까워하는 노인들의 칭찬 끝에 나온 안타까움도 아저씨가 상여 앞에 서 있을 때였다. 아저씨는 참으로 술을 좋아했다. 어느 해 겨울이었던가. 외지의 초상집에 다녀온 그날 밤도 아버지와 함께 밤늦도록 술을 마시며 나눈 이야기를 나는 곁에서 죄다 듣고 있었다. 골짜기에서 몰아친 밤바람 소리가 황량한 빈들을 휩쓸고 지나가는 밤. 벼린 쇠처럼 싸늘한 달을 닮은 아저씨는 그동안의 시름을 잠시 잊은 듯 보였다.

아버지와 마주 앉은 아저씨는 진정 자신의 소리에 대한 이야기를 별로 하지 않았던 것 같다. 그럭저럭 사는 얘기며 농사 이야기가 전부였다. 농사라 해 봐야 소작이었기에 탐탁지 않았다. 파종기나 수확기에도 보리밥을 먹기는 어차피 마찬가지였다. 그런 와중에서도 아저씨는 수확을 마치면 소를 한 마리 더 늘려야겠다는 둥, 동생인 판돌 아저씨에게 얼마를 보태줘야겠다는 둥, 빡빡한 살림살이의 계획을 아버지와 함께 의논하였다. 맨 정신에선 거들떠보지도 않을 듯 냉엄해 보였지만 아저씨의 동생에 대한 애정은 항상 마음 깊은 곳에 자리하고 있었던 모양이었다. 평소에는 전혀 느낄 수조차 없던 것들이었다. 술이 들어가서 몸속에 웅크리고 있는 말들을 밖으로 내보내기 전에는.

"몸이나 성하다믄 내 것이라도 나누어 농사일을 시키겠소. 근데 도대체 몸이 저런 데다가 맨날 술이나 처묵고 댕기니 내가 어떻게 해야 할지를 모르겠소. 지 몸뚱이는 그런다치드라도 처자식 봐서 맘을 잡아야 것 아니겄소."

아저씨는 술잔을 들어 벌컥벌컥 들이키고는 한숨을 푹 내쉬는 것이었다.

"형님이나 내 맘을 알제 누가 알것소. 생각 같아선 빌어묵든지 굶어 뒈지든지 냅둬불고 싶지만 그랄 수도 없고……. 어디 지놈이 불쌍헌가요. 지 처자식이 불쌍해서 그라제."

판쇠 아저씨의 깊은 속엣말이 쏟아져 나올 즈음이면 아버지는 측은한 눈빛으로 떨린 어깨를 건너다보며 막걸리잔을 들어올렸다.

"어쩔 것인가. 그래도 이녁 핏줄이라고 찾아왔는디. 몸도 성치 않고 하니 속이 답답하겠제. 사지가 성성한 놈도 지랄을……."

아저씨를 달래던 아버지의 말끝이 갑자기 뚝 끊겼다. 갑자기 좁은 공간에 냉기가 감돌았다. 아버지는 더 이상 말을 잇지 않고 어머니를 힐끔 돌아보았다. 아버지가 움직일 때마다 벽에 붙은 검은 그림자가 무겁게 흔들렸다. 아버지의 얘기를 묵묵히 듣고 있던 어머니는 바느질하던 옷가지를 내려놓고 부엌으로 통한 조그만 문을 밀고 나갔다. 찬바람이 확 밀려들었다. 방구석에 매달린 호롱불이 너울너울 천장에다 시커먼 불꽃으로 묵화를 그려냈다. 그쯤이면 두 사람은 아예 입을 다물었고, 이윽고 술판은 끝이 났다…….

삼촌! 그래, 우리 집에는 외삼촌이 있었지, 키가 크고 얼굴이 하얀 외삼촌은 마냥 빈둥대며 마을 안팎을 들락거렸지. 무슨 말을 할 때면 힘들어 간 어깨 사이로 움츠린 목을 부자연스럽게 움직이던 외삼촌. 어느 날 불쑥 나타나 정확히 몇 해를 함께 살았는지도 모른 그에게서 나는 외삼촌이라는 어떤 끈적한 친근감도 느끼지 못했던 것 같다. 우리가 서울로 이사를 하고 나서 헤어졌는지 아니면 그전에 어디로 떠났는지 알 길이 없는 그를 아버지는 눈을 감을 때까지 한 번도 입에 올리지 않았다. 아무튼 외삼촌은 도무지 종잡을 수 없는 그런 인상으로 남아 있을 뿐이다.

외삼촌 생각을 하다 보니 갑자기 혼란스러워졌다. 알맹이를 내보낸 허물 같은 무늬가 눈앞에 어른거렸다. 눈이 침침해서인지 써놓은 글씨들이 잉크 번진 활자처럼 살져 보였다. 한없이 흐릿한 미궁으로 빠져드는, 그런 기분이다. 외삼촌은 어떤 존재였을까. 외삼촌. 되뇌어 보지만 더 이상 아무것도 기억해 낼 수가 없다.

어떤 빌미에 의해서였든, 나는 오늘밤 많은 일들을 기억해 냈다. 하지만 막상 써놓고 보니 자서전의 취지를 벗어난 엉뚱한 면의 일색이었다. 터무니없게도, 나는 내 이야기가 아닌 이웃의 이야기를 기억해 내며 적은 셈이었다. 그렇다면 나는 나와 전혀 상관없는 것을 기록했단 말인가. 애써 변명하자면, 그렇지만도 않을 것이다. 누구나가 자신의 어린 시절을 기억해 내는 방법으로, 잊힌 기억을 되찾자면 주위의 많은 대상을 포함할 터이므로. 아리송한 초등학교 친구를 우연히 만났을 때 그를 기억해 내는 한 방편으로 알 만한 다른 친구들의 이름을 먼저 더듬듯이.

긴장이 풀리자, 아랫도리에 심한 압박감이 느껴졌다. 급히 화장실로 뛰어들었다. 이렇게 참아야 할 만큼 글을 쓸 형편이었다면 애저녁에 녹차를 마시지 말았어야 했다. 누가 알았으랴. 무망 간에 봇물 터지듯 어린 시절의 한 부분이 쏟아져 나올 줄을. 나는 고의춤을 추스리며 이해할 수 없는 외삼촌을 떠올리려 애썼고, 아버지가 간곡히 만류하던 고향에 대한 수수께끼가 어쩌면 그에게서 비롯된 것일지도 모른다는 생각을 하면서, 내일이라도 고향에 다녀오리라 다짐하며 불을 껐다.

열기가 아침부터 후덥지근하게 몰려왔다. 밤새 신경을 쓴 탓인지 입안이 깔깔했다. 밥집 할머니가 지나가는 눈길로 내 얼굴을 훑어보고는 칸막이된 주방 안으로 들어갔다. 몸이 안 좋으시우, 부지런히 손을 놀리며 묻던 할머니는 잠시 후 뚝배기에 순두부국을 내놓았다. 얼큰한 국물에 연한 두부 맛이 썩 괜찮았다. 사람을 상대로 장사를 하는 사람들은 얼굴만으로 내장까지 들여다보는 눈을 가진 걸까. 할머니의 예리한 통찰력에 내심 놀라지 않을 수 없었다.

흔히 경찰직에 몸담은 지 오래된 사람들은 관상을 볼 수 있다고 스스럼없이 말한다. 얼굴만 보아도 알 수 있지만, 거기다가 눈빛에 행동까지 보태면 거의 확실하게 짚어 낼 수 있다는 것이다. 다소 과장된 느낌이 없지는 않다. 하지만 전혀 틀린 말 역시 아닐 것이다. 다양하고도 수많은 사람들과의 피할 수 없는 접촉에서 은연중 길들였을지도 모를 일이니까. 아무튼 밥집 할머니처럼 경찰 역시 특히 수사 계통에 몸담고 있는 사람들이라면 그런 직감을 충분히 갖게 마련이다.

남루한 차림새에 경찰서 정문을 들어선 사내를 대뜸 알아본 것도 일종의 그런 이치라면 옳을지 모르겠다. 점심시간이 지난 시각이었다. 작달막한 키의 사내는 시선을 똑바로 건물에 박은 채 성큼성큼 걸어 들어왔다. 고수머리가 헝클어진 푸석한 머리에 유난히 새카만 낯빛. 가는 눈에 미련한 모양의 턱. 그 턱의 불균형. 마치 한쪽 볼에 알사탕을 머금은 듯 치우친 턱에서 오래된 상처의 흔적을 발견할 수 있었다. 중간 상인들과의 순탄치 않은 관계에서 비롯됐을 거라는 짐작이 갔다. 사내의 크지 않은 체구에서는 어딘지 위험에 쉽사리 포기할 수 없는 강단진 일면이 엿보이기도 했다.

지나치는 사내에게 시선을 떼면서 어디선가 본 적이 있다는 생각이 뇌리를 스쳐갔다. 수많은 사람을 겪는 나에게 어쩌면 당연한 일일지도 몰랐다. 하지만 그냥 스쳤다기에는 뭔가 석연찮은 느낌이 기억의 한편에서 여전히 꿈틀대고 있었다. 나는 거두었던 시선을 되돌려 사내의 모습을 파헤치듯 바라보았다. 그러나 더 이상의 추적은 곤란했다. 어제의 사내처럼 특징에 따라 많은 얼굴들이 떠오른 탓에서였다.

사내는 등을 보인 채 의자에 앉아 있었다. 철제 책상 건너편에 마주 앉은 담당직원이 사내에게 뭔가를 묻고 자판을 두드렸다. 고분고분하게 대답하던 사내가, 이따금 일어서서 사건의 정황을 보다 사실적으로 설명하려는 듯 욱대기는 동작을 해 보였다. 예 혹은 아니오, 라고 대답하라며 직원이 언질을 주었다. 자판 두드리는 소리와 그들의 짧은 대화가 잠깐씩 끊겼다가 이어지는 메마른 공간에 매미 소리만이 나른하게 흐르고 있었다. 그때 비상벨처럼 신경을 긴장시키며 오토바이 소음이 들려왔다. 신문 배달을 온 아이였다.

나는 몇 가지 서류를 처리한 뒤 잉크 냄새가 가시지 않은 신문을 들었다.

일본의 독도 영유권 주장 – 광복회, 자유 연맹 등 단체, 일본 정부의 망언에 대한 항의 서한 전달키로. 정신대 할머니들의 분노/

원산지 표시 없는 외국산 물고기 국내산으로 둔갑 - 우리 시장을 장악한 외국산 수산물의 대책. 밀수입된 수산물도 한몫/ 황소개구리 잡기 대회 - 천적이 없는 황소개구리. 심지어 뱀까지 닥치는 대로 포식. 우리 땅에 토종이 씨 마를 판/ 판소리 제전 - 명창 정응민 탄신 백 주년을 기린 2주기 행사가 오는 0일 선생의 고향 회천에서 열릴 예정. 조상현, 성창순 등 명창 출연/ 어느 입양아의 부모 찾기 - 세 살 때 스위스에 입양된 순이(한국명)가 자신의 부모를 찾아 달라며 사진과 함께 입양 서류를 보내와/ 초읽기에 들어간 홍콩의 앞날 - 중국에 귀속된 홍콩의 장래, 1국 양제는 과연 가능할까…….

얼마만큼 시간이 흘렀을까. 꼼꼼하게 신문의 활자를 훑어보고 있던 나는 느닷없이 건물을 뒤흔드는 아우성에 고개를 들었다. 책상이 끌리고 의자 넘어지는 소리가 열려 있는 창문으로 튀어들었다. 영문을 알 수 없어 자리에서 일어섰다. 소리는 형사계 쪽에서 들려오고 있었다. 뒤엉킨 소음 사이로 직원들의 고함 소리가 날카롭게 끼어들었다. 아마도 아까 왔던 사내가 뒤늦게 나타난 어제의 사내와 맞부딪쳐 소란을 피운 모양이었다. 나는 보고 있던 신문을 대충 접어 책상 구석으로 밀쳐 두고 손목을 꺾어 시계를 보았다.

어느덧 오후도 이울어가고 있었다. 창문을 닫고, 서랍을 잠그고, 밖으로 나왔다. 기다리고 있던 다습한 공기가 온몸을 와락 감쌌다. 하늘 한가운데서 정면으로 노려보고 있던 태양은 건너편 오층 건물 위로 기울어져 있었다. 하지(夏至)가 지난 지 며칠 되지 않아선지 여섯 시가 가까워 오는 데도 푹푹 찌는 대낮이었다. 나는 건물 뒤쪽에 세워 둔 차의 커버를 벗겨 내고 기름걸레로 먼지를 쓸어냈다.

"어딜 가려고?"

미간을 찌푸린 채 복도를 나오던 김 선배가 의아한 시선을 창 너머로 넘기며 물었다.

"바람이나 좀 쐬고 올까 하구요."

"아하, 고향에 가시는 길이로구만."

김 선배는 의아한 눈을 꿈벅거리더니 이내 무슨 말인지 알겠다는 듯 싱긋 웃어보였다. 그 역시 고향이라는 단어에 애증이 서린 사람이었다. 언젠가 술자리에서 수몰된 고향 얘기를 하다가 「사랑하는 나의 고향」을 부르며 눈을 붉히던 그였다. 덧붙여 휴일마다 떠도는 자신의 심정을 얘기했었다.

"감개가 다 무량하겠구만."

김 선배의 부러운 시선을 뒤로하고 차를 몰아 밥집으로 향했다. 고향을 찾아가는 길이라지만 설렘보다 앞선 착잡한 심정은 무엇 때문일까. 나는 뭔가에 얽매여 있음에 틀림없다. 어머니가 들려준 흔한 얘기만이 아닌 도시에서 밀려난 후유증도 아직껏 나를 괴롭히고 있었다. 나는 선명하게 떠오르지도 않는 고향에 가면서, 마치 누군가 내 마음을 들여다보기라도 한 듯 공연히 부끄러워하고 있는지도 모른다.

밥집에는 한 사내가 주방을 바라보고 앉아 있었다. 할머니와 무슨 얘기를 나누고 있었던 모양이었다. 내가 주렴을 걷어 내며 들어섰을 때, 할머니는 말꼬리를 문 채 힐끔 돌아보았다. 그리고 얼굴을 찬찬히 바라보며 낮게 물었다. 오늘은 좀 빠르시구랴. 아직 몸이 원할치 못하시우?

나는 인근 면에 다녀와야겠다고 대답하고 의자에 앉았다. 내 목소리가 사라지길 기다렸다는 듯 사내가 무슨 말인가를 주절대기 시작했다. 취기가 있는 목소리였다. 탁자 위에는 막걸리 병 세 개가 비워져 있었다. 사내는 연신 지껄이다가 갈증이 난 듯 대접의 술을 꿀꺽꿀꺽 들이켰다. 고개를 젖혀 술잔을 비울 때서야 나는, 왼쪽 볼이 툭 불거진 사내를 알아볼 수 있었다. 경찰서에서 보았던 예의 그 사내였다. 어느 순간 소란이 진정되었던가. 때마침 문 앞으로 지나간 화물차가 남기고 간 여운처럼 선풍기는 털털거리며 미지근한 바람을 일으키고 있었다.

할머니가 길바닥에 물을 흩뿌렸다. 사내는 이를 갈듯 날선 말들을 계속해서 토해 냈다. 사내는 음식을 만드는 할머니의 등을 바라보며 이야기했고, 나는 사내의 뒷모습을 바라보며 이야기를 듣는, 이상한 분위기 속에서 대화는 진행되었다.

"그래도 그렇지, 농사짓는다는 놈이 다 된 곡식 갈아엎으라는 게 말이나 된 소리요. 하긴 제까짓 게 어떻게 농사꾼 맘을 알아. 순전히 중간에서 이익만 챙긴 놈인데. 내가 동네 사람들한테 욕먹어 가며 얼마나 애를 썼는지 그놈은 모를 거구만. 알고 보면 그놈 좋은 일만 시켜분 거요. 한 해 두 해도 아니고 해서 딴엔 믿는다고 믿었는데, 세상에 나까지 잡아먹을라 하다니. 진즉에 그놈하고 손을 뗐어야 했는데……."

추임새를 넘듯 그러게, 하며 할머니가 사내를 부추겼다. 왼팔을 꺾어 탁자에 기댄 채 잔을 들이킨 사내는 된장에 양파를 박아 우적우적 씹으며 천천히 고개를 들었다.

"달리 사고가 났더랍니까. 재작년인가 거 무진장 더운 해였소. 그 해는 작황이 좋은 데다 시세까지 좋아, 시기를 놓치지 않을라고 밤에도 일을 했어요. 원래 옥수수는 한낮을 피해 따야 하는 거라 대개 새벽에 작업을 하는데, 그날따라 일손이 달려 나는 밤에 일을 했던 거요. 한밤중이 되어서야 일이 끝났지요. 근데 그 사람이 차를 다른 데로 돌려버린 거였어요. 낮에 물었을 땐 다음 날 오후에나 쓴다던 차를 말이오. 하는 수 없이 내 고물 용달차로 서울까지 가기로 했지요. 웬만하면 다음날 가려고 했지만 거 생각할수록 참을 수가 없더란 말입니다. 그래서 출발을 했는데 펑크가 난 바람에 길 옆 가로수를 들이받고 굴러버렸어요."

잠시 말을 멈춘 사내가 한숨을 푸욱 내쉬었다. 담배 한 개비를 꺼내 물고는 갑을 구겨 땅바닥에 내팽개쳤다. 담배에 불을 붙여 빠는 동작과 술잔을 잡는 동작이 거의 동시에 일어났다. 그는 담배 연기처럼 뽀얀 막걸리를 단숨에 들이켰다. 얼핏 촐촐촐 개울물 흘러가는 소리가 들린 것 같았다. 사고가 났다는 말에 안쓰러운 듯 끌끌 혀를 차던 할머니는 안줏거리로 마련한 뚝배기를 탁자 위에 올려놓았다. 나는 오래된 잡지에 헛눈길을 준 채 사내의 말을 듣고 있었다.

"그때 사람들은 내가 영락없이 죽은 줄 알았답디다. 병원에서도 그랬어요. 수술 들어가기 전에 우리 마누라가 도장까지 찍었다니까요. 여기 흉터를 보면 어느 정도인지 알 만할 겁니다. 하지만 나는 살아났어요. 이렇게 멀쩡하게요. 퇴원해서 내가 맨 처음 한 일이 뭔 줄 압니까. 차를 사는 일이었어요. 남들은 사고 당하면 차 옆에 가기도 싫답디다마는 나는 곧바로 큼직한 새 차를 샀지요. 나도 그 사람처럼 똑같이 짐을 실어 나르고 밭떼기를 시작했어요. 내가 그 동네서 산 지가 사십오 년입니다. 아, 그랬더니 그 사람이 살살 달라붙는 겁니다. 미안하다면서요. 어쩌겠습니까. 솔직히 나도 이문보다는 오기로 그랬던건데. 그래서 그 사람 몫을 떼어줬지요.”

할머니가 내 앞에 상을 차리면서 사내의 말이 끊겼다. 뚝배기의 국물을 홀짝이던 사내가 힐끔 뒤를 돌아본 것은 그때였다. 나는 사내와 잠깐 눈이 마주쳤으나 곧 시선을 거두고 수저를 들었다. 경찰이시구만, 중얼거리며 일어선 그가 주머니를 뒤적거려 계산을 치렀다.

그 마을에서 사내는 사십 년을 넘게 살았다고 분명하게 말했다. 나이가 마흔다섯이면 알 만할 사람이었다. 알 것도 같았다. 그러나 기억에는 없었다. 불툭 튀어나온 볼에 짜긋한 눈 때문에 더욱 낯설게 느껴지는 지도 모를 일이었다.

사내는 휘적휘적 걸어 나가더니 길 건너편에 세워 둔 2.5톤 트럭으로 기어올랐다. 나는 의자에 앉아 주렴 사이로 사내의 모습을 지켜보았다. 설거지를 하다 말고 고개를 돌린 할머니의 시선이 곧게 뻗쳐 있는 내 시선을 따라 문밖으로 나갔다. 아이구 저런! 할머니는 얼멍얼멍한 주렴을 걷어 내며 사내를 불러댔다. 손짓을 해대며. 간혹 손가락으로 나를 가리키며 내려오기를 재촉하고 있었다. 시동을 걸어, 중립기어의 가속 페달을 밟아대던 사내가 게슴츠레한 눈으로 나를 빤히 바라보았다. 그리고는 푸앙 푸앙, 몇 번 더 신경질적으로 가속 페달을 밟아댄 후 차에서 내려왔다. 사내를 밀며 안으로 들어선 할머니가 등 뒤에서 손으로 파리 쫓는 시늉을 하며 내게 눈짓을 했다. 경찰이니 한마디하란 뜻인지, 아니면 내가 들어오면서 했던 말을 기억하여 어차피 같은 방향이니 함께 가라는 뜻인지, 얼른 이해하기 힘든 애매한 신호였다.

나는 물을 한 모금 마신 후 일어섰다. 마음에 당기지 않는 일이었지만 같은 방향이니 함께 가는 쪽으로 마음을 굳혔다.

차에 시동을 걸고, 에어컨을 작동했다. 사내는 선뜻 차에 올라타지 않고 문밖에서 머뭇거렸다. 내가 문을 열어 주어도 그는 썩 내켜하지 않는 눈치였다. 조심스럽게 의자에 엉덩이를 들이민 사내가 가까스로 자리를 잡는가 싶더니 갑자기 끄르륵 트림을 했다. 그러잖아도 사내가 타면서 진동을 하던 막걸리 냄새에 양파 짓이긴 냄새가 곁들자, 차 안은 순식간에 고약한 악취로 가득 찼다. 울컥 치오른 욕지기에 담배를 꺼내 물고 사내에게도 내밀었다. 에어컨을 끄고 창문을 열었다.

"미안합니다."

조심스럽게 담배를 받아들면서 사내가 말했다. 이정표를 따라 검게 포장된 도로로 들어서며 나는 심드렁히 대꾸했다.

"피우세요."

곧게 뚫린 도로는 저 멀리 산허리가 잘린 곳까지 밋밋한 오르막길이었다. 길 양편으로는 보리를 벤 논이 있고, 논과 잇닿아 있는 밭은 산자락까지 이어져 있었다. 미지근한 습기를 머금은 바람이 밀려들었다. 흩날린 머리카락이 눈을 간지럽혔다. 유리창을 올리고 에어컨을 가동시켰다. 옆의 사내가 크게 신경 쓰이는 건 아니었지만 라디오를 켜면서 힐끔 훔쳐보았다. 사내가 무슨 말을 한 것 같았다. 라디오 볼륨을 낮추고, 짐짓 외면한 체하며 귀를 쫑긋거렸다.

"미안합니다."

사내는 미안하다는 말을 하고 나서 늘어지게 하품을 했다. 손바닥으로 얼굴을 씻듯 거푸 문지르고 나더니 눈을 비비면서 나직하게 말문을 열었다.

"경찰서에서 나와 곧장 집으로 가려 했는데 속이 터질 것 같습디다. 그래서 누구든 붙들고 속이나 풀어버리려 했는데, 마침 할머니가 있어서 들어간 겁니다. 경찰이니까 한번 들어 보실랍니까. 세상에 이런 일이 어디에 있겠습니까."

사내는 견딜 수 없다는 듯 못다 한 말을 슬슬 털어놓기 시작했다. 겉으론 취해 보였지만 정신만은 말짱한 모양이었다. 무언가 골똘히 생각한 뒤 말을 하는 모습이 그렇게 비춰졌다. 말끝이 흐물거린 어투에선 억울함을 호소하듯 느껴지기도 했다.

"아니할 말로 나는 여우 새끼를 키웠던 겁니다. 멋모르고 내가 받아들였던 거지요. 그 사람이 처음 마을에 들어왔을 때만 해도 마을 사람들 대부분이 그 사람 말을 듣지 않았어요. 나라고 뭐 특별히 알고 지냈냐면 그런 것도 아니었지만요. 서울에서 사업을 했다던가 어쨌다던가. 자기 말로는 농대를 졸업했는데 길을 잘못 들었다는 거였어요. 그러면서 꼴에 젊은 사람들이 농촌을 살려야 한다지 않습니까. 처음부터 어째 썩 마음이 내키지 않았습니다. 그런데도 나는 마을 사람들을 설득했지요. 작물을 누구에겐가는 팔아야 하고, 가격을 잘 쳐준다니 말입니다. 당시 나는 마을의 새마을 지도자를 맡고 있었거든요. 근데 지내고 보니 마음이 딴 데 있었던 모양입니다. 밭떼기다 뭐다 해서 재미를 보더니 글쎄 내 밭까지 눈독을 들였던 겁니다. 나쁜 놈의 자식."

고개를 넘어서자, 구불구불한 내리막길이 눈앞에 나타났다. 왼쪽으로는 싹둑 잘린 산이 벌겋게 드러나 있고, 오른쪽은 아득한 낭떠러지였다. 낭떠러지 저 멀리로 보리를 베어 낸 들판이 펼쳐져 있었다. 도로 옆의 자투리땅에는 조그만 마당을 가진 휴게소가 있었고, 마당가에 서 있는 이정표가 늦은 오후의 햇살에 반짝거렸다. 이정표를 확인한 나는 천천히 고갯길을 내려갔다. 나쁜 자식. 하며 말을 끊었던 사내가 다시 주절거리기 시작한 건 굽진 길을 거의 다 내려가서였다.

"내가 그깐 놈한테 밭을 내줘. 차라리 내 목을 내놓지……. 그 밭이 말이오. 어떤 밭인 줄 아십니까. 우리 식구들을, 죽도 못 먹던 시절에 우리 식구들을 살린 밭이란 말입니다."

한동안 주절대던 사내가 참았다는 듯 푸웅, 방귀를 뀌더니 힐끔 나를 돌아보았다. 목이 타는지 쩝쩝거리며 입맛을 다시는 소리가 들려왔다. 이어 그는 창 쪽으로 고개를 돌렸다. 연신 두릿거리는 모습이 뭔가를 찾는 듯한 눈치였다.

차는 국도를 벗어나 면 소재지로 이어진 길로 들어섰다. 길옆에는 새로 지은 옛집이 고풍스럽게 들어서 있었는데, 입구에 세워진 안내판에 어느 의병장을 기리는 문구가 새겨져 있었다. 급급한 세상살이에 무심코 흘려버린 것들을 복원하는 작업이라던 김 선배의 말이 생각났다.

"잠깐만 세워 주시겠습니까?"

사당을 막 지나칠 때였다. 사내가 다급하게 차를 세웠다. 길가에 차를 세우자마자, 사내는 튀듯이 나가 전봇대 뒤에 붙어 섰다. 불쾌했지만 한편으론 어이가 없어 픽 웃음이 나왔다. 지퍼를 끌어올리며 다가오는 사내의 모습이 어디선가 본 적이 있는 것 같았다. 나는 내가 지나쳤을 만한 곳을 기억 속에서 거슬러 올라갔다. 알 수가 없었다.

차가 면소재지에 가까워질 때까지 사내는 말이 없었다. 꼼짝도 하지 않았다. 마치 그러기를 바랐던 듯 나는 조금 편한 기분이었다. 길가의 이정표를 확인하였다. 거리 표시를 생략한 이정표에는 하늘을 향한 화살표 옆에 '청암리'라고 씌어 있었다. 짐작하건대 내가 달리고 있는 쪽의 마지막 마을을 뜻하는 모양이었다. 사내가 다시 입을 연 건 면 소재지에서 청암리를 향해 달리고 있을 때였다.

"애초에 그 사람이 우리 마을로 들어오지 않았어야 했어요. 내가 처음부터 그 사람을 알았더라면 미리 들어오지 못하게 막았을 건데, 몰랐더란 말입니다. 전혀 몰랐는데, 원수는 외나무다리에서 만난다고……. 참 기가 막히더군요. 그때 알았다면 지금 같은 일은 일어나지 않았을 텐데 말입니다."

오줌을 누고 난 사내의 말끝이 한결 느슨해진 것 같았다. 술도 어지간히 깬 듯싶었다. 나는 보리를 거둬 낸 들판에서 피어오른 하얀 연기를 바라보며 얘기를 듣고 있었다. 길을 막고 있던 각다귀 떼가 차를 피해 재빠르게 공중으로 자리를 옮겼다. 구수하게 탄 냄새가 바람과 함께 코끝을 스쳐갔다.

"나는 어렸을 때부터 '상놈새끼'라는 욕이 제일 듣기 싫었습니다. 국민학교 다닐 땐데 뭘 알고 그랬는지는 모르지만. 학교에 다니다가 우연히 들었는데, 우리 아버지가 상놈이라는 거였습니다. 학교에서 아이들이 놀리는데 죽을 맛이더군요. 학교 다니기가 싫었습니다. 그래서 맨날 싸움질만 하고 다녔지요. 아버지 보기도 싫어졌습니다. 나는 어서 마을을 떠나고 싶었습니다. 그러나 오래 가지는 않더군요. 아이들도 자라니까 그런 말을 않더라고요. 나는 속에다 담고만 있었습니다. 근데 뜬금없이 그 사람이 나타나서 옛일을 들춘 것 아니겠습니까. 이럽네저럽네 자세하게 설명까지 하면서, 일은 밭 때문에 터진 겁니다. 그전까지만 해도 그런 말은 입 밖에 내지 않던 사람이었는데……."

어느새 차는 해안길을 달리고 있었다. 소금기를 머금은 바람이 불고 있었다. 물 빠진 축축한 개펄이 미세하게 어른거렸다. 자세히 보지 않으면 지나칠 수 있는, 마치 개펄이 살아 꿈틀거리고 있는 듯한 착각이 들 정도였다. 속도를 늦추어 개펄을 내려다보았다. 자그마한 게들이 분주하게 펄 위를 기어다니고 있었다. 갯벌은 해안길을 따라 이어졌다. 청암리가 얼추 가까워진 모양이었다. 바다에서 시선을 거두자 사내는 아직도 할 말이 남았는지 입을 열었다.

"농촌에 산 것을 후회해 보기는 그 사람 만나고 처음입니다. 토백이들 빠져나가고 맘껏 뿌리내리고 사는가 싶었는데……. 남새밭에 지심처럼 뿌리가 몽땅 들려난 기분입니다. 그쪽에 신경 쓰다 보니 일손도 잡히지 않고. 사실은 오늘도 야간작업을 해야 하는데 이렇게 경찰서나 들락거리고 있으니……."

'토백이'란 말에 나는 귀가 번쩍 틔었다. 꾹 눌러왔던 충동을 더 이상 감당할 수가 없었다. 조심스럽게, 묻고 싶었는데 사내가 먼저 무지르고 나섰다.

"잠깐만요. 여기서 좀 세워 주시겠습니까?"

산허리를 감고돌아 마을이 채 보이기 전이었는데 사내는 차를 세웠다. 그리고는 뒤쪽을 기웃거렸다. 조금 전에 지나쳐온 산허리께의 옥수수밭을 보고 있는 모양이었다. 사내는 너무 떠들어서 미안하다는 말과 함께 그제서야 어딜 가느냐고 묻고는 차에서 내렸다. 나는 고개만 끄덕여 보이고 다시 가속 페달을 밟았다.

산길을 완전히 빠져나오자, 저 멀리 산 아래까지 곧게 포장된 도로

가 눈앞에 나타났다. 차의 속도를 30으로 줄이고 마을 쪽으로 시선을 돌렸다. 마을 뒤로 불끈 솟은 세 개의 봉우리가 기억 속에서 어렴풋이 되살아났다. 봉우리 양옆으로 내리닫는 산줄기는 날개를 접는 듯한 형상이고, 곳곳에 그럴싸한 전설을 갖고 있게 마련인 바위들이 독특한 형상으로 서 있는 게 보였다. 마을 앞으로는 텅 빈 들판이었다. 들이 끝나는 곳에서부터 이어진 바다는 썰물로 갯벌이 드러나 있었다.

내가 어렴풋이 기억할 수 있는 것은 산의 형세와 바다뿐이었다. 기억을 더듬으며 서서히 차를 몰아 나아갔다. 이윽고 마을의 초입에 다다르자 '청암리'란 이정비가 세워진 사거리가 나타났다. 한쪽엔 슬라브 가옥이 외따로 가게를 벌여 놓고 있긴 했지만 사거리는 기억과 닮은 데가 있는 길이었다. 나는 내처 나아가면서 마을과 칸막이를 하고 있을 산줄기를 찾았다. 하지만 산줄기는 보이지 않고 대신 개간된 밭이 붉은 황토를 드러낸 채 어설픈 형상으로 밋밋하게 남아 있었다.

나는 다리 위에 서서 눈어림을 해보았다. 예상보다 훨씬 넓은 하천은 저 멀리 산속으로 구비져 있었고, 이미 엷은 산그림자에 덮혀 있었다. 더 들어가보고 싶은 마음이 불쑥 솟구치긴 했으나 차를 돌렸다. 천천히 주위를 살피며 사거리로 나온 나는 가게 앞에서 멈춰 섰다. 왠지 그냥 지나칠 수가 없어서였다. 짐짓 알 만한 사람이라도 만날 수 있을까 기대했는지도 모른다.

가게는 머리 희끗한 노인이 지키고 있었다. 노인은 파리채로 파리를 쫓다가 나를 발견하고 파리채를 내려놓았다.

"시원한 음료수 있으면 하나 주십시오."

"여서 자시게?"

치뜬 눈으로 묻고 난 노인이 냉장고 옆 개수통에 엎어 놓은 유리컵을 들고 왔다. 얼룩진 유리컵을 건네준 노인은 지독한 무료함을 달래듯 다시 파리채를 들고 파리를 잡았다. 도로가 뚫리고 나서 지나다니는 사람들이 더러 들러서인지 노인은 낯선 사람에 대해 무관심한 얼굴이었다. 나는 음료수를 마시며 노인의 모습을 지켜보았다. 어른들은 성장한 아이들의 얼굴을 확인할 때 아이 부모의 얼굴을 겹쳐 보는 반면 아이들은 오랜 세월이 흐른 뒤에도 어른들의 얼굴을 쉽게 알아볼 수가 있는 것이다. 하지만 노인의 얼굴은 잠시 스친 기억조차도 없었다. 확인이라도 하겠다는 듯 물었다.

"혹시 이판쇠라는 분을 아십니까?"

"이판쇠라고? 가만 있자, 판쇠라…… 잘 모르겄는디."

노인은 고개를 갸웃거렸다. 판쇠 아저씨를 모르는 사람이라면 이 마을 토박이가 아니라는 뜻이다. 노인은 판쇠 아저씨가 죽었거나 이미 이사한 뒤에 이 마을로 들어온 사람일지도 모른다. 혼자서 그런 생각을 하고 있는데 벽에 붙은 파리를 탁 치던 노인이 돌아서며 물었다.

"거 혹시 이판철 씨 묻는 것 아녀?"

"판철 씨요?"

내가 되물었다.

"내가 이쪽으로 이사 온 지가 얼마 안 되야서 잘은 모르겄는디, 옛날에 소리깨나 했다는 그 양반을 말한 것 같구먼."

"예, 소리를 했지요."

나는 얼결에 소리를 했다며 맞장구를 쳤다. 한편으로는 그게 소리였었구나. 해묵은 기억을 확인까지 하면서. 소리를 한 사람, 판쇠? 판철? 어쩌면 판철이란 이름이 본명일지도 모른다는 생각이 순간적으로 뇌리를 스쳐갔다. 시골 마을에는 그렇게 변형되어 불리는, 별명을 가진 사람들이 더러 있었다. 단순한 한자의 음과 뜻의 차이일 뿐이지만 말이다.

"그라믄 그 양반이 맞은 갑구먼, 저 윗동네로 올라가서 찾음 될 거여."

판쇠 아저씨를 찾기는 어렵지 않았다. 어머니 얘기의 절반에나 미칠 줄어든 가옥들이 그렇거니와 마을 앞에 살고 있었기 때문이었다. 가게에서 산 술병을 들고 마을에서 한 번 더 묻고 난 다음, 나는 허름한 집 안으로 들어갔다. 사람이 자주 드나들지 않은 듯 마당에는 퍼런 풀이 이끼와 함께 자라 있고, 돌담 위에는 시들시들한 호박잎이 삿갓 모양을 하고 있었다. 어디선가 라디오의 음향이 늦은 오후의 나른한 정적 속을 맴돌고 있었다.

"계십니까?"

토방 앞으로 다가서서 방 안을 기웃거리며 인기척을 하였다. 방 안은 동굴 속처럼 어두웠다. 아무도 없을 것 같던 어둠 속에서 먼저 목소리를 흘려보낸 노인이 슬며시 고개를 내밀었다.

"뉘시여?"

허연 머리에 비쩍 마른 노인이 마루께로 고개를 내밀며 재차 물었다. 괄괄한 성격이 찐득하게 말라붙은 듯한 인상에 가는 눈매가 보는 순간 저절로 고개를 끄덕이게 했다. 마치 빛바랜 흑색 사진에서 오래전 잊고 있었던 얼굴을 보는 느낌이었다. 그러나 아저씨는 나의 그런 믿음과는 달리 잔뜩 경계하는 눈빛으로 낯선 사내의 출현이 의아한 듯 바라보고 있었다. 금방이라도 돌아앉아 문을 닫아버릴 것만 같았다.

"전에 절골에 살았던 임사중 씨라고 혹시 아십니까?"

나는 서둘러 나의 신분을 알렸다. 혹시 이판쇠 씨 되십니까? 하지 않고 곧바로 아버지의 이름을 대자, 아저씨는 거들뜬 눈으로 빤히 쳐다보면서 잠시 머뭇거렸다. 문턱에 한쪽 손을 의지한 채로 누구? 하며 되묻던 아저씨의 가는 눈이 순간 확 커지는 것 같았다.

"누구라고? 사중이 형님이라고? 그러타믄……."

아저씨는 비틀거리며 노구를 일으켰다. 비로소 나의 존재를 깨달은 모양이었다. 맨발인 채로 불안하게 휘청대며 걸어 나온 아저씨가 내 손을 덥석 잡았다. 거친 손이 무척 차가웠다. 아저씨는 잡은 손을 놓지 않고 한참 동안 내 얼굴을 뜯어보았다. 섬찟하리만치 거칠고 찬 손에 손목을 잡힌 채 나는 방으로 들어갔다.

"가만 본께 자네가 아버지 모습 그대로구만. 근디 무슨 일로 갑자기 여그까지."

칼칼한 목소리로 아저씨가 물었다. 말을 할 때마다 입가에 탱탱히 늘어난 주름이 금방이라도 툭 터질 듯 불안했다.

"그냥 고향엘 오고 싶었습니다."

"그렇담 지금 서울서 온 길인가?"

물음과 동시에 아저씨의 시선이 내 옷차림을 훑었다. 반팔 셔츠에 감색 바지가 오랜만에 고향을 찾은 사람의 행색으로 어울리지 않다는 눈빛이었다.

"서울에서 내려온 지 오래 되었습니다. 도(道)에서 근무하다가 이쪽 경찰서로 발령이 나서……."

나는 적당히 얼버무리지 못했다. 어쩐지 사실대로 이야기를 해야 할 것 같았다. 그러면서도 나는 지방으로 쫓겨났다는 내밀한 속마음을 아저씨가 눈치라도 챈 양 속이 뜨끔했다. 부끄러웠다.

"경찰이라고? 부모님이 고생한 보람이구만……. 잘됐네. 정말 잘 되얐어."

아저씨는 앉은걸음으로 다가와 양쪽 어깨를 다독거렸다. 흡사 어린 아이를 어를 때처럼 토닥거리는 그러한 행동에 나는 몹시 당황했다. 성장하면서 겪어 보지 못한 돌연한 상황이어서였다. 나는 반사적으로 몸에 닿은 손길을 획 뿌리칠 뻔했다. 어렸을 때부터 혼자 사는 방식에 길들여진 탓이어설까. 나는 이미 타인의 접촉을 꺼리는 몹시 예민한 신경을 지니고 있었다. 사소한 접촉에도 민감하게 반응하는 야생의 본능일 수도 있을 것이다. 그도 그럴 것이 아버지가 세상을 뜬 후 누가 내 어깨를 다독이고 손을 감싸 잡아준 적이 있었던가. 나는 조금 전 속마음이 뜨끔했던 알 수 없는 감정을 상기하며, 더불어 고향에 와 있음을 새삼 실감하고 있었다. 어색한 순간을 모면할 심산으로 나는 침침한 방 안을 둘러보았다.

아저씨 머리 위로 통나무 두 개가 평행으로 걸린 시렁이 있었고, 뒤란으로 열린 쪽문 구석의 옛가구에는 복주머니를 닮은 자물통이 걸려 있었으며, 내가 앉은 뒤쪽에는 낡은 라디오가 벽시계와 함께 수직으로 놓여 있었다.

"벌써 갈라고?"

내 시선을 따라 무심코 시계를 바라보던 아저씨가 정색을 하며 물었다. 문득 아저씨의 눈빛에서 외로움에 지친 홀아비 냄새가 나는 것 같았다.

"그래야 쓰간디. 오랜만에 온 고향인디, 쉽게 가믄 안 되제."

나는 대답을 미룬 채 터무니없게도 진한 사투리를 구사하는 아저씨의 말투에 귀가 쏠렸다. 아저씨의 지독한 사투리가 소리를 한 데서 비롯한 것이라고 나름대로 짐작하면서 아득한 옛날 숲속의 회상에 젖어 가고 있었다.

"그래, 아버지는 무고하시고?"

아저씨는 아버지의 소식을 물었다.

"돌아가셨습니다. 서울로 간 지 두 해만에요."

서울로 이사를 해서 아버지는 공사판엘 나가셨지요. 집을 짓는 목수였습니다. 하루하루 끼니가 어려웠던 터라 아버지는 쉬지도 않고 일을 하였습니다. 비가 오거나 눈이 와서 일이 없을 때도 아버지는 일을 찾아 나갔습니다. 겨우 끼니를 이어가던 때라 보약 같은 건 엄두도 내지 못했구요. 피곤한 몸으로 돌아온 아버지는 나에게 친구들 많이 사귀었냐고 묻고는 했습니다. 아저씨 말씀도 많이 하셨지요. 여름 어느 날 아침부터 비가 내렸는데, 아버지는 어머니의 만류를 뿌리치고 일을 나가셨다가 사고를 당했습니다. 빌딩 공사장에서 일을 하다가 그만 미끄러졌던 것입니다. 머리를 심하게 다쳤는데 영영 일어나지 못하고 말았답니다…… 자세히 이야기를 하고 싶었으나 나는 간략하게 대답을 했다.

"어머니는?"

"어머니도 돌아가신 지 십 년이 됐습니다."

어머니는 시장에서 장사를 하였습니다. 처음에는 리어카로 행상을 했는데요. 나중에는 시장 근처에서 죽을 쑤어 팔았습니다. 아버지가 돌아가시고 시작한 장사였지요. 어머니는 나를 시장 근처에 얼씬거리지도 못하게 했답니다. 집에서 공부를 하라고 했지만 어쩌면 자식에게 그런 모습을 보이기 싫었던 것인지도 모르겠습니다. 하지만 나는 성장한 아이처럼 투정하지 않았습니다. 너무 일찍 세상을 알아버렸는지도 모르겠습니다. 나는 늘 혼자였으니까요. 내가 군대를 제대하고 다시 공부를 할 때도 어머니는 그 가게에서 장사를 했답니다. 그러다가 십 년 전 교통사고로 돌아가셨지요…… 역시 생각일 뿐 말은 하지 못했다.

말은 하지 않았어도 나는 내심 놀라웠다. 아직까지 어느 누구에게도 생각조차 해본 적이 없던 지난 이야기를, 기억해 내며 말할까 말까 망설이고 있어서였다.

반가움에 화들짝 펴졌던 아저씨의 얼굴이 시무룩이 굳어갔다. 고개를 숙인 채 흔들거리던 아저씨는 한동안 말없이 앉아 있었다. 나는 아저씨의 흔들리는 어깨를 물끄러미 내려다보았다. 가난한 흥부가 입었던 그림 속의 옷처럼 물바랜 조끼가 축 늘어져 가늘게 떨리고 있었다.

"허 이거, 내 정신 좀 봐라. 밥 아직 안 묵었지?"

허탈하게 앉아 있던 아저씨가 비틀비틀 부엌으로 나가며 물었다.

"읍에서 먹고 왔습니다. 걱정 마십시오."

밥을 먹고 왔다고 했지만 아저씨는 들은 척도 않고 부엌에서 상을 보았다. 칠이 벗겨진 상 위에는 여자의 솜씨가 배인 찌개와 몇 가지의 반찬, 그리고 숟가락과 젓가락이 소주잔 옆에 나란히 있었다. 혼자 사는 사람의 상치고는 대단한 차림이었다. 상을 놓고 나간 아저씨는 잠시 후 몇 잔을 헐어 낸 됫병 소주를 들고 왔다.

"마음고생이 컸것구만."

낮게 중얼거리며 아저씨는 내게 잔을 건넸다. 나는 내키지 않았지만 부득부득 우긴 통에 잔을 받았다. 술을 따른 아저씨의 손이 심하게 떨렸다. 잔을 쥐고 있는 내 손등으로 술이 흘러내렸다. 술을 받을 때도 마찬가지였다. 내가 조심스럽게 술을 따랐지만 아저씨는 술잔을 흔들어 쏟아놓기 일쑤였다. 나는 술병을 내려놓고 아저씨의 찌든 얼굴을 바라보았다. 바싹 마른 살거죽 속에 번져 있던 푸르딩딩한 색깔이 검푸른 입술처럼 확연히 드러나 보였다. 알코올 중독? 하지만 나는 아저씨의 건강에 대해 묻지 못했다. 오랜 세월만큼이나 벌어져 있는 스스러운 마음 때문이었을 것이다. 한적하다 못해 을씨년스런 집안 풍경에 나는 불현듯 이현재를 떠올렸다.

"전에 형이 있었는데요."

아저씨는 참새 입모양으로 쪼르르 마신 술잔을 내려놓고선 김치 한 가닥을 말아 넣었다. 조금 전 냄비 속의 국물을 흘리며 떠 마시더니, 나를 의식해선지 손을 대지 않았다. 입안엣 것을 우물우물 씹으며 아저씨가 치든 눈으로 나를 빤히 바라보았다. 마치 노려보는 듯한 인상이었다.

"현재? 마을에 들어오다 보면 맨 첫 집. 새로 성주한 집이 현재 집이여. 작년 봄에 지어 살림을 내갔어."

연달아 두 번째 소주잔을 쪼륵 넘긴 아저씨는 손바닥으로 입가를 닦으며 큰 소리로 말했다. 마치 화라도 난 듯한 음성이었다.

"이 마을에 살고 있다면, 왜 함께 사시지 않구요?"

자신의 몸조차 건사하기 힘들어 보인 아저씨가 딱해서였을까. 나는 시부모를 볼모로 남편을 위협하는 이 세상의 몇몇 여인들을 떠올리며,

더불어 농촌도 많이 변했다는 생각을 염두에 두고 물었다.

"어서 술이나 한잔 들어."

손을 내밀어 권하면서도 아저씨의 목소리는 여전히 높았다. 그 소리가 자칫 쓸데없는 일에 참견 말아, 하듯 들렸다. 나는 잔을 들어 반 남은 술을 마셨다. 마시기를 기다렸던 듯 아저씨가 술병을 들이댔다. 아저씨는 내가 따른 대로 거푸 술을 들이켰다. 그리고 취기와 함께 비로소 생기를 찾아가는 양 목소리에 힘이 들어갔다.

"몇 년 전, 조카놈한테 보증을 하나 서줬는디 그것이 서운했던 모양이여. 몇 날 며칠을 지랄해쌌드만 지 발로 새끼들 끌고 나갔어. 잡놈의 새끼. 지놈 살만하믄 놈도 돕고 살 줄을 알아야제."

화를 내도, 기분이 좋아도, 언제나 화를 낸 듯한 목소리. 굳이 음성을 계단에 비유하자면 꼭대기 계단참 부근에서 굳어 버려 더 이상 내려올 줄도 올라갈 줄도 모르는 그런 목소리. 하지만 진정으로 토해 내는 감정의 표현은 확실하게 전달되어온 탓에 나는 서운하지 않게 들을 수 있었다.

"자네도 알랑가 몰겄네. 현재하고 제종간인 민재 말이시."

나는 민재란 이름을 되뇌어 보았지만 얼른 떠오르는 얼굴이 없었다. 다만 제종간이라는 말에 작은집 동생을 말하나 보다 생각할 따름이었다.

"민재가 농고를 졸업하고 조합에 근무를 했어. 착실한 맛은 없어도 애기가 즈그 애비는 안 닮았는지 묵고 살라고 애를 쓰드라고, 하기사 즈그 애비한테 질려도 되게 질렸을 것여. 근디 몇 년 전에 와서 보증을 하나 서 주라는 것여. 아이, 느그 성한테 가서 해주라 해라, 했제. 그랬더니 벌써 댕겨 왔던 갑써. 보증만큼은 형제 아니라 지 애비가 와서 사정을 해도 못해주겄다 했당만. 나는 해주고 싶어도 내 것이 뭐가 있어야 해주제. 전부 현재 앞으로 돼 있으니 말여. 그란디, 어뜨케 알았는가 회천 가는 길목에 밭 한 자리 있는 것을 대드란 말이시. 나는 내 명의 밭이 있단 것도 잊고 있었제. 몰라, 그 밭은 밭이란 생각이 안 들어서 그랬는지. 어쨌든 간에 내가 보증을 서 줬어. 나중에 알고 본 게 고놈이 뭔 꿍꿍이 속이 있었던 갑써. 두 겹, 세 겹으로 대출을 받아묵고 야반도주 해분 거였어. 고놈 땜에 여럿 죽어났구만……."

아저씨는 목을 축이듯 술잔을 쭈욱 들이켰다. 처음에 비해 마시는 횟수는 줄어들었지만 목소리는 오히려 카랑카랑하게 울려났다.

"이거 어짰가. 오랜만에 귀한 손님이 오셨는디, 대접이 변변찮아서. 해필이믄 오늘 밤에 옥수수를 딴다고 지랄할 것이 뭐여. 놈들 할 때 부지런히 해 치울 것이제……. 아까 낮에 메느리가 밥을 해놓고 감서 그라등만."

아저씨는 반듯한 상을 차려 냈으면서도 대접의 소홀함에 신경이 쓰인 모양이었다. 아저씨의 염려에 되려 내가 불편할 지경이었다.

"괜찮습니다. 오랜만에 고향에 와 있어선지 편하고 좋습니다. 하시던 말씀이나 계속 들려주십시오."

그 말은 사실이었다. 정확히 삼십일 년 만에 찾은 고향 땅에서, 게다가 아버지와 호형호제하며 지냈던 사람의 얘기를 듣고 있자니 밖이 어두워져 있는지조차 모르고 있었던 것이다.

뒷문에서 선들바람이 밀려들었다. 나는 팔뚝을 슥슥 문지르며 모기를 쫓았지만 아저씨는 상관없이 말을 이어나갔다.

"그러타믄 다행이시."

촉수 낮은 백열등 아래 드러난 아저씨의 얼굴이 검붉게 변해 있었다.

"대출을 받은 놈이 도망을 쳤으니 어떻게 됐것는가. 밭이 넘어 갔겄제. 내 조카가 해묵은 거라 탓도 못하고 그냥 잘 살기나 해라, 했제. 나도 속이 애리드라고. 그 밭이 어떤 밭인디……. 내 옛날 야그나 한번 들어볼랑가?"

아저씨는 아버지와 당신 외에 아무도 아는 사람이 없었는데 판돌아저씨가 술에 취해 온 동네에 소문을 냈다는, 비밀스런, 나로서도 금시초문인 아주 오래된 옛날이야기를 하는 것이었다.

"내 고향은 여가 아니여. 열여덟 살 때 저 건너 마을로 왔어. 아무것도 없이 불알 두 쪽 차고 소리를 배우겄다고 말이시. 에린 나이에 어디서 그런 용기가 났든가는 나도 몰겄어. 나는 가진 것이 없어서 명창집 가상에서 빙빙 돌았다네. 어떻게든 소리를 배워야것다는 맘으로 말이시. 명창 집이 부자였다믄 그 집으로 들어갔을 것인디, 옛날이나 지금이나 소리한 사람들치고 부자가 있간디. 그래서 나는 그 마을 아래뜸에 있는 부잣집으로 들어갔제. 그 집 쥔이 소리를 좀 배웠는 모양이드라고. 명창이라는 선생님한테서……."

나는 어린 시절 아저씨의 모습을 기억해 내며 고개를 끄덕였다.

아저씨의 손에는 어느새 젓가락 두 짝이 가지런히 들려 있었다. 엄지손가락으로 누르고 있는 품이 안주를 집어먹으려고 들고 있는 것 같지는 않았다.

"내가 그 집으로 들어간 건 소리를 배울라 했던 것이었어. 새경을 받고 일하는 머슴이 아니라 일해 준 대신 소리를 배울라고 말이시. 주인은 혼자서 북을 침서 소리 연습을 했어. 명창 밑에서 소리를 배우겄다고 했는디 목치레를 못해서 작파를 했다등만. 고수들 중에 첨에는 소리를 하다가 북채를 쥔 사람들이 더러 있거든. 그래도 그 양반만큼 소리를 애낀 사람은 없을 것여……."

아저씨의 얘기가 길어지고 있었다. 팔뚝을 문지르는 내게 방구석에 있는 부채를 건네주면서도 말은 끊지 않았다.

"나는 틈난 대로 쥔한테 소리를 배왔제. 주인도 잘 갈쳐줬어. 욕심이 막 불어나둥만. 한번은 풀을 비러 가는 질이었는디, 명창 집 담밑에서 소리를 따라 부르다 봉게 아, 이놈의 해가 넘어가부렀드라고. 얼마나 놀래고 우스왔든지. 명창 집에 어차다 손님들이 찾아오믄 빙 둘러앉어 소리를 한디, 그것을 듣고 있으믄 간이 다 벌렁벌렁해. 그것 뿐이었간디. 넓은 마루에 사람 두엇이 앉아 소리를 배우고 있었는디 그 소리가 아래뜸까지 쩡쩡 울려 와. 참말로 가난한 것이 한이등만. 그러다가 스물한 살이 되어 제대로 소리도 못 배우고 그 집을 나왔부렀제. 그란디 주인이 일을 해준 새경이람서 자기 집 창고에 처박아 둔 북 하나하고 밭 한 자리를 나한테 넘겨 주드랑께. 과분헌 것이였제. 그래서 그 밭 지어 묵을라고 이 동네로 들어와 살게 된 것여."

"그러셨군요."

나는 아저씨가 불러댄 슬픈 곡조의 소리에 얽힌 사연을 들으며 속이 뭉클해짐을 느꼈다. 애절하게 계곡을 휘돌아 메아리져 온 소리가 금방이라도 들릴 듯 귓가에 아스라이 여울졌다.

"나는 그 밭이 넘어간 줄 알고서도 현재한테 말을 못했네. 지 애비

술 마신 것까지 탓하는 새끼가 뭔 소릴 못할까 싶어서……. 그란디 해필이믄 법원 경매에 부쳐진 밭을 옛날 주인 막둥이 아들이 샀다지 않은가? 벌써 여러 해 전 야그시."

시골의 여름밤은 고적하기 한량없었다. 시원한 바람이 엷은 어둠 사이를 끊임없이 꿰다니고, 짙푸른 하늘에 크고 작은 별들은 산란기를 맞은 듯 더없이 풍성했다. 멀리서 잃어버린 짝을 찾는 양 높고 낮은 소쩍새 울음소리가 번갈아 들려오는 이슥한 밤. 토방 아래 모깃불을 놓던 아저씨가 별안간 고개를 돌리더니 마당가의 창고를 바라보면서 중얼거렸다. 오늘 같은 날 북장단 맞춰 소리나 했으믄 원이 없겠네. 아저씨는 몹시 외로웠던 모양이었다. 오랜만에 사람 구경이라도 한다는 듯 쉼없이 속엣것들을 토해 내었다.

"현재 식구가 빠져나가분께 집안이 적적허드만. 그래서 창고에 처박어 논 북을 끄집어 두드렸제. 아 그랬더니 요놈이 와서 북을 뺏어 가분 것여. 놈사스럽게 뭔 짓이냐믄서…… 망할 놈의 새끼."

목소리가 일그러지고 있었다. 채워준 술잔을 비우고, 아저씨는 이제 막 피어오른 여린 불꽃을 말없이 바라보고 있었다. 아저씨의 손에 들린 나무막대가 파르르 떨리는 것 같았다. 불빛을 받아 타오르고 있는 아저씨의 눈빛은 뭔가 잔뜩 벼르고 있는 것처럼 보였다.

그토록 속을 태웠다던 판돌 아저씨도, 그의 아들도 청암리를 떠났다. 판돌 아저씨와 비슷한 조건으로 내 기억 속에 자리 잡은 외삼촌은 어디로 갔을까. 고향을 눈으로 확인하면서 희미했거나 기억하지 못했던 것들도 되살아난 판국에 도무지 종잡을 수 없는 외삼촌이란 사람은 대체 무엇이었을까.

나는 밤이 더 늦기 전에 들어야 한다는 생각에 삼촌에 관해 물었다. 판쇠 아저씨는, 삼촌과 우리 집의 비밀을 이제 와서 감춰봐야 뭐하겠냐며 자세하게 알려 주었다.

주말에 벌초도 할 겸 넉넉하게 시간을 내어 다시 들르겠다며 인사를 하고 나는 집을 나왔다. 보이지 않는 달이 희미하게 빛을 내는 늦은 밤이었다.

어떤 기대를 가지고 찾은 고향은 아니었지만 황폐했던 시절의 고향 얘기를 듣고 나니 돌아서는 발길이 무거웠다. 게다가 비밀한 가족사라니……. 담배를 피워 물고 서서히 차를 움직였다. 차를 몰아 사거리로 나오자, 저 멀리 환하게 불을 밝히고 작업을 하는 밭이 눈에 띄었다. 탈탈거리는 화물차의 엔진 소리가 어둠을 휘젓고 전조등에 달려든 날벌레들처럼 수선스럽게 들려왔다. 차 안으로 파고드는 벌레들 탓에 나는 피우던 담배를 짓눌러 끄고 빼꼼히 열어놓았던 창문을 닫았다. 그리고 끊임없이 앞을 가로막는 날벌레들을 밀어내며 서서히 길을 달렸다.

고향인 청암리에 다녀온 날 밤엔 기막힌 사연으로 인해 잠자리에 들어서도 도통 잠을 이루지 못했다. 당장 책상 앞에 앉아 자서전을 쓰고 싶은 생각도 없었다. 아니 쓸 수가 없었다. 북북 찢어 내팽개치고 싶었다. 자서전이랍시고 끄적대고 있는 꼴이라니. 그것은 구차한 변명에 불과할 뿐이다. 청암리에 가지 않았더라면, 차라리 듣지 않았더라면…… 하지만 가정법은 이미 현실 밖에서 존재하고 있었다.

나는 몇 번이고 잠자리에서 뒤채다가 일어나기를 반복했다. 짧은 밤 끝에 동이 훤히 터오를 때까지. 몇 날 밤을 그렇게…….

하지만 이제 나는 뭔가를 깨달아야 할 때가 왔음을 느낀다. 내가 쓰기로 한 자서전은 어차피 미래에 있을지도 모를 한 가닥 희망을 찾기 위한 한 방편에서 비롯된 것이었으니까.

외삼촌……. 나는 단어 하나만을 써두고 고개를 들어 창밖을 보았다. 불빛 저편, 온통 어둠에 짓눌린 바깥 풍경은 음울하게 가라앉아 있었다. 하지만 별은 어둠 속에서, 어둠이 짙을수록 더욱 또렷하게 빛을 뿌리며 다가오고 있었다. 마치 귀에 대고 위무의 말이나 전해주겠다는 듯이. 이제 나는 알고 있다. 왜 그토록 아버지가 고향에 대해 거부감을 표시했는지를, 왜 외삼촌의 이름을 입에 올리기 꺼려했는지를. 이제 모든 게 확연히 드러난 것이다. 어쩌면 아버지는 내가 고향을 찾았다가 받을 상처까지 염려하여 아예 고향을 잊도록 했을지도 모른다.

외삼촌. 그러니까 우리 가족을 서울로 이사하게 한 장본인은 다름 아닌 외삼촌이었던 것이다. 나의 기억을 혼미한 안개 속으로 밀어 넣어 헤매게 했던 만큼 수수께끼 같았던 인물. 잠시도 한 군데 진득하게 머물지 못하고 건들거리며 쏘다니던 그 모습이 이제는 눈에 선하다. 아니 어린 시절의 기억이 마치 거적 밑에 웅크리고 있는 지렁이들처럼 일시에 꿈틀거리며 살아난 느낌이다.

조금은 편안해진 마음이다. 나는 서서히 글을 써내려가기 시작했다.

언제였던가. 미처 탈출하지 못한 겨울바람이 이따금 숲에서 슬금슬금 내려오던 어느 봄날이었던 것 같다. 나는 마당가에 앉아 제비꽃이 맺은 씨앗을 터트려 점치는 놀이를 하고 있었다. 학교에 다니기에는 아직 어린 나이였는데, 그때 외삼촌을 처음 보았다. 파도 같은 머리는 기름을 발랐는지 번들거렸고, 하얀 피부는 돌 밑에 깔린 새순처럼 하얬다.

"얘, 집에 아무도 없니?"

집 안으로 성큼성큼 들어와 부엌이며 방 안을 기웃거리던 사내가 다짜고짜 물었다.

"일하러 갔어요."

느닷없는 사내의 출현에 나는 적잖이 두려워하고 있었다. 불쑥 나타나서 다그치듯 묻는 말투도 그러려니와 집 안을 기웃거리는 모습이 아무래도 수상쩍어서였다. 나는 얼른 밭으로 가서 아버지에게 이 사실을 알려야 한다고 생각했다. 집 안을 기웃거리던 사내가 옆걸음을 치면서 꺾어놓은 제비꽃 다발을 짓밟았다. 순간 나는 사내를 똑바로 쳐다보았다. 사내도 나를 바라보았다.

"너 이름이 뭐니?"

"임경헌."

나는 불안했지만 큰 소리로 대답했다.

"네 아빠는?"

"임, 사자, 중자요."

"야, 고 자식. 올해 몇 살이야?"

"여섯 살이요."

"형과 누나는?"

"없어요."

"없다니?"

"죽었어요."

"죽었어?"

큰 몸집과 달리 말을 할수록 사내의 목소리는 하얀 살결처럼 부드러웠다. 팽팽해 있던 긴장이 몇 마디 대화로 다소 수그러들고 있었다.

"가서 엄마한테 외삼촌 왔다고 일러라."

외삼촌이라고? 나는 와들와들 움츠러들었던 심장이 맥없이 풀어짐을 느꼈다.

그렇게 찾아왔던 외삼촌은 은밀하게 스쳐간 찬바람처럼 하룻밤을 머물고 떠나갔다. 그 뒤로도 일 년에 한두 번씩 절골을 찾아왔으나 오래 머물지는 않았다. 어느 땐 내가 소 먹이는 낮 시간에 잠깐 들렀다 간 적도 있었다. 나는 저녁밥을 먹으면서 외삼촌이 다녀갔다는 얘기를 들을 수 있었다. 산나물이며 바다에서 캐온 조개로 푸짐하게 상을 차린 어머니가 어리둥절하는 나에게 외삼촌이 밥도 안 먹고 떠났다는 얘기를 들려주었다.

그렇게 갈급한 사람처럼 다녀가던 외삼촌이 아예 똬리를 틀고 묵게 된 것은 내가 초등학교 1학년이던 해였다. 서울에서 무슨 사업을 했는데 일이 잘못되어 와 있다는 거였다. (판쇠 아저씨의 얘기를 듣고 난 뒤의 생각이지만 그 무렵 소 먹이러 가서 이현재에게 얼핏 들었던 것 같기도 했다.) 어쨌거나 나는 혼자서 지내던 차에 외삼촌이 곁에 있다는 생각만으로도 기분 좋은 일이었다. 학교에서 돌아오면 외삼촌을 먼저 찾았고 보이지 않는 날이면 온종일 기분이 울적했다.

아버지는 빈둥거리는 외삼촌을 호되게 나무랐다. 그래선지 몰라도 나를 바라보는 외삼촌의 눈빛은 썩 고운 것이 아니었다. 외삼촌은 학교에서 돌아오는 길목에 있는 구멍가게에 종종 모습을 내보이면서 마을 청년들과 어울렸는데, 내가 인사를 해도 아는 체를 하지 않았다. 저녁이 되어도 집으로 돌아오지 않았다. 청년들이 으레 모이는 사랑방에 빌붙어 함께 먹고 잠을 잤다.

어느 날 밤엔가 나는 어머니를 따라 청년들이 모여 있는 집에 간 적이 있었다. 토방 가득 쌓인 고무신들이 마구 뒤엉켜 있고, 호롱불을 켠 방에서 투영된 검은 그림자는 부나비처럼 문창호에 득시글거렸다. 외삼촌의 구두는 마루 위에 올려져 있었다. 방 안에서 흘러나온 외삼촌의 목소리 역시 마을 청년들과 달라 쉽게 구별할 수 있었다. 둘러앉은 청년들을 한동안 휘어잡던 외삼촌이 말을 멈춘 것은 어머니가 부르고 나서였다. 어찌된 영문인지 타성바지라곤 하나 없는 방 안에서 외삼촌은 거리낌없이 주인 행세를 하고 있는 것이었다.

마을의 많은 청년들 중에 유독 외삼촌과 가까이 지낸 사람이 있었다. 외삼촌과 비슷한 연배이어선지는 확실히 알 수 없으나 아무튼 돈독한 사이인 것만은 틀림없어 보였다. 외삼촌이 주로 밥 의지를 하는 곳은 그 청년의 집이었고, 둘은 오래된 친구처럼 늘상 붙어 다녔다. 마을 어디에서건 외삼촌이 있는 곳이면 그 청년도 있었다. 짐작하건대 외삼촌이 임시 거처를 마련할 속셈으로 청년을 꼬드겼거나, 아니면 그가 외삼촌의 살랑살랑한 입담에 걸려들었을 것이다. 외삼촌은 무얼 알고 그 사람과 가까이 지냈던 것일까. 그 청년은, 아버지도 눈치를 살핀다는, 다름 아닌 할머니의 친정집 조카였던 것이다.

할머니는 청암리가 고향이었다. 마을 앞의 너른 들판이 할머니 논에서 물을 막으면 농사를 지을 수 없다 할 만큼 부유한 집안의 외동딸 이었다. 할머니 집에는 다섯 명의 머슴이 있었다. 문간방에 가정을 꾸리고 사는 나이 든 머슴에서부터 꼴을 베어 나르는 어린 머슴까지. 그들은 하는 일도 각기 달랐다. 농사일을 도맡아 하고 어려운 일을 해내는 데는 아무래도 젊은 사람들이 필요했다. 건장한 청년들은 보리를 베고 벼를 수확하는 일과, 겨울을 나기 위한 땔감을 산에서 모으는 일을 했다. 가을이 깊어질 때쯤이면 할머니 집 너른 마당은 벼의 낟가리와 나뭇단으로 꽉 찼다.

할아버지는 할머니집의 젊은 머슴 중 한 사람이었다. (판쇠 아저씨로부터 이 말을 들을 때 나는 몹시 혼란스러웠다.) 글을 모르는 할아버지는 인물이 변변찮았는데, 남들에 비해 요령이 없고, 다른 머슴들의 속임수에 곧잘 넘어가 웃음거리가 되기도 했다. 젊은 머슴 세 명 중에서 일은 가장 으뜸으로 하는 할아버지는 주인에게 후한 대접을 받고 있었다. 한 해가 지나 새경을 받을 때면 다른 사람들에 비해 옷가지나 곡식을 덤으로 받기도 했다. 할아버지가 그런 대우를 받게 된 것은 주인의 눈치를 보지 않고 열심히 일한 까닭이었다.

조선 왕조, 대한제국이 무너지고, 일제 강점기가 시작되었을 때 세상은 이미 엄청난 소용돌이 속에 휘말려들었다. 할머니 집에서는 수탈당할 재물보다 외동딸의 앞날이 걱정이었다. 그때 할머니의 나이 열다섯 살이었다. 처음엔 벽장에 숨겨두고 조심스럽게 바깥 동정을 살폈다. 밥은 넣어주고 똥은 받아냈다. 하지만 그것도 오래 버틸 수 있는 것이 아니었다. 날이 갈수록 일본인들의 횡포가 표독스럽게 변해갔다. 그 무렵 주인은 젊은 머슴들을 둘러보았다. 어찌된 속셈이었는지 주인은 젊은 두 머슴을 내보내고 할아버지를 신랑감으로 골랐다. 온 마을에 소문을 내고 부랴부랴 혼례 치를 준비를 하였다. 돼지를 잡고 닭을 꾸러미로 잡아, 온 마을 사람들 앞에서 성대하게 혼례를 치렀다. (판쇠 아저씨의 이 말을 들으면서 나는 닥쳐올 어떤 예감에 고개를 떨어뜨렸다. 그때 나는 가슴이 미어지는 고통을 느꼈는데 그 느낌은 지금도 계속된다.)

혼례를 치루고 나서도 할아버지는 예전과 다름없는 생활을 계속하였다. 낮에는 들에서 일을 하고 밤에는 사랑채에서 새끼를 꼬다가 혼자 잠들곤 했다. 할아버지는 당연한 일처럼 생각했다. 부부가 같은 방을 쓰지 않을지언정 달라진 것이 있기는 했다. 비록 사랑채이긴 하지만 할아버지 방은 머슴들과 따로 떨어져 있었고, 새로 들어온 머슴들을 거느리고 일을 한다는 점이었다. 그뿐만이 아니었다. 혼례를 치루면 땅 마지기를 떼 주겠다던 주인은 그 약속을 지켰다.

그렇게 오 년이 흘렀다. 백치의 최상급쯤 되는 천치로 불리던 할아버지도 문득 장가를 들고 싶은 마음이 생겼던 것일까. 가을이 저물고 어둠이 세력을 키워가는 초겨울 밤이었다. 꼰 새끼를 양쪽 무릎에 걸어 타래를 엮고 나서도 할아버지는 좀체 잠을 이룰 수가 없었다. 문 밖에서 서걱이며 굴러다니는 나뭇잎이 바람에 날려 방문을 두드려댔다. 할아버지는 점차 일에 싫증이 났고, 급기야 그 집을 나오기로 결심했다. 그러나 집을 나간다하더라도 족두리 쓰고 절을 했던 신부에게 한마디 하고 가는 게 도리라는 생각이 들었다. 할아버지가 할머니를 만나기란 어려운 일이 아니었다. 벌써 오 년이란 세월을 주인의 약속대로 조용하게 보냈으니 말이다.

"아가씨, 나 집을 나가야 쓰겄구먼요."

할아버지는 혼례를 치렀다는 사실을 잊기라도 한 듯 전처럼 여전히 아가씨라 일컬었다. 말투는 은근했지만 미증유 결연한 눈빛이었다.

"그게 무슨 말씀이세요. 아버지께 말씀은 하셨는가요?"

다소 긴장된 목소리로 할머니가 물었다. 놀란 듯한 기색이 순간적으로 눈가를 스쳐 지나갔다.

"말씀은 아직 못 드렸지유. 하지만서두 나이도 들었으니 장가를 가야 하지 않겄어라우."

"쉬잇! 아버지 아시면 큰일 날 소리를 하시는군요."

돌연한 사태에 재빨리 집 안팎을 훑어보던 할머니는 손바닥으로 할아버지 입을 막으며 낮게 중얼거렸다. 할아버지는 눈을 껌벅거린 채 할머니의 눈길을 따라 집 안팎을 훑고 나서 얼떨떨한 표정을 지었을 뿐이었다. 묵묵히 할머니가 하는 말을 귀에 담았다.

"저녁밥 먹은 뒤에 동구 밖으로 나오셔요."

할아버지는 문구멍으로 바깥 동정을 살피며 간단한 짐을 꾸렸다. 할머니의 얘기대로 삼형제별이 용마루에 걸릴 무렵 슬그머니 집을 빠져나가기만 하면 되었다. 그 다음부터는 할머니가 알아서 처리할 터였다. 동구 밖에 미리 나와 기다리고 있던 할머니는 희미한 별빛 속에서 헐떡이며 달려오는 할아버지를 발견하고 거리를 두고 앞장서 갔다. 차가운 밤이슬이 갈길 먼 발목을 잡는 삼경이었다.

그렇게 떠난 그들은 삼 년을 넘기지 못하고 되돌아왔다. 할머니의 간곡한 요청 때문이었다. 수태를 한 할머니는 병자처럼 시난고난 앓았다. 할아버지가 구해온 양식은 하루를 넘기지 못했다. 처음 겪는 주린 고통이었다. 날이 갈수록 몸피는 희누렇게 야위어 갔고 배는 철없이 부풀어 올랐다. 이를 악물고 지악스럽게 버텼지만 정신은 가물가물 흐려져 갔다. 꿈속에서 뼈만 앙상하게 남은 아버지가 어뜩어뜩 비틀거리며 호통을 쳤다. 어머니는 아버지의 발목을 붙잡고 애원했지만 소용이 없었다. 굶주림보다 죽음보다 더 두려운 건 꿈속의 공포였다. 할머니는 이미 사물에 대한 분별력을 상실했고 실성한 사람처럼 허공을 쥐어뜯으며 헛소리를 해댔다.

할아버지는 안타까웠다. 도망 나온 처지에 되돌아갈 수도 없는 노릇이었다. 당장 청암리로 돌아간다 해도 개죽음을 당할 게 뻔했다. 건장한 장정들은 지난날 함께한 고락을 잊고 마구잡이로 후려칠 것이었다. 더구나 그 마을은 다른 마을보다 엄격한 규율을 가진 뿌리 깊은 집성촌이 아니던가.

할머니의 떼꾼한 얼굴을 들여다보던 할아버지는 이윽고 비장한 결단을 내렸다. 금방이라도 꼴깍 숨이 넘어가버릴 것 같은 초조감이 절박한 마음을 더욱 옥죄어왔다.

겨울도 한밤중, 할머니를 대문 밖에 세워둔 할아버지는 절골과 칸막이하고 있는 산으로 올라갔다. 마당에는 벌써 횃불이 솟아오르고 있었다. 횃불 사이로 우글거리는 사람들의 모습이 보였다. 횃불은 순식간에 수효가 늘어가더니 마당을 빠져나가 고샅을 치닫기 시작했다. 할아버지는 엄습하는 두려움에 자신도 모르게 배를 바닥에 깔고 납작 엎드렸다.

할아버지는 마을에서 빠져나와 도망칠 수가 없었다. 낮에는 으름이며 꾸지나무 열매로 주린 배를 채웠고 밤이면 넉건이 끝난 밭을 뒤져 허기를 달랬다. 이미 수년의 머슴살이로 산세에 익숙한 할아버지에게 먹을 것을 찾아내기란 어려운 일이 아니었다. 낙엽 속에 몸을 은신하고서 할머니의 동태를 살피기 위해 추위와 허기를 견뎠다. 그렇게 며칠이 지났을까. 덤불 속에서 기진해 쓰러진 할아버지는 마침 나무를 하러 온 남자에게 발각되었다. 할아버지는 대항할 엄두도 못내고 붙들렸다.

어떻게 되었던 것일까. 할아버지는 기억할 수가 없었다. 남자들에게 붙들려 마을로 끌려갔고, 주인의 툽상스런 호령에 따라 마당에 내동댕이쳐졌다. 처음 몽둥이로 싸다듬이 당한 것은 어렴풋하지만 이내 혼절하고 말았다. 깨어나 보니 절골의 계곡이었다. 대낮에도 멧돼지가 내려와 고구마 밭을 헤쳐놓는 절골은 너구리며 늑대 등 크고 작은 짐승들의 소굴이었다. 가까스로 정신이 돌아온 할아버지는 온몸이 욱신거려 꼼짝할 수 없었다. 몸을 움직일 때마다 끊어질 듯한 고통이 뒤따랐다. 할아버지는 타는 목을 축이기 위해 물을 찾았다. 버둥거리며 기어가다 비탈 아래로 굴렀다. 그나마 골짜기로 기어들게 된 할아버지는 벌컥벌컥 찬물을 들이켰다. 찢긴 옷에 말라붙은 핏자국이 보였다. 진흙탕에 들어갔다 나온 듯 딱딱하게 굳은 피가 질긴 가죽의 질감처럼 뻣뻣하게 느껴졌다. (판쇠 아저씨는 이야기를 하다 말고 자신이 소리를 한 탓에 뼈아픈 사연을 재미나게 한 것 같다며 미안해했다.)

할머니가 절골로 찾아온 것은 사흘째 되던 날 해거름이었다. 쑥대머리에 배를 감싸고 온 할머니는 토굴 속에 축 늘어져 있는 할아버지 곁에 앉았다. 죽은 줄로만 알았던 할아버지는 살아 있었다.

"어뜨케 도망을?"

"아버지가 머슴들을 시켜 산으로 데려가라고 했어요. 산비탈에 몸을 굴려 애를 지우라는 거였지요. 벌써 사흘짼데 오늘까지 일을 끝내지 못하면 다들 각오를 해야 한다고 으름장을 놓았어요. 그들도 어쩔 수가 없었던지 나에게 도망을 가라더군요."

아버지의 생명력은 질기고 악착스러웠던지, 수숫단과 볏짚을 엮어 만든 움막에서 태어났다. 아버지는 혼자였다. 그것은 할아버지가 더 이상 생산 능력을 상실했기 때문이었다. 게다가 젊은 나이에 지팡이에 의지하고 지내던 할아버지는 아버지가 어렸을 때 세상을 떠났다. 할아버지가 죽고 난 뒤 할머니는 친정집에서 먹을 것을 구해야 했다. 아버지는 그때 어린 시절의 기억을 잊을 수 없다고 했다던가.

어렸을 때 어머니를 따라 몇 번 외가에 가본 적이 있었다네. 아주 어렸을 때야 영문을 모르고 졸졸 따라다녔지. 헌데 커가면서 나는 외가에 갈 수가 없었어. 외가에 갈 때마다 어머니는 함부로 집 안으로 들어가지를 못했거든. 항상 문밖에서 집 안의 동정을 살피다가 아무도 보이지 않으면 도둑질을 하러 간 사람처럼 잽싸게 부엌으로 뛰어들었으니 말일세. 그럴 때면 나도 어머니 옆에 붙어 함께 달렸지. 넘어지면 질질 끌린 채로. 부엌에 들어간 어머니는 말라붙은 누룽지를 내 손에 쥐여 주고 밥을 퍼서 내 입속에다 와구와구 집어 넣었다네. 나는 볼이 미어져라고 받아먹었지. 어느 날은 과식을 해서 밤새도록 설사를 하기도 했네. 나이가 어렸을 땐 내가 졸라서 가기도 했는데 커가면서는 어머니가 나를 닦달하여 끌고 갔었어. 나이 속에는 나이만 있는 게 아니고 눈치도 들어있는 모양이여. 어머니가 왜 그래야 하는지 이해할 수 없었거든. 외가라면서 말여. 그래서 나는 따라다니는 걸 포기했지. 아니 어머니가 가져온 음식도 안 먹었어. 곡물을 왜놈들이 죄다 걷어가 배가 고팠을 터인 데도. 내가 조숙했던 모양여. 그때 내 나이가 여덟 살이었을 걸…….

판쇠 아저씨는 어린 남매를 얼음장 속에 묻고 난 뒤에야 아버지가 들려준 그 이야기를 생각하면 지금도 눈물이 난다고 했다. (얘기를 하다 말고, 실제로 판쇠 아저씨는 비쩍 마른 얼굴을 손바닥으로 쓸었다.)

설날 아침에 아버지는 일곱 살 난 딸과 다섯 살 난 아들을 외가로 보냈다는 것이다. 방구들에 의지하고 사는 할머니의 간곡한 종용에 어쩔 수 없이 따른 것이었다. 세배 간 아이들은 한낮이 지나도록 돌아오지 않았다. 외삼촌의 아이들이 많으니까 함께 노는가 싶었다. 터무니없게도 가슴 밑바닥에 도사리고 있던 응어리가 삭아내린 기분이었다. 아이들은 해가 떨어질 때까지 돌아오지 않았다. 높은 산 아래 자리한 절골은 마을보다 어둠이 일찍 내렸다. 불안했다. 좋은 쪽으로 구색을 맞추려 했지만 결론은 더욱 가중되는 불길한 생각만을 몰고 왔다. 아버지는 아침에 아이들에게 당부한 그 길로 마을을 향해 달렸다. 성묘를 다닌 사람들도 다들 내려왔는지 산과 들에는 아무도 보이지 않았다. 외가에 다다랐을 때 아버지는 잠시 주춤거렸다. 자칫 잘못했다간 무슨 경망한 짓이냐며 물벼락을 맞을 게 뻔했기 때문이었다.

"아침에 아이들을 보냈는디……"

대문에 들어서서 아버지는 조심스럽게 물었다.

"너는 정초부터 웬 호들갑이냐. 진작 보냈다."

아버지는 불길한 예감이 서서히 현실로 다가오고 있음을 느꼈다. 아이들을 찾아 황황히 고샅을 꿰고 다닌 아버지는 무거운 발길을 돌려야 했다. 마을 앞 너른 들에도 어둠이 서서히 깃을 내리고 있었다. 초조했다. 산자락에 난 자드락길로 빠져나가 이미 집에 도착해 있을지도 모른다는 생각을 짐짓 해 봤다. 아버지는 자드락길을 따라 걸었다. 좁은 길은 그만한 폭의 도랑을 끼고 길게 이어졌다. 도랑을 따라 길을 걸으면서 아버지는 사방을 두릿거렸다. 문득 도랑이 끝나는 논가의 웅덩이에 빠져 있는 남매를 발견했다. 두 아이는 깨진 얼음조각 사이에 떠 있었다. 아이 둘을 양쪽 어깨에 메고 짐승처럼 울부짖으며 집으로 돌아오는 아버지를 마중 나간 판쇠 아저씨가 만났다는 것이었다.

아버지는 끓어오르는 마음을 다잡지 못했다. 날마다 술에 취해 휘청거렸다. 소작으로 짓던 농사도 판쇠 아저씨에게 넘겨주었다. 고향을 떠나기로 마음먹은 것이었다. 아예 고향을 잊고 싶었던 것인지도 모른다. 그러나 아버지는 부질없는 다짐을 탓하며 고개를 돌려야 했다. 방에는 죽은 사람처럼 할머니가 누워 있었다. 아버지는 다짐을 유보했다. 삼 년 후 나는 절골에서 태어났다.

할아버지가 죽고, 할머니가 죽고, 할머니의 아버지가 죽고…… 저마다 가슴에 불을 심은 사람들은 이미 사라졌다. 그렇지만 아버지는 여전히 마을에 발을 들여놓기를 꺼려했다. 수확한 곡식 가마를 지고 갈 때 들르는 것이 고작이었다. 물론 마을에도 엄청난 변화가 있었다. 성씨라는 견고한 틀이 서서히 무너지면서 엄하다는 풍속도 괴란하기 시작했다. 사람들은 성씨보다, 마을의 일보다 먼저 자신에게 유리한 쪽으로 기울어갔다. 그들은 자녀 교육에 눈을 뜨기 시작했고, 서로의 재산을 탐하기에 이르렀다. 드물게 마을에서는 자기들끼리, 일테면 아저씨와 조카 혹은 형제끼리 싸움이 일어나기도 했는데 거기에는 반드시 이악함을 아우르고 있었다.

외삼촌이 나타난 건 마을의 병폐가 차츰 고질화되고 있을 무렵이었다. 마을 청년들은 그래서 아버지의 염려와 달리 외삼촌을 무심코 받아들였는지도 몰랐다. 더구나 할머니의 조카인 청년은 외삼촌을 확실하게 신뢰하는 눈치였다. 둘은 자주 어딘가를 다녀오곤 했는데, 청년은 매우 만족스러워 했고 외삼촌의 곁을 떠나지 않았다.

마을에서 자자하게 맴돌던 소문은 절골까지 날아들었다. 어느 날 밤 아버지는 외삼촌을 찾아 마을로 들어갔다. 그날은 외삼촌과 청년만이 사랑방에 앉아 있었다.

“너 도대체 무슨 짓을 하려는 거냐? 날마다 빈둥거리며 무슨 수작을 떨고 다니냔 말이다. 나 여태까지 참아왔다만 더 이상 이런 꼴 보기 싫다. 들어와서 일을 하든지 당장 이 마을을 떠나든지 둘 중 하나를 택해라!”

아버지의 느닷없는 출현에도 외삼촌은 거리낌없이 앉아 노려볼 뿐이었다.

“걱정 마소. 때가 되면 내 발로 나갈 테니까.”

그렇게 우줅이며 며칠을 버티던 외삼촌은 청년과 함께 마을을 떠났다. 청년이 땅문서를 빼내 도주를 했다는 것이었다. 아침 일찍 하얀 서리를 짓밟고 소문보다 빨리 절골로 찾아온 사람이 그렇게 전했다. 그 사람은, 아버지로서는 외삼촌이 되는 노인이었다. 어머니는 뒤꼍으로 몸을 숨겼고, 아버지는 꼼짝없이 당해야 했다. 노인은 좀체 물러서지 않았다. 당장 잡아오지 않으면 고소를 하겠다며 으름장을 놓았다. 아버지는 비굴하리만치 고개를 꺾고 노인의 말을 듣고 있었다. 노인의 입에서 난데없이 할아버지 이야기가 터져 나왔다. 판쇠 아저씨가 달려와 진정시키려 애를 썼지만 노인은 해가 둥실 떠오를 때까지 할 말을 다 토해 낸 뒤에야 돌아갔다. 아버지는 마침내 자신이 유보했던 말을 되새기듯 내뱉고 짐을 꾸렸던 것이다.

여러 날 잠을 설친 탓인지 얼굴을 씻고 의자에 앉아도 개운하지 않았다. 책상 위에 팔꿈치를 괴고 손바닥으로 이마를 감쌌다. 감은 눈 속에 누그러든 기억들이 되살아나려고 꿈틀거리는 것 같았다. 애써 귀 신경을 창밖으로 보냈다. 털털대며 지나다니는 차 소리가 무디게 들려왔다. 한낮의 햇볕에 놀란 매미가 미양미양 자지러질 듯 그 속으로 파고들었다. 정문 경계병의 경례 구호 소리가 쩌렁 건물을 뒤흔들었다. 잠시 잠잠한 틈을 비집고 시원한 바람을 앞세운 매미 소리가 창문을 훌쩍 넘어 들어왔다. 뜨뜻한 열기와 시원한 바람의 감촉에 또다시 흐트러진 몸을 털며 나는 자리에서 일어났다. 커피라도 마시고 정신을 차려야 할 것 같았다.

–다르르르.

한낮의 고요를 흔들며 전화벨이 울렸다. 시외 전화였다. 나는 기지개를 한 번 켠 뒤 천천히 수화기를 들었다.

"여보세요."

내 말이 떨어지기가 바쁘게 전화선을 타고 온 남자의 목소리가 귓속을 파고들었다.

"수사과장님이십니까?"

"예, 그렇습니다만."

나는 받고 있는 전화가 시외 전화인지를 재차 확인하면서 느리게 대답했다.

"다름이 아니라 과장님을 좀 만나봤으면 해서요."

느릿한 목소리는 애써 예의를 갖추려는 투의 음성이었다. 다소 어색한 감은 있으나 조심하려는 기색이 역력했다. 누구인가? 나를 만나자는 사람이. 혹시 요전에 고향에서 이야기를 들었던 판쇠 아저씨의 아들인 이현재인가? 나는 전화선 저쪽에 있는 남자에게 물었다.

"누구신지?"

"예, 며칠 전 밭 때문에, 아니 싸움사건으로 들렀던 사람입니다."

"아, 그러세요. 그럼 이리로 오세요."

나는 심드렁히 대답하고 수화기를 내려놓으려 했다. 그런데 성미급한 사내는 다시 내 말끝을 박차고 들어왔다.

"그게 아니라, 밖에서 좀 만나 뵙고 싶은데요. 긴히 할 얘기가. 아니 드릴 말씀이 좀 있어서."

사정을 하듯 간절한 목소리였다. 사내는 대답을 기다리는지 입을 다문 채 잠자코 기다리고 있었다. 나는 전화를 끊을 수가 없었다. 말없이 수화기를 들고 있는 기분이라니 독촉이라도 당한 듯 불쾌한 느낌이었다. 버럭 소리라도 지르고 싶었다. 나는 몹시 지쳐 있었던 것이다. 모르긴 해도 저 사람이 나를 찾은 데는 무슨 곡절이 있을지도 모른다. 그렇지 않고서야 전임 온 지 채 두 달도 못 된 나를 만나자고 할 까닭이 없지 않는가. 나는 금방이라도 쫓아나가 멱살이라도 잡을 듯이 알았소, 말하고 수화기를 내려놓았다. 어쩌면 나는 지나치게 마신 술의 뒤끝처럼 피곤했고 몽롱하기까지 했던 터라 바람도 쐴 겸 다녀오는 게 낫겠다는 생각을 순간적으로 했는지도 모른다.

나는 문을 나서면서 그날 사내의 행동을 떠올렸다.

……틀림없이 잡아넣는 거요…… 적당히 봐 넘기려 했다가는 정말 재미없을 거요. 참말이오…… 염념해서 들으시오. 나 틀림없이 또 올 테니까.

사내가 알려준 다방은 이 층에 있었다. 문을 밀고 들어서자, 차향이 은은하게 콧속을 파고들었다. 상큼하면서도 깨끗하고 선율이 있는 차 향이었다. 선율이라니? 나는 귀를 기울였다. 실내를 유유히 흐르는 차 향 속에 어떤 음악이 섞여 있음을 알았다. 음악과 향은 분명 수용하는 감각 기관이 서로 다를 텐데도 내가 그렇게 느낀 건 피로가 누적된 탓일 터였다.

그리 넓지 않는 공간에는 늙수그레한 사람 셋이서 구석의 자리를 점령하여 바둑을 두고 있었고, 사내는 출입문을 바라보는 자세로 앞쪽에 앉아 있었다.

"이리 오십시오."

사내는 문 앞에서 머뭇거리는 나를 발견하고는 자리에서 벌떡 일어났다.

"이렇게 갑자기 만나자고 해서 죄송합니다."

나는 알았다는 듯 고개를 살짝 끄덕여보였다.

"제가 만나자고 한 것은 다름이 아니라……."

사내는 말을 하다 말고 마침 쟁반을 들고 온 아가씨를 손짓으로 잡았다. 손끝을 까닥거린 모습으로 보아 처음은 아닌 듯한 눈치였다. 나를 향해 차는 뭘로…… 하던 사내가 아가씨에게 직접 소개를 하도록 일렀다. 아가씨는 싱긋 웃으며 턱으로 벽에 붙은 차림표를 가리켰다. 그렇지 않아도 커피를 한잔하고 싶었던 나는 벽을 보지 않은 채 커피, 하고 짤막하게 주문했다. 사내의 표정이 일순 일그러지는 것 같았다. 곧 이어 그는 얼굴에 가벼운 미소를 일구며 자신은 칡즙을 시켰다. 주문을 받은 아가씨가 비켜나자, 사내는 순서를 따르듯 담배를 내밀었다. 그리고는 조금 전의 풀어진 얼굴에 옅은 주름을 넣으며 만나자고 한 의도를 드러내기 시작했다.

"내가 과장님을 뵙자고 한 건 다름이 아니라, 실은 이번 사건 때문입니다."

나는 다방 안으로 들어서면서부터 그랬지만 곁눈질로 사내의 눈을 훔쳐보았다. 사내의 눈에 사건을 유리하게 처리하기 위한 의뭉스러움 같은 것이 숨겨져 있을까 싶어서였다. 승냥이의 눈을 닮은 날카로운 눈매가 주는 인상에 비해 가까이서 보니 눈동자는 서글서글한 편이었다. 커피를 마시라는 투로 손바닥을 밀어보인 사내가 빨대로 칡즙을 쭈욱 빨아들였다.

"내가 지금 미칠 지경입니다. 내 밭을 내 맘대로 못하고 몽둥이질까지 당했으니 이보다 더 기막힐 일이 어디 있겠습니까?"

사내는 담배를 짓눌러 끄고는 또 담뱃갑을 뒤적거렸다. 담배를 꺼내 입에 물면서도 사내는 계속 말을 했다.

"나는 3주 진단이 나오고, 그 사람은 4주 진단이 나왔다는데, 지금 그게 문제가 아닙니다. 나는 밭을 찾아야 한다 이겁니다."

사내의 어조가 차츰 강해지고 있었다. 가만 두면 제 성질을 주체하지 못하고 날뛸 것만 같았다. 나는 끼어들어야 했다.

"밭을 찾겠다면서 싸움은 왜 합니까?"

톡 쏘아부친 말투를 사내는 어떤 암시로 받아들인 모양이었다. 그의 입가에 엷은 미소가 살짝 스쳤다. 그는 눈앞에 피어오른 담배 연기를 걷어내듯 손사래를 치면서 말했다.

"아따. 그것이 아니라니까 그러십니다. 민사로 해결될 성질이 아니란 말입니다. 지금. 그러니까 자꾸 싸움이 되는 거지요. 내 밭을 돌려준다면 싸울 필요가 뭐 있겠습니까마는 못 내놓겠다니까 문제가 되는 거지요."

나는 담배를 눌러 끄고 차디찬 커피를 천천히 마셨다. 청암리에 가던 날 옆사람이 했던 이야기가 떠올랐다. 사건이 서로의 시각에서 볼 때 아주 간단히 끝날 수 있는 반면 복잡해질 수도 있다는 생각이 들었다. 엄연히 주인이 있는 부동산을 제 것인 양 차지하고 있는 점이나, 제 것을 남에게 빼앗기고도 소유권을 주장하지 못한, 이해할 수 없는 점 때문이었다. 나는 잠자코 듣기로 했다.

"그 밭은 제가 돈을 주고 산 겁니다. 물론 그 사람 밭인 줄 알고 샀던 것이지만요. 처음에는 좀 망설여지기도 했습니다. 왜냐? 그 사람과 나는 일테면 동업자인 셈이거든요. 뭐 함께 투자를 했다거나 이익을 똑같이 분배한다거나 그런 것이 아니라 같은 일을 하기 때문이지요. 말하자면 그 사람의 몫이 커지면 내 것이 줄어들고 내 것이 커지면 그 사람 몫이 적어진다, 이 말씀입니다. 그 사람과 나는 그 일대의 농작물을 사들여 서울 등지로 내다파는 중간상이니까요."

나는 말없이 커피를 마셨고 사내는 목을 축이고 나서 말을 이어나갔다. 다소 빈정거린 말투였다.

"세상이 좋으니까 동업이니 뭐니 말들을 하지, 옛날 같으면 동업이 다 뭐겠습니까. 양반이 노비하고 동업한다는 게 말이나 될 법입니까.

그 사람 아버지가 우리 집 노비였단 말입니다."

사내의 말에 나는 느슨하게 풀려 있던 신경이 불현듯 곤두서는 것을 느꼈다. 판쇠 아저씨가 했던 말이 끈적하게 되살아났기 때문이었다. 노비! 나는 마치 할아버지의 과거를 듣고 있는 것 같은 착각에 이맛살을 찌푸리며 담배를 물었다. 사내가 켠 불을 내밀었으나 나는 라이터를 켰다. 그래 노비였는데 어쨌단 말이오. 금방이라도 터져나오려는 충동을 억누르며 나는 사내의 말을 기다렸다.

"우리 집에서 풀을 해 나르는 깔담살이였어요. 내가 형님들한테 들은 바로는, 어느 날 어린 것이 찾아와 그저 밥만 먹여 달라고 애원하더랍니다. 당시 우리 집에는 머슴들이 넘쳐났는데 아버지가 적선한단 셈치고 거두어 들였다더군요. 그뿐인 줄 아십니까? 원래 우리 집안은 법 없이도 살 집이라고 소문이 났듯이 아버지는 그 사람 아버지에게 밭까지 떼어 주었더랍니다."

"그래서요?"

사내의 말이 길어지고 있었다. 나는 용건만 말하라는 투로 짧게 말했다. 그리고 손목을 끌어올려 시계를 보는 걸로 사내를 재촉했다. 사내는 눈치를 챘는지 급히 서둘렀다.

"내가 공연히 그런 얘길 한 건 아닙니다. 그때 그렇게 사정을 봐줬으면 은혜를 알아야지요. 아무리 막된 노비 자식이라고 함부로 까불다니 말이나 될 법입니까. 내가 이제와서 그 사람에게 은혜를 갚으라는 말은 아닙니다. 빚보증을 섰다가 넘어간 밭을 내가 정당하게 돈 주고 산 밭이니 만큼 저렇게 고집을 부려서는 안 된다는 말씀이지요."

나는 자리를 털고 일어서려 했다. 그런데, 나는 '빚보증을 섰다가 넘어간 밭'이라는 말에, 판쇠 아저씨와 연관된 일이라는 걸 순간 깨달았고, 그렇다면 고향을 찾아가던 날 내 옆자리에 앉았던 사내가 이현재일지도 모른다는 생각을 하면서, 더불어 내가 감당해야 할 일이라는 어떤 책임감으로 마음을 고쳐 사내를 바라보았다.

"나도 생각이 있는 사람입니다. 고향도 청암리에서 멀지 않는 곳이구요. 어찌보면 청암리도 고향 같은 곳이라 할 수 있지요. 우리 아버지 때까지만 해도 말을 타고 다녀가곤 했으니까요. 옛날 청암리 어른들은 우리 아버지를 명창이라 불렀답니다. 내가 고향 떠난 지가 오래여서인지 몰라도 이곳 사람들 정말 많이 변했습니다."

사내는 고개를 숙여 칡즙 한 모금을 급히 마시더니 말을 이었다.

"이리로 오기 전엔 서울에서 살았지요. 구 남매 중 막내인 나는 형님들과 달리 공부하고 인연이 없었던 모양입니다. 그래서 일찍이 눈치만 늘어 장사를 했습니다. 잘 안 되더군요. 하는 일마다 실패를 해서 그랬던지 나이를 먹을수록 고향 생각이 간절하더란 말입니다. 그래서 내려온 거였지요. 그런데 마침 청암리를 중심으로 이문을 챙길 만한 작물이 벌어져 있지 않겠습니까. 나는 형님들에게 마지막으로 한 번만 도와달라고 사정을 하여 밭떼기를 시작하게 되었던 것입니다."

"그래서, 대체 하고 싶은 말이 뭐요?"

속에 감춰둔 결정적인 얘기는 하지 않고 겉으로만 빙빙 돌려대는 사내의 말에 나는 짜증이 났다. 불쑥 내뱉은 가시 박힌 목소리가 예상치 못했던 상황이라는 듯 사내는 움찔하더니 다시 입을 열었다.

"미안하게 됐습니다. 어쨌 말을 하다 보니……. 아까 무슨 얘기를 하다가……."

사내는 곁길로 빠지기 전에 했던 말끝을 더듬듯 잠시 머리를 조아리며 슬그머니 담배를 꺼내 물었다.

"아. 그러니까…….

그는 기억해냈다는 듯 가는 눈을 반짝이며 물었던 담배를 빼냈다.

"그러니까 빚보증을 섰다가 넘어간 밭이 경매에 부쳐졌던 겁니다. 그 밭을 저 아래 기차역 앞에서 부동산 중개업을 하는 업자가 잡은 거지요. 그 업자는 경매물건만을 전문으로 잡아 넘기는, 말하자면 뿌로카인데, 마을로 와서 그 사람한테 팔려고 했던 모양입니다. 물론 정당한 가격으로 말입니다. 나중에 알고보니 그 사람하고 고등학교 친구였다더군요. 그 사람은 자기 밭을 돈 주고 사는 놈이 어디 있느냐고 되려 성깔을 부렸겠지요. 나는 그 소식을 좀 늦게 들었던 겁니다. 워낙에 쉬쉬해서 말입니다. 하긴 그 사람은 밭과 아버지의 관계가 드러나는 걸 원치 않았을 겁니다. 무슨 자랑이라고 떠들겠습니까. 지나간 일이라 하더라도 어차피 나무뿌리고 나뭇가지 아니겠습니까. 그러니까 나와 일을 해도 아버지 얘기는 일체 않지요."

"그래서 그 밭을?"

말머리가 곁길로 빠지는 것 같아 내가 끼어들었다. 답답했다. 나는 얼음이 녹아 닝닝한 물을 홀짝 들이켰다.

"진즉부터 사고 싶었던 밭이어서 웃돈까지 올려주고 내가 샀지요. 아, 그랬는데 도통 밭을 내놓지 않는 겁니다. 자기 밭을 왜 내놓아야 하냐면서요. 기가 막힐 노릇이었지요. 그래서 처음부터 된통 싸웠습니다. 벌써 삼 년째입니다. 나도 뒤늦게 그 마을로 이사를 들어간 터라 웬만하면 좋게 해결하려 했습니다. 그 마을이 지금이니까 흐지부지하지 옛날 어른들 얘길 들어보면 어땠는 줄 아십니까? 모두가 한 집안으로 이루어져 있어서 텃세가 말도 못한다는 거였어요. 지금은 토박이들이 거진 떠났다지만 근성은 그대로 남아 있거든요."

사내는 마지막 남은 컵 속의 즙을 마시고 숨을 고른 뒤 말을 이었다.

"나도 급한 것은 아니어서 그냥 지어먹게 놔두려고 했습니다. 그랬는데 작년이던가, 우리 고향에 진짜 명창이 있었는데 추모행산가 뭔가를 한다지 않겠습니까. 그 소식을 듣고 보니 아버지 생각이 절로 나더군요. 더 이상 미뤄서는 안 되겠다는 생각이 들었습니다. 아버지 살았을 때 못된 짓만 하고 다녀서 그랬는지도 모르겠습니다."

나는 자리에서 일어났다. 더 이상 들을 얘기도 없겠지만 해줄 수 있는 말도 없어서였다. 내가 할 수 있는 일이란 기껏해야 그들의 가슴에 짙은 앙금을 켜켜이 쌓아주는 일뿐이라는 생각이 들었다. 서로의 가슴에 깊이 뿌리박힌, '밭'이기 이전에 오랜 세월 자신들의 젊음과 기억을 심어온 보이지 않는 또 하나의 밭에 대해, 더 이상 간섭할 수 없는 성질의 것임을 나는 알고 있기 때문이었다.

"과장님, 아따 그러지 마시고……."

사내는 미리 준비한 봉투를 한사코 주머니에 끼워 넣으려고 안달해하면서 내 옆에 바짝 따라붙었다.

"내가 골머리가 아플 지경입니다. 그리고 그 사람을 교도소까지 보내란 건 아니지 않습니까. 그냥 한 사흘 유치장에서 겁만……."

"그토록 골치 아프다면 다른 사람에게 팔아버리면 될 것 아니겠소!"

나는 사내의 얼굴을 정면으로 노려보며 버럭 소리를 질렀다. 정문

초소경비병의 경례를 받으며 고개를 돌렸을 때, 석장승처럼 서 있는 사내의 모습을 볼 수 있었다. 사내는, 후끈거리는 길 한가운데 서서 멍청하게 이쪽을 바라보고 있었다. 그는 이제 경찰서를 처음 찾아왔던 날처럼 내 뒤통수에 대고 날카로운 비수를 겨눌 필요조차 없다는 걸 깨달았을 것이다.

콘크리트 바닥에서 치솟는 열기로 후끈거렸다. 사내처럼 진득하게 옷자락을 파고드는 눅진한 열기를 짓밟으며 나는 건물 쪽으로 걸어갔다. 나무 그늘에서 잡담을 나누던 직원 두엇이 무슨 말인가를 건네왔지만 알 수가 없었다. 날카롭게 들려온 매미 소리에 신경이 둔감해진 탓일 터였다. 나무 위에선 언제나처럼 매미가 외마디 비명을 질러대고 있었다. 날카로우나 단조로운 소리였다. 순간 나는 엉뚱한 상상에 빠져들었다. 매미에게도 나름대로 일정한 영역이 있을지 모른다는 상상. 자신의 공간을 침범하지 못하도록 앙앙대는 것은 일종의 소유권을 주장하는 행위가 아니고 무엇일까 하는 상상. 매미가 있을 만한 나뭇가지를 올려다보았다. 바람이 나무 위를 스칠 때마다 날선 햇살이 나뭇가지 사이로 파고들었다.

매미 소리는 끊겼다가 다시 이어졌다. 자신을 향한 낯선 눈초리에서 어떤 위협을 느꼈는지도 모를 일이었다. 나는 어처구니없는 나의 상상에 웃음이 나오면서도 한편으론 어리둥절했다. 매미의 영역이라니? 매미의 소유권이라니? 매미 소리를 들으며 나는 폭력사건을 연상했던 것이었다. 도무지 알 수 없는 노릇이었다.

나는 의자에 앉아 나의 낯선 모습을 새삼스럽게 둘러보았다. 내 성격으로 보아 낯선 사람의 전화를 받고 만나러 가는 일이 상상이나 할 수 있는 일이던가. 더구나 나는 어느 누구에게도 심중의 끄나풀을 잡히지 않기 위해 일기를 쓰는 잔인한 방법까지 동원했다. 물론 일기가 자서전으로 바뀌어 있긴 하다. 하지만 내가 생각해도 이해할 수 없는 일들이 이 고장으로 와서 벌어지고 있는 것이다. 나는 아직까지 이런저런 급작스런 충격에서 헤어나지 못하고 있는지도 모른다. 나는 지금 몹시 지쳐 있고, 저 유월의 하늘에서 쏟아낸 폭염으로 인하여 흐리멍덩해졌을 수도 있을 테니까.

"어디 다녀왔나?"

김 선배였다.

"무슨 일 있었습니까?"

"무슨 일은. 내일 일 없으면 나하고 낚시라도 다녀올까?"

"벌써 주말입니까?"

물으며, 벽에 걸린 달력을 바라보았다. 유월의 마지막 토요일이었다. 그제서야 나는 며칠 전 청암리에서 판쇠 아저씨에게 했던 말을 떠올렸다.

"고향에 가서 벌초나 좀 할까 하는데요."

"그럼, 이따가 차나 한잔하자구."

문을 나가면서 내뱉은 선배의 말이 석연찮았다. 긴히 할 얘기가 있다는 투였다.

김 선배가 나가고, 나는 사환을 찾았다. 벌초를 하러 가자면 낫이라도 미리 챙겨둬야 해서였다. 마땅히 누군가에게 부탁할 데가 없기도 했다. 사환은 밖에 심부름을 나가고 없었다. 판쇠 아저씨께 부탁을 해도 되었지만, 거동이 불편하여 바깥나들이를 못 한 올해를 빼놓곤 지금까지 손수 벌초를 하였다는데 더 이상 말을 꺼낼 수가 없었다.

어느새 내일이 주말이다. 벌초를 하러 가야한다고 생각하니 괜스레 부담감이 앞섰다. 그러나저러나 사건이 빨리 해결되고 볼 일이었다. 그날 판쇠 아저씨는 사건을 모르고 있었던 게 분명했지만, 알게 되면 여간 서운해하지 않을 것이었다. 당연히 나는 민망한 눈길을 피할 수밖에 없을 테고. 이런저런 자질구레한 이유를 차치하고라도 언제까지 밭을 사이에 두고 싸울 수만 없는 일이고 보면, 가급적 빨리 해결되는 게 바람직할 터였다.

나는 두 사람에게 들었던 얘기를 간추려 보았다. 먼저 이현재의 경우를 살펴보면, 그는 우선 아버지에 대한 불미한 감정부터 달래야 했다. 청암리에 가던 날 그는 분명하게 말했다. 그 말이 설령 진실은 아닐지라도, 그는 죽을 뻔한 사고에도 불구하고 사내와 화해를 했다지 않았던가. 또한 그는 내가 만나본 바에 의하면 뻔뻔스럽지 못한, 부끄러움을 알고 있는 사람이었다.

그렇다면 사내는 어떤가. 그는 스스로 말했다시피 눈치가 빠르고, 허풍이 심하며, 말을 할 때는 비사치는 버릇이 있었다. 은근히 상대방의 약점을 노리는 듯한 시선 또한 허투루 보아 넘길 일이 아니다. 그러나 그런 그에게도 참다운 데가 있다. 대개의 경우, 봉투를 준비한 사람들은 믿는 구석이 없으면 끝까지 밀어붙이지 못한다는 점과, 처음의 기세와는 달리 끝에 쉽게 무너지는 약점이 있다. 여린 마음, 어쩌면 그것이 사내의 참된 모습일 수도 있는 것이다.

대충 이렇게 정리를 하고, 나는 형사계 사건 담당 직원을 불렀다.

"폭력 사건 그대로 묻어 둘 거요?"

직원은 마주친 시선을 피하며 어물어물 대답했다.

"신원이 확실하고, 밭 때문에 일어난 일이라 아직……."

직원을 다그칠 필요는 없었다. 다만 조금은 위압적인 목소리로 서류에 눈을 준 채 말했다.

"둘 다 불러들이시오. 준비를 단단히 하고 나오도록 미리 알려 주고."

나는 직원을 돌려보내고 밖으로 나왔다. 그늘 아래에 퇴근을 하기 위해 나온 몇몇 직원이 서거나 앉아서 잡담을 나누고 있었다. 나는 미리 나와 기다리고 있는 김 선배와 곧장 정문으로 발걸음을 옮겼다. 정문을 나서면서 내가 물었다.

"낫을 좀 구했으면 하는데요?"

"벌초하려고?"

고개를 끄덕거리자, 그가 고개를 짧게 저으며 말했다.

"그럴 것 없어. 저 아래 농기구센터에 가면 예초기가 있으니까 빌려다가 써. 이런 더운 날씨에 어떻게 낫질을 해."

선배는 마치 나무라듯 일러주었다. 하지만 나는 식당에 들어서자마자 막무가내로 농기구센터에 전화를 걸어 슴베가 튼튼한 낫 한 자루를 부탁했다.

"사람하고는. 하여간 자네 고집은 알아줘야 한다니까."

방 안은 시원했다. 에어컨과 선풍기가 동시에 구석까지 바람을 뿌려대고 있었다. 창문에 드리워진 블라인드가 햇빛을 차단하고 있었다. 김 선배는 냉장고에서 막 꺼내온 차디찬 물수건으로 이마의 진득한 땀을 훔쳐냈다. 찬물로 목을 축이고 나서 내가 물었다.

"무슨 좋은 일이라도 있습니까?"

"좋은 일은 무슨. 자네가 요즘 너무 예민해 보여서 숨 좀 쉬라고 그런 거지."

김 선배의 말에 무안한 기분이었다. 퇴근 시간만 되면 도망치듯 사무실을 빠져나가던 나였다. 마음이 진정되면 자리를 마련하려 했던 것이었는데 또 늦어버린 셈이었다. 겸연쩍게 앉아 있는데, 마침 싹싹해 보이는 주인 여자가 음식을 들고 온 바람에 조금은 느긋할 수 있었다.

"이 술맛 봤나?"

주인 여자가 가져다놓은 술병 뚜껑을 열며 선배가 물었다. 작은 소주병인데 빛깔이 푸르스름한 술이었다.

"이게 이 고장 특산품인 녹차가 함유된 녹차술이라구."

이름은 녹차술이었지만 공장에서 제조된 술은 아니었다. 병의 술을 조금 비워 내고, 우려낸 녹차를 섞어 만든 정도에 지나지 않았다.

"순해서 마시기에 괜찮은데요."

"그러니까 집에만 들어가려 애쓰지 말고 사람들하고 좀 어울려 봐."

짐짓 빈정대는 듯한 말투였다. 고개를 끄덕이며 슬며시 웃는 나에게 내친김이라는 듯 선배가 쏘아부쳤다.

"사람이 너무 그러니까 직원들도 불편해하잖아. 더러 어울려서 술도 마시고 해야 믿음이 생기지."

삼계탕과 함께 소주를 마시면서 선배의 이야기는 계속 되었다.

"사람이 살다 보면 자질구레한 일들을 겪는 건 당연한 일인데, 너무 연연할 필요까지야 있겠나. 내키지 않는 일이겠지만, 그럴수록 함께 어울려야지, 안 그래?"

선배는 소주 한잔을 비워내고 잠시 입을 다물었다.

입가에 흠뻑 미소를 머금고 들락거린 주인 여자가 이번에는 구운 청어며 파전, 다시마에다 더덕구이를 가져와 상 위에 올려놓았다.

그동안 선배에게 너무 소홀했다는 생각이 들었다. 직원들에게 있어 내가 했던 행동 또한 크게 흠잡을 게 없으면서도 그렇다고 내세울만한 것 또한 없었다. 그저 아침엔 출근해 의례적인 인사를 주고받았으며, 퇴근길엔 서둘러 빠져나가는 일상의 연속이었으니까. 나야 이미 몸에 밴, 아무렇지도 않은 일이었지만 김 선배에겐 그게 퍽이나 못마땅했던 모양이었다.

하지만 물끄러미 선배를 바라보던 나는 한편으로 이상한 느낌을 받았다. 문득 낮에 왔던 그 사내가 떠올랐다. 왜 하필 그 사내가 떠올랐는지는 나로서도 알 수 없었다. 혹시 그 사내로부터 무슨 말을 들었던 건 아니었을까? 그 사내라면 충분히 그럴 만도 하리라는 생각이 들었다.

연거푸 술잔을 비운 선배가 먼저 입을 열었다.

"들자구, 들어. 그리고 이런 데도 자주 좀 들러. 그렇잖아도 경찰이라 하면 바깥 사람들에게 곱게 보이지 않는 법인데, 곧이곧대로 원리원칙만 따지고 들면 더욱 소원해질 수밖에 없는 거야. 마음은 그렇지 않다 할지라도 행동이 따르지 못하면 무슨 소용이 있겠어."

분명 그 사내를 만났을 거라는 확신이 생겼다. 내가 물었다.

"누구 만나신 겁니까?"

김 선배의 답변은 언제나 단도직입적이었다. 붙임성 없는 내가 선배를 좋아하는 것은 바로 그 점 때문이었다.

"엊그제 전화가 왔더구만. 좀 만나자고. 초면은 아니지만 그렇다고 잘 아는 사이도 아닌 사람이야. 자네를 직접 만나라고 했지."

"그러셨군요. 실은 오늘 낮에 만났습니다."

나는 낮에 사내가 찾아왔던 일을 떠올리며 말했다.

"알고 있어. 퇴근하려는데 전화가 왔더구만. 자네 만났다면서. 뭐 뜻대로 되질 않았던지 나를 좀 만나자고 한 걸 거절했어, 그리고 얘기해 줬지. 자네 입장 난처하지 않게 좋게 매듭지으라고 말야. 그 사람 깜짝 놀라던데."

선배와 나는 밤늦도록 술을 마시며 얘기를 나눴다. 손님 몇 사람이 다녀간 뒤로 식당이 아예 텅 비어버려 떠들며 편안하게 마실 수 있었지만, 나오면서 보니 시간이 너무 늦어 있었다.

읍의 밤풍경은 괴괴하기 이를 데 없었다. 모두들 숨죽이고 있는 공간에 나 혼자만 살아 움직이고 있는 것 같았다. 불현듯 외로움이 솟구쳤다. 걸어서 십여 분 남짓 소요된 아파트가 이렇게 가깝게 느껴지기는 처음이었다. 샤워를 마치고, 넉넉한 취기로 정말 오랜만에 깊은 잠에 빠져들었다.

아직 채 날이 밝지 않은 신새벽, 깊은 산속이다. 높고 낮은 산줄기가 에워싸고 있는 산속은 노송들로 꽉 차 있다. 오랜 세월 동안 엄청나게 키워 왔을 뿌리를 땅에 박고 있는 노송들. 그래서인지 한층 어두침침하다. 어느 한 곳, 환한 빛이 새어드는 곳이 있다. 그곳엔 봉분이, 커다란 무덤이 하나 있다. 웃자란 풀들이 난삽하게 얽혀 있어 벌초라도 해야 할 것 같다. 아무도 없는 산속의 무덤을 멀리서 웬 사내가 지켜보고 있다. 시커먼 사내는 등을 보인 채 꼼짝 하지 않고 무덤을 바라보고 있다. 돌연 어디선가 아우성이 들려온다. 하늘에서 떨어진 듯 갑자기 두 사내가 무덤 앞에 나뒹군다. 그들은 말을 하지 않는다. 말을 하지 않으며 싸운다. 놀랍게도 그들은 서로의 가슴을 움켜쥐고 있다. 손에 쉬이 잡히지 않을 것 같은데 손잡이라도 달린 듯 서로의 가슴을 단단히 움켜쥐고 있다. 금방이라도 가슴이 열릴 것만 같다. 피는 쏟아지지 않고 그들이 싸우고 있는 비밀이 쏟아져 나올 것만 같다. 비로소 사람의 목소리가 들려온다. 분명 그들은 말을 하지 않는다. 그들을 대신하여 보이지 않는 곳에서 변사(辯士)가 장난을 치고 있는지도 모른다. 터무니없게도 목소리는 무덤을 밭이라고 우긴다. 무덤을 무덤이라고 말하지 않는다. 멀리서 지켜보고 있는 검은 사내는 우둔하게도 고개를 끄덕인다. 그러나 묵연히 서 있을 뿐이다. 눈이 먼 장님인지도 모른다. 자세히 들어보니 목소리는 하나가 아니다. 둘이다. 변사의 짓이 분명하다. 무덤 앞의 두 사내는 변사의 말에 따라 행동한다. 마치 자신들이 말을 하듯 정확하게 행동한다. 꼭두각시인 모양이다. 목소리가 사라지면 그들은 가슴만 움켜쥔 채 휴식을 취한다. 경력이 화려한 연극배우일지도 모른다. 그렇지 않고서는 저토록 실감나게 연기할 수가 없다. 다투는 모습이 너무 처절하다. 너무 처절해서 눈을 뗄 수가 없다. 머잖아 저들은 죽을지도 모른다. 목소리가 들려온다. 목소리와 함께 두 사내는 어김없이 엉겨붙는다. 몹시 지친 듯 씩씩거린다. 양보하라며 다그친다. 어림없다며 쏘아붙인다. 두 사내가 뒤엉켜 무덤 위로 굴러간다. 밭을 공동으로 경작하는 게 어떻겠냐는 목소리가 들린다. 싸울 뿐이다. 밭을 반씩 나누는 게 어떻겠냐는 목소리가 들린다. 움켜쥔 손아귀에 더욱 힘이 들어간다. 그와 동시에 두 사내는 무덤 아래로 굴러 떨어진다. 목소리가, 검은 사내를 부른다. 낫을 달라고 외친다. 언제부턴가 검은 사내의 손엔 낫이 들려 있다. 낫을 달라는 목소리가 크게 들린다. 그러나 형편없이 녹슨 낫은 아무짝에도 쓸모가 없을 것 같다. 검은 사내는 대꾸하지 않고 묵묵히 지켜보고만 있다. 아마 가슴이 터져 콸콸 쏟아질 피를 기다리는지도 모른다. 두 사내가 죽기를 기다리는지도 모른다. 그러나 그들은 죽지 않는다. 애타게 기다려도 싸움만 계속될 뿐이다. 갈증이 난다. 언제까지 기다려야 할지 몰라 입이 탄다. 쩝쩝.

쩝쩝. 갈증으로 목안이 따가웠다. 마치 끈적한 풀이 말라붙은 듯 불쾌했다. 뭉뚱그려진 채 한쪽으로 밀려난 홑이불은 간밤에 몸부림쳤을 장면들을 되살려 보여주는 듯했다. 알 수 없는 꿈이었다. 내가 고향에 대해 너무 예민해 있는지도 모를 일이었다.

냉장고에서 찬물을 꺼내 마시고, 창문을 열고, 목욕탕으로 들어갔다. 쏟아지는 물줄기 아래서 칫솔질을 끝내고, 뜨거운 물이 요란하게 떨어지는 욕조로 들어갔다. 물이 차오르면서 숨이 컥컥 막혀왔다. 서둘러야 할 것 같았다.

농기구 센터에 들러 청암리로 가는 길은 왠지 부자유스러웠다. 아침에 출근했을 때 담당 직원이 했던 말 때문이리라. 전화를 했지만 통화를 하지 못했습니다. 김해봉은 다행히 휴대폰으로 연락이 됐는데, 이현재는 아침까지도 연락이 닿질 않는 겁니다. 마을 이장에게 연락해 월요일 아침까지 나와 달라고 했습니다.

차라리 잘된 일인지도 모른다는 생각이 들었다. 그들을 유치장에 감금해 두고 청암리를 찾는 일이나 판쇠 아저씨를 만난다는 것이 얼마나 모순된 일이겠는가. 옷을 갈아입고 나올 때까지만 해도 크게 신경 쓰이지 않았다. 하지만 청암리가 가까워질수록 다행이란 생각이 들었다.

사거리에서 마을로 들어가는 길목에 새로 지은 검은 기와집이 보였다. 문득 아저씨가 했던 말이 떠올라 마당 쪽을 들여다보았다. 밭 가운데 홀로 서 있는 집에 사람은 보이지 않고 한낮의 햇볕만 무심하게 내려앉고 있었다.

아저씨는 내가 도착하길 기다렸다는 듯이 마루 끝에 나와 앉아 있었다. 마루에는 둘둘 말린 돗자리와 낫 두 자루, 그리고 울퉁불퉁한 보따리와 사과 상자보다 커 보이는 상자가 보자기에 싸인 채 놓여 있었다.

내가 집 안으로 들어서자, 아저씨는 물건들을 끌어내리느라 안간힘을 썼다.

"무얼 이렇게 많이 준비하셨습니까?"

예상치 못했던 일이라 어안이 벙벙하여 내가 물었다.

"좀 더 장만을 해야 한디 미안하네. 몇 십 년 만에 조상을 찾아뵈러 가는 길인디 이까짓 걸로 되겄는가."

나는 미리 준비한 술과 과일 몇 개가 들어 있는 비닐봉지를 트렁크 구석에 밀쳐두고 마루 위의 물건들을 차에 실었다. 묵직한 보따리에서 느껴지는 무게가 감당할 수 없을 만치 어깨를 짓눌렀다. 공연히 낯이 붉어지는 것 같았다. 무슨 말인가를 해야 했음에도 나는 아무 말도 하지 못했다. 차 문을 열면서 슬그머니 아저씨를 바라보았다. 아저씨의 푸석한 이마 위로 한낮의 햇볕이 쏟아져 내리고 있었다.

마을을 빠져나오는 차 안에서 아저씨는 옛일들을 더듬기 시작했다. 옛날에는 없었다는 마을 앞 회관에서부터 좋이 백오십 년은 됐을 거라는 늙은 느티나무에 이르기까지. 툭툭 끊어지는 말투가 몹시 건조하게 느껴졌으나, 아저씨의 눈빛에는 벌써 축축한 물기마저 어려 있었다.

다리를 지나 절골로 가는 흙길로 들어서자, 아저씨의 손가락이 거미줄을 치듯 바쁘게 움직이기 시작했다. 하천에 있었다는 돌다리의 위치를 가리켰고, 죽은 자식을 어깨에 얹고 온 아버지와 만났다는 곳을 가리켰고, 할머니가 도망했다는 산길을 손가락으로 그어가며 가리켰다. 평평한 들이 산을 향해 밋밋하게 치오르는 곳에 이르러서는 할아버지가 목숨을 부지했다는 계곡 옆 바위를 가리켰고, 그 계곡을 따라 올라가면 절이 있다는 산꼭대기를 가리켰다.

아저씨는 휘청거리며 차에서 내렸다. 절골까지 찻길이 있는 것이 다행이라는 생각이 들었다. 아마 산자락을 갈아 일군 넓디넓은 황토밭 때문에 찻길이 트인 모양이었다. 실제 저만치 밭가에 바퀴가 커다란 트랙터가 세워져 있는 게 보였다.

나는 잠시 그 자리에서 움직이지 않고 주위를 휘둘러보았다. 근처의 모든 산줄기가 모여드는 절골에 살고 있는 사람은 아무도 없었다. 비어 있는 집의 흔적조차도 찾아볼 수가 없었다. 눈에 보인 것이라곤 희누렇게 마른 드넓은 황토밭뿐이었다. 숲속에서 산새들의 울음소리가 간간이 들려왔다.

아저씨는 앞장서서 밭둑을 걸어갔다. 둘둘 말린 자리를 옆구리에 꼈고, 커다란 궤짝을 싼 보자기를 어깨에 걸었지만 조금도 비틀거리지 않았다. 내가 짐을 나르겠다며 말렸지만 곧이듣지 않았다. 자리쯤이야

그렇다치더라도 알 수 없는 궤짝은 아무래도 버거워 보였다.

할아버지 무덤은 밭의 끝자락 어귀에 있었다. 뒤쪽은 가파른 산이었지만 앞쪽은 환하게 열려 있어 찾기에 쉬웠다. 하마터면 사라질 뻔했다는 아저씨의 말처럼 아슬아슬하게 산자락에 매달려 있었다.

무덤은 당신의 삶만큼이나 초라해 보였다. 크지 않은 봉분은 오랜 세월 무너져 내려 군데군데 흙이 드러나 있었고, 형체조차 알아볼 수 없을 만큼 훼손되어 있었다. 벌 또한 넓지 않았다. 게다가 도토리나무와 칡덩굴이 제멋대로 얽혀 있는 탓에 자칫 모르고 지나치기에 충분했다.

멀지 않은 곳에 있는 할머니 무덤은 할아버지의 무덤에 비해 나은 편이었다. 사각형으로 구획 지은 제법 너른 벌이며, 봉분도 동그랗게 잘 보존돼 있었다. 짙은 풀이 빽빽히 자라 있고, 그 위로는 환한 햇빛이 쏟아지고 있었다.

나는 무덤 위의 풀을 베어나가기 시작했다. 이마에서 솟아난 땀방울이 눈가를 적시고 턱밑으로 흘러내렸다. 허리춤에 구겨넣은 셔츠에서 땀이 배어났다. 햇볕에 발갛게 익은 살갗 위로 풀잎이 스쳐갔다. 쓰라렸다. 무엇보다도 가슴을 저민 것은 부석한 흙 위에 뿌리를 박지 못하고 번번이 뿌리째 들려나는 풀포기였다.

판쇠 아저씨가 했던 말을 떠올렸다. 그러자, 온갖 상념이 순식간에 뒤엉키기 시작했다. 맞춤한 자리 하나 차지하지 못하여 가슴 속의 응어리 같은 풀밖에 기를 수 없었던 당신의 비애가 가슴 깊이 와 닿는 것 같았다. 욕망에 억눌린 진실, 자가당착에 멍든 믿음. 마치 전설만큼이나 흉흉한 갖가지 사연들이 저마다 풀이 되어 자라 있는 듯싶었다. 나는 풀허리를 움켜쥐고 싸목싸목 베어 나갔다. 당신들의 가슴속에 맺혔던 것들을 하나씩하나씩 잘라내듯, 그렇게 베어 나갔다.

어느덧 해는 산그림자를 길게 늘어뜨리고 있었다. 무덤 앞에 앉아 먼 들을 바라보았다. 솔숲을 헤치며 찬바람이 건듯 불어왔다. 흥건히 젖은 등을 쓸어가는 판쇠 아저씨의 손이 느껴졌다. 나는 눈을 감아버렸다. 무엇이 그토록 이 땅을 거부하게 했던가.

"음복을 해야제?"

아저씨가 술잔을 내밀고 있었다. 나는 술을 따르고 북어포를 찢어 놓았다. 아무리 보아도 상상조차 할 수 없는 푸짐한 제물이었다. "메느리가 밤늦게까지 준비했다." 고 아저씨가 말했을 때 나는 시아버지를 내팽개쳤다고 오해했던 며칠 전의 잘못을 뉘우쳐야 했다. 연거푸 몇 잔을 들이켜고 북어포를 우물거린 아저씨는 앉은 자세로 뒤뚱뒤뚱 몸을 돌리더니 황토밭의 가장자리께를 가리키며 말했다.

"쩌그가 자네 집터였다네. 우리 집은 그 곁에 있었고, 지금이사 산을 야금야금 다 파묵어서 밭 가운데 있는 것같이 보이제만, 예전에는 바로 산에 붙어 있었제. 산이 뒤안이었응게. 뒤안에는 샛길이 있었는디……."

아저씨는 밭 가운데 머물고 있는 손가락을 산 아래로 끌어오며 말을 이었다.

"그 길을 따라가다 보믄 자네 성이랑 누님 메뚱이 있었어. 지금은 갈아엎어 없어져부렀제마는. 징헌 놈들이제. 그깟 밭조깐 넓히겄다고 말이시."

무슨 생각이 났는지 말을 하다 말고 아저씨는 집에서 가지고 온 네모진 궤짝을 끌어당겼다. 그러고 보니 그 상자가 아직 열리지 않고 있었다. 무엇인가 싶어 넘어다보고 있는데 아저씨가 말했다.

"벨 거 아니시. 이걸 현재가 가져갔는디 오늘 아침에 저 아래 해봉이가 가져왔드랑께. 뭔 일이냐고 물어도 임자를 찾아준다든가. 뭐라든가 함서 말을 안 해."

아저씨가 상자 속에서 꺼낸 것은 북이었다. 나는 깜짝 놀라지 않을 수 없었다.

"나 오늘은 한바탕 두들고 가야쓰겄네. 인자 가믄 다시 오기 힘들 것인게. 자네 할머니도 내 소리를 좋아하셨제."

북채를 잡은 아저씨의 손이 북 위로 가볍게 넘나들었다. 두웅, 탁. 북을 두드리더니 목소리를 가다듬었다. 그리고 당신이 지금도 흠모한다는 임방울의 쑥대머리를 불러나가기 시작했다.

쑥대머어리이 구신혀엉요용 저억막오옥방 차안자리에

한낱 화난 듯 들리던 아저씨의 목소리가 저물어가는 들녘으로 퍼져나갔다. 때로는 솔바람 소리처럼 은은하게, 때로는 계곡물처럼 강렬하게 들려오던 아득한 옛 기억이 서서히 되살아나고 있었다. 굳게 닫혀 있던 모든 것들이 문을 열어 들려오는 소리에 귀 기울이는 것 같았다.

차를 몰아 이미 어둠에 덮인 절골을 빠져나오면서 나는 생각에 잠겼다.

이제 자서전을 덮어야 할 때가 되었다. 아직 많이 남은 빈 칸은 언젠가는 채워질 것이다. 일기장을 꺼낸다. 이제는 정말 아름다운 내용을 쓸 수 있을까.

1997년 6월 월요일

이현재와 김해봉이 다녀갔다. 함께 점심을 먹고 얘기를 나눴다. 무엇보다도 서로 화해를 했다 하니 다행한 일이다. 판쇠 아저씨가 의아해하던 북에 대한 실마리도 풀렸다. 밭과 북은 서로 뗄 수 없는 거라며 이현재가 김해봉에게 전해주었는데, 김해봉이 북의 주인은 바로 판쇠 아저씨라고 극구 사양했다는 것이다. 밭은 이현재가 매입하기로 했다 한다.

우리는 다시 만날 날을 약속하고 헤어졌다. 다시 만나면 쑥대머리를 듣기로 했다.

| 발문 |

소설, 바다를 만나다

손병현_ 소설가

바다

박응순 작가의 첫 창작집 『저녁과 아침 사이』(문학들)가 출간된다. 1997년 〈광주매일〉 신춘문예 단편소설 「슬픈 우상」이 당선되어 문단에 나온 후 첫 출간이니 20년 넘어 비로소 집을 한 채 짓게 된 것이다. 오랜 망치질 끝에 고대광실 한 채 지었으니 하늘이 도우사 상량식과 더불어 문운이 해와 같이 빛나기를 바라 마지않는다.

금번 창작집 『저녁과 아침 사이』 속 작품은 총 7편으로, 중편 「쑥대머리가 들린다」를 제외한 나머지 단편들은 모두 바다를 배경으로 한다. 열거하자면 「조경역(潮境域)」, 「슬픈 우상」, 「저녁과 아침 사이」, 「마젤란 해협」, 「세월의 넋」, 「여기 배가 있었다」 이상 6편이다. 이처럼 그가 생산한 대부분의 작품이 바다를 배경으로 한다는 점에서 그의 문학적 근간이 바다임을 분명히 한다.

모든 작가는 개인의 창작 시원을 갖기 마련이다. 그것은 우리 몸 안의 화산이나 우물과도 같아서 개인만의 독특한 내용과 형식으로 분출내지는 샘솟기 마련이다. 작가가 내놓은 작품과 작가 본인의 내면을 따로 떼어 설명하기 어렵다고 말하는 것은 이 때문일 것이다. 박응순 작가는 그의 바다에서 무엇을 잉태하고 키워냈을까, 찬찬히 귀 기울이면 심연의 기지개 소리 들린다.

『저녁과 아침 사이』 속에는 발표한 지 오래된 작품들이 대부분이다. 때문에 자칫 낡아 보이거나 구태한 모습을 띨 수 있다. 솔직히 그러한 장면을 전혀 부정할 수는 없다. 작품 곳곳에서 현 시대와는 멀게 느껴지는 상황들이 재현된다. 하지만 시간이 아무리 지나도 낡아 보이지 않는 것들은 존재한다. 우리가 고전이라 일컫는 문학집을 읽으면서 낡음에 얽매이지 않는 것도 그런 이유다. 오히려 현 시대를 살아가면서 미처 인식하지 못한 것들에 대한 신선함을 발견하기도 한다. 그 빛나 보이는 원천은 의외로 단순성에 기인한다. 음식에 비유하자면 조미를 최소하고 그 재료의 본연에 집중한 결과라고 할 수 있다.

박응순 작가는 바다와 인간을 향하여 맑고 정직한 눈으로 대면한다. 화려한 기교와 심오한 의식으로 대변되는 알레고리가 없어도 그의 작품은 충분히 묵직하고 따뜻하며 편안하다. 그래서 『저녁과 아침 사이』가 오래 기억되는 문학적 가치로 남을 것이라는 신뢰는 인간 박응순에 대한 신뢰와 맥을 같이한다.

『저녁과 아침 사이』는 박응순 개인의 문학적 성취와 더불어 우리 문학사에 귀중한 자료로 남을 여지가 충분하다. 우리나라는 3면이 바다이고 수산업과 운송업 등 상당 부분 바다에 의지해 살고 있다. 이러한 특징을 고려하여 여타 기관에서 오래전부터 해양문학 발굴에 노력하고 있으며, 몇몇 항구도시에서 바다를 배경으로 한 문학적 콘텐츠 개발을 시도하고 있다. 앞으로 해양문학의 저변 확대와 위상이 높아지고 다변화될 것이라는 사실로 미루어 박응순 작가의 『저녁과 아침 사이』도 해양문학의 한 갈래로 널리 회자되는 때가 있으리라 기대한다.

사람 박응순은 노을이 지는 바다를 닮았다. 해가 빠지는 그 순간의 너그러움은 하루 동안 지치고 힘든 모든 것들을 위로한다. 아주 오랫동안 파도와 바람에 쓸린 바다는 물결도 모래도 풍경도 선이 곱다. 그 바닷가 모래사장에 앉아 노을을 바라보고 있노라면 세상 독이 빠져나가고 부끄러운 나만 남는다. 박응순의 바다는 이처럼 경계가 없다. 그 바다에서 많은 사람들이 뱃놀이도 하고 분탕질도 하고 또 누구는 목 놓아 울기도 했을 것이다. 박응순의 바다는 숱한 세상 발자국을 밀려왔다 밀려가는 파도로 잔잔히 쓸어 내 위로할 뿐이다. 그래서 가끔은 박응순이 바다 같고 바다가 박응순 같은 착각이 들기도 한다. 『저녁과 아침 사이』가 박응순일 수 있고 박응순이 『저녁과 아침 사이』일 수 있어서, 『저녁과 아침 사이』를 읽는 동안 우리는 인간 박응순을 만날 수 있다.

바다1 – 고향

박응순 작가의 고향은 전남(全南) 보성군(寶城郡) 득량면(得粮面)이다. 국민학교 때 아버지의 교육열에 힘입어 잠시 광주로 유학을 갔지만 정이 그리워 중학교 때 고향집으로 내려온다. 보성예당중학교 3년을 다니던 소년 박응순은 자신의 비전을 결정지을 중요한 순간을 맞이하게 된다. 한여름 직원실에서 소설을 쓰다가 원고지를 마구 구겨서 쓰레기통에 버리는 국어교사 이광남(필명 이지흔)의 모습에 반해버린다. 도서부장 박응순은 그 순간 작가가 되어야겠다는 꿈을 갖게 된다. 성인이 된 박응순은 당시 광주고등법원 도서관장으로 있던 이지흔을 찾아가 소설을 배우고 싶다고 했고, 그가 강사로 있던 YMCA 문학창작반에서 정식으로 소설을 배우게 된다.

박응순 작가에게 바다는 생명이며 근원이다. 바닷가에서 나서 해풍을 쐬고 자란 그가 바다를 작품화 한다는것은 어쩌면 다 자란 연어가 치어 때의 모천을 기억하는 원초적 본능과 같다고 할 수 있다. 『저녁과 아침 사이』 속 고향은 늘 그리움의 대상이고, 작품 속 '나'는 늘 그 고향을 찾아 나선다. 박응순은 작품을 통해 비로소 고향으로의 회귀를 실현한다.

> 달섬, 그곳은 형구가 태어나서 자란 곳이기도 했다.
>
> –「저녁과 아침 사이」 부분

> 이 버스는 종점이 벌교가 아닌 고흥이다. 벌교를 통과해야만 갈 수 있는 땅 고흥, 거기가 내 고향이었다.
>
> –「세월의 넋」 부분

박응순 작가는 작품 속 고향을 남쪽 바닷가 마을로 한정한다. 그의 무의식 속 고향은 언제나 남쪽 바닷가 마을이다. 박응순 작가는 고등학교를 졸업하면서 고향을 떠났지만, 작품 속에서는 여전히 고향을 떠나지 못한 모습으로 그려지기도 한다. "항구다실의 침침한 불빛 속에 도사리고 있는 눈빛들은 그를 인정해 주는 유일한 무리들이었다."(「저녁과 아침 사이」) 주인공 형구는 생계마저 위협받는 상황에서도 고향을 떠나지 못한다. 그곳이 자신에게 익숙하고 그를 알아주는 사람들이 있기 때문이다. 박응순 작가는 고향을 떠나왔지만 내면은 형구의 또 다른 모습으로 아직 그곳에 머물러 있다.

박응순 작가는 자신의 고향 앞바다를 작품 속에서 사실적으로 재생하기도 한다. 고향 앞바다의 이미지는 『저녁과 아침 사이』 곳곳에 삽화로 오려 붙이지만, 「여기 배가 있었다」는 고향 앞바다의 이미지와 마을 사람들의 척박한 삶을 그대로 옮겨놓는다.

> 오른쪽 저 끝, 바다 쪽으로 내민 산과 맞물려 있는 그 언저리에서 나는 가로수처럼 서 있는 수십 개의 불빛을 발견했어. … 간척 공사장이었는데, 바다 건너 땅과 이쪽 땅을 잇는 석축 위에 세워 둔 가로등이었어.
>
> 마을 사람들은 이미 간척 공사로 인한 보상금에만 혈안이 되어 있었던 거지. … 마을 사람들은 폐기 직전의 배를 이전해 오고, 모래땅 위에 집을 짓고, 불법이라 하여 단속하는 낭장망 어구를 가급적 많이 바다에 집어넣었다는 거야.
>
> –「여기 배가 있었다」 부분

「여기 배가 있었다」의 배경인 가로등이 서 있는 물막이 장소는 실제 박응순 작가의 고향과 인접한 고흥 앞바다이다. 박응순 작가는 시멘트 건조물로 가로막히는 고향 앞바다와, 당장의 이익 때문에 바다의 훼손을 외면한 채 그악스러워지는 사람들을 안타까운 시선으로 조명한다. 「여기 배가 있었다」의 정수 아버지는 박응순 작가의 시선을 대변하는 인물로 묘사된다. 정수 아버지는 혼자서라도 바다를 지키려 고집한다. "상당한 대가를 조건으로 접근한" 양식업자를 "호통 쳐 돌려보"내기도 하고, "마을 사람들이 수군거리며 보상금을 의논하고 있을 때, 간척 공사를 해서는 안 되는 이유를 밤잠 설쳐가며 정리"한다. 하지만 정수 아버지의 노력에도 불구하고 고향 앞바다는 양식장이 들어서 폐허로 변하고, 물막이공사로 인해 바다가 가로막히는 결과를 낳는다. 이 과정 속에서 정수 아버지는 사람들의 부추김과 친척 형의 실행으로 결국 바다에서 실종되고 만다. 인간의 탐욕 앞에서 어쩔 수 없이 황폐해지는 바다처럼 정수 아버지도 그렇게 바다 속으로 수장되어버린 것이다.

『저녁과 아침 사이』의 고향으로의 회귀는 「쑥대머리가 들린다」에 또 다른 모습으로 그려진다. 경찰인 나는 부하 직원의 잘못으로 좌천되고, 몇 군데 선택지 중 고향 인근 지역을 택한다. 자신도 왜 고향 인근을 자원했는지 잘 모르는 가운데 할아버지와 할머니의 묘소를 찾으면서 자신의 근본을 찾아간다.

> 왜 나는 떠난 지 삼십 년이 넘은 고향인 이곳을 선택하였을까? 몇 군데 전보로 인한 빈자리가 있었지만 나는 이곳으로 자원해 왔다. 무엇 때문에? 고샅에서 느닷없이 사나운 개와 맞부딪쳤을 때

허겁지겁 어머니 치마 속으로 파고드는 그런 기분에서였을까.

—「쑥대머리가 들린다」 부분

『저녁과 아침 사이』 고향은 그리움과 안타까움의 대상이다. 애정과 걱정이 어우러진 고향은 마치 그곳에 남겨진 부모를 떠올리게 한다. 떠나온 고향에 부모가 있고 나는 그 고향을 생각하듯 부모를 생각한다. 그래서 고향은 아버지의 너그러움 같고 어머니의 따뜻한 품속 같다.

바다2 – 아버지

『저녁과 아침 사이』는 바다와 더불어 곳곳에 아버지의 이미지가 오버랩된다. "수산대학을 다닌 학생들이 어린 명태 싹쓸이 하라고 노가리를 안주 삼느냐"(「여기 배가 있었다」)며 호통치는 모습으로, "법을 알아야 남한테 큰소리치고 사는 세상"(「세월의 넋」)이라며 앞날을 걱정하는 모습으로, "아버지가 세상을 뜬 후" 아무도 "내 어깨를 다독이고 손을 감싸 잡아준"(「쑥대머리가 들린다」) 기억이 없는 쓸쓸함으로…….

『저녁과 아침 사이』 속 아버지는 나에게 그늘을 드리우는 큰 나무로, 나를 있게 해준 생명의 근원으로 대상화된다. 단단한 모습과 다감한 모습으로 묘사되는 아버지는 나에게 삶의 나침반 같은 존재로 망망대해를 헤쳐 나가는 길잡이 역할을 한다.

박응순 작가의 아버지는 2002년 향년 78세를 일기로 타계했다. 유독, 6남 2녀의 자식들 중 넷째인 박응순 작가를 더욱 챙겼던 아버지는 작고하고 없지만 『저녁과 아침 사이』에서 똑같은 모습으로 부활한다.

> 내게는 한없이 다정했던 아버지. 우락부락한 얼굴에 몸집이 군내에서는 제일이어서 힘으로는 맞부딪칠 만한 사람이 없었다. … 나는 아버지가 곁에 있으면 그저 든든했다. … 그들이 부러워했던 것은 내가 신은 운동화보다도 어쩌면 늘 곁에 버티고 있는 아버지였을지도 모른다.
>
> ―「세월의 넋」 부분

박응순 작가의 아버지를 향한 기억은 애틋한 감정만큼이나 분명하다. "국민학교 때 소년동아 어깨동무를 매달 사주셨고, 동화책 등 필요한 것은 모두 채워주셨"던, "남광주역으로 기차를 타고와 손수 뭔가를 아내에게 전달해주고 가시곤 했"던 아버지. 박응순 작가는 『저녁과 아침 사이』를 통해 아버지를 재현하는 것으로 그 사랑에 보답한다.

『저녁과 아침 사이』 속 아버지를 통해 성장한 나는 어느새 또 다른 아버지의 모습으로 세상 가운데 서 있다. 아버지의 이름으로 지워진 십자가는 아무런 조건이 없어서 때로는 목숨을 잃기도 하고, 때로는 망망대해의 외로움을 견디는 것으로 생활을 돕기도 한다. "바다 위에 뿌려진 허연 달빛을 따라 헤엄쳐가면서 그는 몽롱한 의식 속으로 침잠해가는 자신을 보았다. 그때 갑자기 아기 울음소리가 들렸다."(「저녁과 아침 사이」)는 주인공 형구가 태어날 자신의 아기 병원비를 마련하기 위해 불법 머구리를 하다가 죽어가는 모습이고, "아빠 곧 갈 테니까 엄마하고."(「조경역(潮境域)」)는 원양어선의 선장인 내가 항해 도중 아들과 통화하는 내용이다. 박응순 작가는 슬하에 2남 1녀를 두었다. 그도 어느새 그 옛날 아버지의 사랑을 받던 자식의 모습에서 이제 자식에게 베풀어야 할 아버지의 모습으로 서 있는 것이다.

『저녁과 아침 사이』 속 주를 이루는 아버지의 모습과 비교해서 어머니의 모습은 극히 부분적으로 그려진다. "어머니가 들려줬던 얘기가 슬금슬금 되살아난 것은 고향 근처에 와 있기 때문일까."(「쑥대머리가 들린다」)와 「저녁과 아침 사이」의 경찰서에 잡혀 들어간 형구를 면회한 어머니의 모습으로 한정된다.

> 헹구야, 니는 도둑질 안 했지야. 동네 사람들이 너가 도둑질을 했다 해서 나는 깜짝 놀랐니라. 근데 여기 와서 들어보니 죄목이 다행히 절도범이라는구나. 절도범이 뭔 죄를 저지른 사람인지는 모르겠다만 도둑놈 아닌 것만도 천만다행이다. 그럼, 니는 내 뱃속에서 나온 놈인디 도둑질을 할라구. 절룩거린 몸으로 경찰서를 찾아온 어머니는 유치장 쇠창살을 쥐어뜯으며 말했다.
>
> —「저녁과 아침 사이」 부분

『저녁과 아침 사이』 속 어머니의 등장은 한정적이지만 그만큼 애틋하다. '도둑놈'과 '절도범'에 대한 나름의 해석으로 어떻게든 자식의 입장을 대변하려 하는 어머니의 모습은 단순하고 억지스러워서 더 설득력과 감동이 느껴진다. 모든 어머니의 자식 사랑은 상식과 원칙을 벗어나 있기에 특별할 수 있다. 박응순 작가의 어머니는 현재 88세의 나이로 고향 득량에 생존해 있다. 이 땅의 모든 어머니가 그렇듯 박응순 작가를 향한 염원을 가슴에 품은 채로…….

바다3 – 휴머니즘과 이상향

『저녁과 아침 사이』의 여운은 꽤나 묵직하다. 한 편 한 편 읽어 낼 때마다 가슴 한쪽이 아린 듯 짓눌리는 삶의 상흔을 쉽게 떨쳐버릴 수 없다. 소설가의 눈은 대상을 향한 앵글 맞춤이라고 할 수 있다. 대상을 향한 다양한 시선과 사유의 갈래를 특정 짓는 것, 그것이 바로 그 작가만의 독특한 관점과 색깔이다. 『저녁과 아침 사이』에 비친 박응순 작가의 시선은 웅숭깊고 따뜻하다. 가름하자면 대상에 대한 연민이 많다. 대상을 향한 연민은 인류애적 측면에서 지향되어야 하지만, 일면 냉정함 또한 불필요한 감정의 제한적 측면에서 작가로서 갖추어야 할 덕목이기도 하다.

박응순 작가의 이타적 삶은 주변의 많은 사람들을 푸른 바다로 이끌었으나, 정작 본인은 그로 인한 수고로 햇볕 아래 갈증을 감내한 채 서 있곤 했다. 그가 애정을 쏟은 광주전남소설가협회 사진첩을 들여다보면 거의 모든 행사에 그의 얼굴이 있다. 그 사진들을 보고 있노라면 마음 한쪽이 저린 듯 훈훈하고 또 그만큼 부끄러워진다. 박응순 작가의 바다는 그런 곳이었구나, 잠정 휴업 중인 그 바다로 인해 우리는 지금 쓸쓸하구나. 잠정 휴업할 때까지 누리기만 했지 정작 빗자루질 한번 거들지 못했구나, 복잡한 생각에 자책감마저 든다.

입원한 지 정확히 일주일이 되던 날 닥뚱은 퇴원을 했다. 병원에서 멀지 않는 야산에 팔 하나를 묻고 돌아오는 길에 자꾸 뒤를 돌아보던 녀석의 눈동자가 무척 맑았다. 가방을 끌고 공항 대합실을 빠져나가며 닥뚱은 처음으로 내게 한국말을 했다. 아버지 나라에 오게 될 줄은 꿈에도 생각 못했어요. 영원히 잊지 못할 겁니다.

—「조경역(潮境域)」 부분

「조경역(潮境域)」의 베트남 선원 닥뚱은 아버지가 한국군이었던 라이따이한이다. 선장인 나는 왠지 그런 닥뚱에게 마음이 쓰이고 김군에게 전담 관리를 맡기지만 결국 닥뚱은 참치잡이 낚싯바늘에 팔의 뼈까지 긁히는 큰 사고를 당한다. 한쪽 팔을 잃은 채 출국하는 닥뚱의 모습을 끝까지 바라보는 선장의 시선은 적요하고 쓸쓸하고 자괴감마저 느껴진다. 누군가를 향한 연민이 만들어 내는 소설적 여운은 우리네 삶이 그렇듯 짙은 비애와 잔잔한 감동을 수반한다. 고아와 과부와 나그네를 살피는 그 긍휼한 마음이 출국하는 닥뚱의 뒤태에 어른거린다. 비록 닥뚱은 이국땅에서 팔을 잃었지만 그 연민으로 인해 조금 덜 상심하지 않았을까.

그때 떠난 전어나 멸치 같은 물고기는 몇 해가 지난 뒤에야 조금씩 보이긴 했지만 예전처럼 풍성하지 않았다더군. 20여 년이 지난 지금까지도 적조는 계속되고, 대하나 짱뚱어 등 그때 떠난 물고기는 돌아오지 않고.

—「여기 배가 있었다」 부분

「여기 배가 있었다」의 나는 폐허로 변한 정수의 고향 바다를 애잔한 목소리로 얘기한다. 외부 업자와 마을 주민들이 결탁해서 만든 앞바다 양식장은 결국 바다생물이 죽어가고 떠나가는 결과를 초래한다. 비단 인간의 욕심은 바다생물에게만 국한된 것은 아니어서 친척 형의 "배 밑바닥 물구멍에 나무쐐기를 빼고 대신 구겨 박아 놓은 비닐뭉치"로 인해 "아버지를 잃어버리"는 참상을 맞기까지 한다.

『저녁과 아침 사이』 기저에 깔려 있는 사람과 세상에 대한 연민은 작금의 세태에 동아줄 같은 휴머니즘으로 간신히 인륜을 지탱하고 있어서 그 동아줄이 더 안타깝게 느껴지기도 한다.

> 눈을 감고 선장은 눈 덮인 산정을 향해 가고 있는 배를 본다. 하얗게 펼쳐진 설원이 저 앞에 있다. 무척 가까워 보인다. 조금만 더 가면, 조금만 더 속력을 내면 금방이라도 설원에 도달할 것만 같다. 선장은 조금 속도를 높인다. 수평선이 그러하듯 설원 역시 가까워 보이지만 쉽사리 거리를 좁혀 주지 않는다. 언제나 그만큼의 거리를 두고 떨어져 있다. 선장은 속도를 최대한 높이고 전속력으로 내닫는다. 그러나 생각과 달리 배는 더 이상 올라가지 못한다. 경사진 길에서 높은 기어를 사용한 화물차처럼 배는 자꾸만 뒤로 물러나려 한다. 설원이 바로 저 앞에 있는데…….
>
> —「마젤란 해협」 부분

「마젤란 해협」은 정해진 해로(海路)를 잃은 배가 만년설을 향해 나아가는 이야기다. 이 작품은 여타 다른 작품의 사실성에 기반한 리얼리즘

성향과는 달리 이상향으로 비치는 환상성에 기반한다. 뚜렷한 서사 없이 오직 만년설이라는 클라이맥스에 집중하는 구성방식을 통해 너무나 일상적인 우리네 삶의 권태를 일깨운다. 바다를 건너는 배가 정해진 항로를 여행하는 것처럼, 우리네 삶 또한 정해진 노선(규칙·반복·역할)대로 살다가 그렇게 사라져가는 것은 아닐까. 정해진 항로를 벗어나 만년설을 향해 나아가는 「마젤란 해협」의 배처럼, 우리네 삶 어디쯤 산타클로스 선물 같은 환상이 나타나기를 꿈꾼다.

맺는말

박응순 작가는 전남 보성군 득량면에서 출생했다. 보성예당중학교 3학년 당시, 국어교사였던 이광남(필명 이지흔) 선생의 소설 창작과정을 목격한 후 소설가를 꿈꾼다. 고등학교를 졸업한 그는 공무원시험 준비를 하다가 여수수산대학에 진학한다. 여수수산대학 면접 당시 교수가 장래희망이 무엇이냐고 묻자 소설가가 되는 것이 꿈이라고 당당히 말한다. 졸업 후 2년 동안 항해사로 해외 송출선과 어획물운반선을 탔으나 소설 쓰겠다는 일념으로 배에서 내린다. 결혼 후 오치동에서 아내의 조력을 받아 수산기술고시 준비를 몇 년 했고, 이후 산수동에서 족발집을 운영하다 잊고 있던 소설가의 꿈을 실현하기 위해 이지흔 선생이 강사로 있던 YMCA 문학창작반에서 수학했고, 1997년 〈광주매일〉 신춘문예로 등단한다. 1998년 소설을 체계적으로 공부하고 싶은 마음에 광주대학교 문예창작과에 편입해 문순태·유순영 선생에게 소설을 배웠다. 이후 광주전남소설가협회장을 역임하는 등 줄곧 소설가로서의 곧은 길을 걸었다.

박응순 작가는 생계와 소설 그리고 학업을 병행하면서 광주전남 문학 발전과 문우들의 주변을 살피는데 항상 앞장섰다. 소설처럼 술을 좋아한 그는 늘 사람 가운데 있었다. 가장 늦게까지 자리를 지키고 마지막 술잔을 함께 비운 이도 그였다. 사람 좋은 탓에 그의 아내도 덩달아 고생에 동참해야 했다. 염주사거리 경도식당에서 그의 아내가 내오는 안주로 자주 모였다. 술꾼 남편 소설가가 미울 수도 있을지언정 낯붉히는 법이 없었다. 박응순은 부족하지만 풍성하게 만드는 재주가 있어 언제나 그가 참석한 자리는 차고 넘쳤다. 혹여, 모여서 노래방이라도 가는 날에는 어디서 구했는지 등에 바가지를 집어넣고 곱사춤을 추곤 했다. 노래는 칠갑산을 곧잘 불렀다. 본인 글보다는 남의 글을 더 많이 써 밥을 만들었지만 현실을 비관하거나 불평하지는 않았다. 그가 가장 멋있어 보였을 때는 고향 득량면지를 쓸 때였다. 그의 낡은 다마스를 타고 득량에 동행했을 때, 고향 앞바다에서 환히 웃는 그의 얼굴에는 소설가로서의 자부심과 생명력이 얼비쳤다. 당신이 있어 우리는 지금껏 행복하노라 말하고 싶다.

해가 뜨면 저녁이 오고, 별자리가 바뀌면 계절 또한 변하는 줄만 알았다. 그래서 더 늦기 전에, 올겨울이 지나면 나는 내 주변을 정리하려고 마음먹고 있었다. 그럴 만한 이유가 있었다.

그런데 따뜻한 봄날이 익어가던 어느 날, 소설가협회로부터 전화가 걸려왔다.

불 속으로 들어갈 원고를 살려보자는 거였다. 예상치 못한 일이었다.

거절했다.

설악산에 단풍이 시작됐을 때, 협회에서 다시 한번 만나자고 하였다.

불이 될 뻔한 원고가 물 위에 한송이 연꽃을 피우는 순간이었다.

감사하다. 소설가협회 조성현 회장님과 회원님들, 묵은 먼지를 털어내며 원고를 정리해준 이원화 사무국장. 주위를 맴돌며 시들지 말라 응원한 선후배님과 벗들. –님들의 사랑을 나는 아직도 기억하고 있다.

사랑을 모른 내게 먼저 사랑을 가르쳐준 가족들의 응원은 더 말해 무엇할까.

찬바람 이는 겨울로 들어섰다. 송광룡 사장님과 편집에 수고하신 모든 분들, 그리고 문인들을 위하여 문학들의 구들장이 앞으로도 계속 따뜻했으면 좋겠다.

2019년 11월

박응순

저녁과 아침 사이

초판1쇄 찍은 날 | 2019년 11월 5일
초판1쇄 펴낸 날 | 2019년 11월 16일

지은이 | 박응순
펴낸이 | 송광룡
펴낸곳 | 문학들
등록 | 2005년 8월 24일 제 2005 1-2호
주소 | 61489 광주광역시 동구 천변우로 487(학동) 2층
전화 | 062-651-6968
팩스 | 062-651-9690
전자우편 | munhakdle@hanmail.net
블로그 | blog.naver.com/munhakdlesimmian
값 12,000원

ISBN 979-11-86530-80-1 03810

· 이 책은 광주광역시 GWANGJU CITY, 광주문화재단의
지역문화예술특성화지원사업으로 지원받아 발간되었습니다.